Hitchcock

Du même auteur :

L'Art d'aimer, éditions Cahiers du cinéma, 1998
La Nouvelle Vague, éditions Hazan, 1998

En couverture : Alfred Hitchcock
© DR.

Conception graphique : Atalante

© Cahiers du cinéma, 1999, 2006.
Ecrit entre 1963 et 1966. La première édition de cet ouvrage a été publiée par les Editions
de l'Herne en 1967.
ISBN : 2-86642-244-9
ISSN : 1275-2517

Jean Douchet

Hitchcock

Petite bibliothèque
des Cahiers du cinéma

LE SUSPENSE

Le titre de « Maître du Suspense » volontiers décerné à Alfred Hitchcock est rarement pris en bonne part. Il sous-entend non seulement les réserves qu'on a coutume de faire sur un talent tenu longtemps en suspicion par la quasi-totalité de la critique, mais plus encore une certaine forme de mépris à l'égard d'un genre considéré comme grand-guignolesque.

Or, loin de réfuter ce titre, il convient de l'envisager comme la principale définition de l'œuvre hitchcockienne. Il est donc nécessaire de définir avant tout la notion de suspense et de dégager ensuite son rôle de « ferment ».

Dire que le suspense est fondé sur l'irruption d'un événement brutal dans l'ordre quotidien est un truisme. Son domaine ressortit à la catastrophe et sa mission est de nous rendre oppressante l'imminence de celle-ci. L'histoire de l'épée de Damoclès en est la plus célèbre illustration.

Le suspense exprime la plus ancienne attitude philo-sophique possible. Il porte en lui la forme primitive de l'angoisse existentielle, car il est lié à un sentiment d'insécurité fondamentale.

L'anxiété naît, en effet, de ce que acteurs ou spectateurs sont partagés, déchirés entre l'espérance d'un salut et la crainte de l'irrémédiable, entre la vie et la mort. Elle est donc fonction de la durée du conflit, de sa dilatation. Elle aiguise aussi notre perception du temps.

Dans cette optique, l'on peut alors donner du suspense la définition suivante pour la commodité de notre démonstration :

La dilatation d'un présent pris entre les deux possibilités contraires d'un futur imminent.

Tel est, croyons-nous, approximativement défini, le ressort dramatique du suspense : la simultanéité de trois temps, de trois états, de trois ordres, de trois mondes dont l'un est l'enjeu que se disputent les deux autres.

À l'inverse du héros dont il suit les aventures, le spectateur d'un film de suspense est incapable de fuir. Il est rivé à son fauteuil. Non seulement il partage l'angoisse du personnage qu'il observe, mais il assume la sienne propre. Il est victime de sa propre fascination. Il en ressent une indisposition viscérale dont le caractère douloureux lui procure, par sa durée même, une impression de plaisir.

Notons que le goût de la peur, qui se traduit par une délectation sadomasochiste des manifestations physiologiques qui l'accompagnent, demeure attaché au souvenir de la première enfance. La dualité qu'il introduit, et qui est d'autant plus forte que le sujet la vit intensément, est à l'origine des premiers affleurements du monde à la conscience. Dans son premier âge, l'enfant, physiquement impuissant, tributaire des autres, est livré à un monde de formes qui l'« agit » et le place dans un état propice à la peur, dont le *cri* devient le signe extérieur le plus évident jusqu'à ce qu'il en découvre les possibilités et vertus bénéfiques. Car vient un jour la révélation que le cri *agit*. Il s'élabore en l'enfant une mentalité magique qui associe les deux termes de la dialectique – la douleur mêlée de plaisir, la crainte qui se mue en désir et inversement – à tout ce qui l'environne. Le monde, un monde peuplé de formes, devient pour lui le théâtre d'un conflit de forces actives dont il est d'abord le jouet passif et qu'il cherche, par tous les moyens, à se concilier, puis à manœuvrer.

En nous replaçant physiquement et psychiquement dans le même état que celui de notre première enfance, le suspense réveille en nous plus que les impressions, les sensations, les sentiments de cet âge. Il nous en fait retrouver la mentalité au point qu'il n'est pas de bon suspense qui n'appelle d'une manière ou d'une autre ce qu'il faut bien nommer une prière. En nous menant imperceptiblement du rationnel à l'irrationnel, en nous égarant par la peinture des égarements, il nous plonge, derechef, dans un monde que l'âge adulte et la raison semblaient avoir à jamais fait disparaître : *l'univers magique*.

Lié indissolublement aux émotions du premier âge de l'être humain, le suspense l'est aussi au premier âge de l'humanité. La pensée primitive, consciente que le monde des formes qui l'environne est animé de forces redoutables qui lui échappent, va chercher, elle aussi, non seulement à se concilier mais surtout à se les approprier pour les manœuvrer. Au-delà du cri et de la prière, elle entreprendra un travail qui correspond à sa vraie nature, un travail logique. À partir de l'irrationnel, elle tendra au rationnel par une prise de conscience désensibilisée qui doit tout à l'intellect. Le monde, toujours cet univers de formes animées de forces occultes, sera expliqué par des cosmogonies de plus en plus savantes. La *doctrine ésotérique* (qui est la compréhension du rôle de l'homme dans le monde) et sa servante, la *magie* (qui est la technique d'appréhension des formes-forces de l'univers) deviennent la source de toutes les religions qui

7

elles-mêmes marqueront les étapes progressives d'une rationalisation visant à l'universalité.

Cette opération, malgré tout, s'effectue sur un monde dont on se refuse à voir ce qu'il est mais que l'on anime de ses propres phantasmes. Fondée sur la terreur de l'instabilité fondamentale, la doctrine ésotérique conçoit notre passage terrestre comme un immense suspense. Ce que ne manquaient pas de rappeler, dès la plus haute antiquité, aux postulants, les séances d'initiation qui les livraient aux affres des mystères sacrés. Dans les mystères d'Éleusis on représentait la légende de Perséphone s'égarant dans les voies redoutables qui menaient au domaine infernal. Le but recherché était d'éveiller chez l'acteur ou le spectateur un sentiment d'effroi afin que chacun éprouvât avec ses sens, c'est-à-dire avec ce qu'il y a de plus grossier, de plus animal en lui, le merveilleux symbole de la divine Psyché.

Ainsi le suspense, en tant que forme de spectacle, trouve son origine et sa signification dans la vaste imagination religieuse. Parce qu'aujourd'hui on l'a coupé de sa source, qu'il est devenu fin et non moyen, on le ravale à juste titre au rang des distractions foraines uniquement destinées à exciter les seules sensations viscérales. Non qu'Hitchcock ne sache mieux que quiconque solliciter, au moment opportun, la terreur et l'épouvante, mais chez lui, elles ne sont que l'émanation d'une pensée supérieure.

Il se refuse à nous faire « marcher » gratuitement. Son ambition est de nous replacer, nous gens du XXe siècle, dans le même état que le spectateur des mystères sacrés. C'est pourquoi dans chacune de ses œuvres il met en scène une *épreuve*. Ses films nous convient à participer aux effrois d'une âme écartelée entre le bien et le mal, enjeu de l'éternelle lutte que se livrent l'ange des Ténèbres et l'ange de Lumière, d'une âme qui demeure, tel James Stewart dans le tout dernier plan de *Vertigo*, entre le ciel et la terre, misérablement suspendue.

Le suspense ésotérique

L'œuvre d'Alfred Hitchcock révèle une extraordinaire complexité. Tout renvoie à tout. Aucune chose n'est ce qu'elle paraît être puisque chaque événement, chaque personnage, chaque geste, chaque objet est porteur de signes susceptibles de multiples interprétations. C'est le « grand jeu » du parfait illusionniste qui prend de plus en plus pour sujet de réflexion et de création cette *illusion* dont il dispose d'autant mieux qu'il s'en sait la première victime. De là vient que l'œuvre s'appuie sur la seule réalité dont l'artiste soit sûr, celle de ses émotions, de ses sensations, de ses instincts. De là vient que l'artiste contrôle cette réalité par les moyens de connaissance objective que sont la psychanalyse, la psychologie, la logique, etc. De là vient enfin, qu'entraînant le public pris au piège de l'illusion, il prouve la réalité de son propre univers mental. Son existence est fondée par la croyance des spectateurs. C'est la victoire du créateur sur son œuvre, de son esprit sur ses émotions, de sa raison sur son inconscient. C'est celle, surtout, de l'unité de son être menacé, par une folie latente, de morcellement. Aussi Hitchcock, exorcisant à travers son œuvre cette démence virtuelle, rêve-t-il du *Un* et entraîne-t-il son imagination dans la science ésotérique des nombres. D'autant plus qu'à la fin, l'illusion se dissipe devant la Vérité. La vie cesse d'être un cauchemar, un passage nécessaire à travers les Ténèbres. Elle accède à la Lumière. Le *Un* triomphe.

Le Un, la Monade, Dieu est l'essence de l'existence. Il contient en puissance tous les nombres. La Monade agit en Dyade créatrice, car dès que Dieu se manifeste il est double, à la fois pôle positif et négatif, principe masculin et principe féminin. Cette Dyade engendre le monde, épanouissement visible de Dieu dans l'espace et le temps. Ainsi conçu le monde réel est triple. Car, de même que l'homme se compose de trois éléments distincts, mais fondus l'un dans l'autre :

le corps
l'âme
l'esprit,

l'univers se divise en trois sphères concentriques :

le monde naturel
le monde humain
le monde divin.

Ce schème, fondement des doctrines ésotériques, se visualise dans les films d'Hitchcock selon un processus similaire et pourtant singulier :

Le *Un*, principe moteur, véritable foyer créateur, est l'Idée du suspense en tant que formule vivante : elle condense dans la conscience de l'auteur les moindres palpitations de son être, tiraillé entre ses désirs et ses craintes. Nul besoin dès lors de scénarios originaux. L'imagination du cinéaste s'exercera à partir d'histoires préexistantes, solidement charpentées. Elle effectuera sur cette base un premier travail logique d'épuration. Chaque histoire, réduite à ses lignes de force, se chargera de la rêverie intime de l'artiste. Il en résultera *une Idée* à la fois formelle et signifiante, contenant en prémisses tout le film futur. Il n'est rien, désormais, ni développement de l'intrigue (remaniée en conséquence), ni mouvement d'appareil, ni rapport des personnages qui ne puisera sa nécessité dans cette Idée, rien qu'elle n'impliquera. D'ailleurs, refusant toute possibilité d'improvisation, Hitchcock considère son film comme déjà achevé avant même le premier tour de manivelle.

Comme dans la théorie platonicienne, l'Idée précède ici l'existence et la fonde.

De cette Idée, l'imagination du cinéaste libère le mouvement dramatique, mouvement soumis à la forme générale du « suspense ». Car dès qu'elle se manifeste, l'Idée du « suspense » est double. Elle est le conflit de la Lumière et des Ténèbres, rêvés dans leur toute-puissance occulte. Elle est chez l'artiste, l'expression d'un combat entre l'imaginaire et l'esprit, et, chez l'homme, entre ses impulsions et sa raison. Un et Multiple, Qualité et Quantité, Être et Néant, Liberté-Amour et Esclavage-Solitude, tel est, traduit en termes philosophiques le sens de ce duel qui se déroule sur l'écran comme une sournoise progression quasi triomphante de l'Ombre jusqu'à la victoire finale de la Lumière. La vision du conflit entre l'Ombre et la Lumière guide l'imagination cinématographique d'Hitchcock[1]. Elle est la source de ses plus belles inventions formelles. Elle régit et sous-entend la mise en scène de l'Idée.

Enfin l'Idée se fait chair. Elle va se développer successivement puis simultanément selon trois ordres : I, l'occulte ; II, le logique ; III, le psychologique ou quotidien.

I. – L'ordre occulte lui-même se subdivise immédiatement en trois :

a) l'ordre occulte ésotérique décrit le Plan dynamique du Créateur. La lutte de l'Ombre et de la Lumière a pour enjeu une âme, qui, dans l'angoisse, attend l'issue de ce combat. Dès lors, la définition que nous avons déjà donnée du « suspense » hitchcockien peut être désormais formulée en ces termes : l'attente d'une âme prise entre deux forces occultes, l'Ombre et la Lumière ;

a') l'ordre occulte logique a trait à la création même de l'œuvre, à sa construction et sa structure. Nous l'appelons par ailleurs « logique interne ». Notre définition devient dans ce cas : la mise en question de l'œuvre prise entre la volonté créatrice et la tendance artiste destructrice, entre la réalisation et la rêverie formelle idéale ;

a") l'ordre occulte psychanalytique entraîne cette autre définition : les affres d'un être pris entre le conscient et l'inconscient.

II. – L'ordre logique qui apparaît toujours sur l'écran en seconde position après l'ordre occulte (chaque premier plan d'un film d'Hitchcock n'a de signification qu'occulte) se divise lui-même en deux :

b) l'ordre logique des événements contrôle le mécanisme de la succession des causes et des effets qui déterminent la vraisemblance. Notre définition du « suspense » prend ici la forme suivante : le débat d'un personnage pris entre les forces extérieures de l'ordre et du désordre ;

b') l'ordre logique psychologique ou logique des sentiments qui sont l'origine ou la conséquence des événements externes. Dans cet ordre le « suspense » peut se définir ainsi : angoisse d'un personnage pris entre les forces intérieures de l'ordre et du désordre.

III. – L'ordre du quotidien. Epiphénomène des deux ordres précédemment cités, il respecte le déroulement apparent de la vie.

Dans cette classification, le « suspense » revêt son aspect le plus classique : le personnage, menacé par deux situations également terrifiantes et qui l'enserrent comme un étau, n'a d'autre recours que la fuite.

S'ils se manifestent dans chacun des films d'Hitchcock, ces trois ordres se superposent de façon exemplaire dans *Vertigo*[2].

---

1. On sait qu'Hitchcock fit son apprentissage de cinéaste à Munich dans les studios de la U.F.A. de 1924 à 1926. Son œuvre est restée jusqu'à ce jour fortement teintée d'expressionnisme.
2. On peut s'étonner à bon droit de la hiérarchie que nous venons d'établir entre ces trois ordres. Il y a là une inversion caractérisée par rapport au processus normal de création qui resterait inexplicable si l'inversion n'apparaissait comme la constante essentielle non seulement de la construction mais de l'imagination hitchcockienne. Elle est la raison des notions d'échange, de transfert et de projection mises en lumière par la critique. Elle préside au développement de l'œuvre de notre cinéaste : chaque film est toujours l'inverse d'un précédent. Elle caractérise encore le célèbre humour hitchcockien qui ressemble à s'y méprendre à celui de la fée Carabosse : inverser vœux et craintes des personnages et du public en leurs contraires. Enfin elle régit la structure visuelle de chaque œuvre : scènes, positions des personnages ou de la caméra, mouvements dramatiques ou de l'appareil, pas un seul n'échappe au principe d'inversion. Tout est construit sur le miroir. Tout se passe par reflets, doubles et dédoublements.

Vertigo

I. – Le premier plan du film, comme il est de règle chez Hitchcock, traduit synthétiquement l'Idée occulte dont l'œuvre est issue : un visage de femme, traité comme un masque, est détaillé en gros plan par la caméra, en partant du menton pour aboutir à l'un des yeux. Des profondeurs de la pupille surgissent alors, tandis que l'on s'avance toujours, des *spirales* colorées qui envahissent l'écran et effectuent bientôt leurs révolutions cosmiques sur fond de ténèbres.

Cette lente traversée des apparences nous entraîne dans un univers abstrait, envers du masque, et nous dévoile la triple signification de l'Idée directrice, incarnée dans ces premiers instants par la forme et le mouvement.

a) Ésotériquement le visage énigmatique d'une femme réduit à sa pure apparence, donc à l'Idée, ne peut à la fois qu'attirer les Ténèbres et y entraîner.

Considérons dès lors l'œil de ce visage – le « mauvais œil » – comme celui de l'esprit du mal qui fascine et hypnotise ses victimes. Et les spirales à la fois descendantes et ascendantes, sont l'illustration de la double spirale ésotérique, symbole du plan divin de l'évolution;

a') la fixité de ce visage et de cet œil est caractéristique de l'Idée d'envoûtement qui préside au film. L'Idée fixe, en effet, entraîne visuellement la notion de glissement fatal qu'implique le lent travelling avant du visage vers l'œil et qui débouche sur la spirale, figure mère du film, pour reprendre l'expression d'Eric Rohmer;

a") l'attirance érotique vers l'effigie idéalisée d'une femme désirable conduit à la négation même de cette image pour ne conserver que la seule excitation des sens. Le refus de la femme considérée comme un être charnel, c'est-à-dire le désir de l'idée des seuls attributs féminins, est lié au souvenir de la mère et est source d'impuissance sexuelle. Il faut aller craintivement au-delà de la sévérité du regard maternel, transgresser les interdits érotiques pour mieux se laisser emporter vers la jouissance dont le jeu voluptueux des spirales sur l'écran éveille en nous l'idée. Plus profondément encore, le passage à travers l'œil évoque une volonté de régression vers un univers fœtal.

II. – L'idée occulte appelle le mouvement logique du drame qui s'exprime par un conflit, c'est-à-dire une dualité.

Nous assistons alors à une chasse à l'homme nocturne sur les toits de San Francisco. Trois personnages : le poursuivi, simple ombre mouvante et furtive, les poursuivants, deux policiers, le premier en uniforme, l'autre en civil. [Ce dernier, nous l'apprendrons plus tard, s'appelle Scottie (J. Stewart).]

Les péripéties de cette course haletante obligent le bandit à sauter d'un toit à l'autre, par-dessus une rue, imité aussitôt par le policier en uniforme, imité à son tour par Scottie, le policier en civil. Mais celui-ci glisse, perd l'équilibre et irait s'écraser au sol s'il ne se rattrapait à une gouttière qui plie sous son poids. Il reste suspendu dans le vide, ruisselant de sueur. Le policier en uniforme, l'ayant entendu, interrompt sa poursuite et revient sur ses pas pour lui venir en aide. Il s'agenouille sur le toit et tend la main au malheureux Scottie, mais ce faisant, il fait un faux mouvement et va s'écraser dans la rue quelques étages plus bas.

L'interprétation de cette scène qui introduit l'ordre logique sera double :

a) pur constat d'un événement, cette séquence nous dévoile la cause originelle de toute l'intrigue : le vertige du héros. Ce malaise obligera, en effet, Scottie à quitter la police et suggérera la mise en scène d'un meurtre à l'un de ses ex-camarades de collège ;

a') en tant qu'officier de police, Scottie a commis une faute grave. Il se savait sujet au vertige. Mais son orgueil professionnel l'a poussé à entreprendre cette poursuite sur les toits et à y entraîner l'un de ses subordonnés. Son manque de discernement et d'humilité a provoqué la mort de ce dernier. Cette faute, qui sera sanctionnée par sa mise en disponibilité professionnelle, cause en lui un traumatisme, une volonté morbide de surmonter une impuissance physiologique dont découleront tous les événements futurs.

Toutefois, le caractère onirique, voire cauchemardesque de la scène, n'aura pas échappé au spectateur. Si, en effet, elle introduit l'ordre logique, ce dernier vient se superposer sur l'ordre occulte qui reste prédominant. Il nous faut donc lire la scène selon les trois états simultanés de cet ordre :

a) Scottie, dans l'ordre occulte ésotérique, commet le crime luciférien d'orgueil. En tant qu'officier de police, d'agent de l'ordre – on doit savoir, en effet, que chez Hitchcock tout représentant de l'ordre établi (policier, juge, homme d'état, etc.) est représentant de Dieu – Scottie est porteur de Lumière (Lucifer). Or, surestimant ses possibilités, il veut saisir l'Ombre fuyante, percer et dissiper à jamais les Ténèbres (la nuit) dans lesquelles il s'enfonce témérairement et dont il méconnaît volontairement le danger. Par cet acte, il désobéit au Plan divin dont il est le principal exécutant. Pis, il précipite dans le néant, renforçant l'Esprit de négation, toute une frange de Lumière dont il avait la garde. Que sa révolte serve, en définitive, le Plan conçu par Dieu, comme nous le montrerons plus avant, n'empêche pas qu'elle soit criminelle. Ne l'a-t-elle pas menacé du retour au chaos originel ?

a') D'emblée, la vision d'un poursuivi insaisissable pris en chasse par deux poursuivants dont l'un, qui occupe la position centrale (Scottie), provoque la chute de l'autre qui lui venait en aide, inscrit sur l'écran la construction ternaire propre à tous les suspenses hitchcockiens. Elle met en évidence le mouvement, à la fois dramatique et visuel, du film. Mais plus profondément encore, elle expose le conflit esthétique vécu par l'auteur vis-à-vis de la conception et de la réalisation de *Vertigo*. Tout en cette œuvre doit être conçu en fonction de l'attirance même des formes, puisque fondé sur le caractère captivant et illusoire des apparences. C'est dire que tout, ici, exige le maximum de perfection dans le talent de l'artiste. D'où la crainte avouée, en cette séquence d'ouverture, de ne pouvoir saisir le fantôme fuyant de la beauté idéale :

a") Scottie sur les toits de Frisco court, en vain, après la volupté de la seule sensation. Dans l'optique psychanalytique, on peut considérer l'ombre pourchassée par Scottie comme son double, étant entendu que ce double est la réminiscence d'un état fœtal. Inconsciemment, mais ardemment, il aspire aux délices des impressions premières. Pour mieux obéir à son penchant, il n'hésite pas, sous couvert de l'appeler à l'aide, à précipiter dans l'abîme sa propre conscience. Son zèle excessif masque son vrai désir. Scottie se donne le change.

À partir de la troisième scène, entre Scottie et Madge (Barbara Bel Geddès), l'Idée devient chair. L'élément psychologique apparaît. Nous sommes plongés dans l'univers quotidien. Les trois ordres désormais coexistent. Ils progresseront de concert jusqu'à la fin.

Toutefois, comme l'ordre occulte est pour Hitchcock la forme la plus « vraie » de la réalité, la source de toute motivation, où les deux autres ordres viennent puiser leur propre existence, c'est sur l'analyse de *l'ordre occulte* que nous baserons notre étude. Nous commencerons par l'ordre occulte ésotérique en prenant pour exemple *Vertigo*[1].

---

1. Vertigo prédispose d'autant plus à cette interprétation que, au niveau même du scénario, le film joue ouvertement sur l'occulte et la puissance des forces de l'Au-delà.

La tragédie de Lucifer

Vertigo raconte l'histoire d'un homme intelligent trahi par sa raison, attaché à une Idée, qui devient son *idée fixe*. Il est officier de police. Il s'appelle Scottie. Son métier en a fait un homme rompu au raisonnement déductif. Mais la passion qu'il apporte dans l'exercice de sa profession (il va jusqu'à pourchasser les malfaiteurs sur les toits) trahit la fascination secrète qu'il éprouve pour l'inexplicable. Si bien que, touché dans son orgueil professionnel par la faute qu'il a commise, il refuse de l'imputer à une erreur de jugement. Il préfère incriminer le vertige, signe d'une faiblesse physiologique, marque de l'emprise irrationnelle de la nature sur son être. Que son esprit puisse être à la merci d'une défaillance incontrôlable est, pour Scottie, une idée odieuse. Il fera en sorte de triompher du vertige. L'esprit peut et doit tout dominer.

Intelligence, orgueil, confiance absolue en son propre pouvoir sont les marques dominantes de Lucifer. Aussi, dans une interprétation purement ésotérique, est-il possible d'affirmer que Scottie court vainement après le secret de la Création.

Or, l'objet de la Création n'est-il pas de permettre au Créateur d'accéder à la *connaissance totale* de Lui-même. D'un côté la Dyade met en conflit les deux Faces de l'Intelligence, de la Volonté, de l'Énergie divine. Chaque Face cherche à imposer à l'Autre le Plan qu'elle conçoit. Le Plan de la Face positive vise à atteindre, grâce à l'évolution, la plénitude de l'Être. Celui de la Face négative semble respecter le Plan constructeur, mais n'en est que le simulacre. Il n'en retient que la seule apparence afin de le vider, intérieurement, de son contenu. La Création déboucherait ainsi que le néant qui est l'unique but poursuivi par l'Intelligence négative. D'un autre côté, il faut que l'Essence parvienne à l'existence pour se révéler à Elle-même. La Conscience divine doit s'abîmer dans la non-conscience et sa Substance s'épaissir jusqu'à devenir matière. Dans la première phase de l'évolution, la chute est nécessaire. Puis vient l'instant de la Création où la spirale descendante inverse son mouvement. Elle remonte, par la réalisation de tous les possibles, vers l'Être suprême.

Le lecteur-spectateur aura certainement reconnu dans la figure que dessine visuellement le périple de Scottie, ce double mouvement de spirales, symbole-clé de l'ésotérisme. Notre héros ne part-il pas d'un sommet (les toits de San Francisco) pour tomber au plus bas pendant le cauchemar (la chute dans la tombe) avant de remonter finalement au sommet du clocher sur lequel le film s'achève.

Ainsi, après avoir décrit le drame de Lucifer, *Vertigo*, nous donne-t-il l'explication de la nécessité de son rôle dans le déroulement du Plan divin. C'est dire que le film se déroule en trois temps : avant, pendant, après la Création. La première partie commence avec la scène dans l'appartement de Madge et finit sur celle du tribunal où

Scottie reçoit un blâme pour n'avoir pas su empêcher le suicide de Madeleine. La seconde partie ne dure que le temps du cauchemar de Scottie. La troisième, enfin, débute par la visite que Madge rend à Scottie dans la clinique psychiatrique et se termine par la dernière scène dans le clocher.

Le caractère irréel, voire surnaturel, de la première partie ainsi que son mouvement de glissement fatal (les mouvements en spirales ou descendants que décrivent, par exemple, les voitures) incitent à l'interpréter comme la description du processus irréversible, à l'échelle cosmique, d'une gestation parvenue à son terme.

C'est contre ce processus que va progressivement se révolter Scottie. Révolte d'abord inconsciente. Dans le même temps que l'esprit de notre héros se force à l'enthousiasme, sa nature manifeste une violente répulsion envers sa mission. Si l'Idée première du Plan divin le comble en pensée, sa réalisation l'angoisse. Dans son for intérieur Scottie-Lucifer craint le mouvement inexorable de l'évolution. La notion de chute lui fait horreur, c'est-à-dire le fascine. D'où son vertige. Le zèle excessif dont Scottie fait montre sur les toits de San Francisco prouve que, sous couvert de vaincre le Mal pour assurer définitivement le triomphe du Bien, il satisfait à la montée de son aspiration secrète : arrêter le mouvement de la Création. Il se donne le change. En cela réside sa faute.

Loin de la reconnaître, Scottie s'enfonce dans un nouveau mensonge, s'enferme dans son orgueil. Désormais il lui est impossible d'ignorer son attirance occulte vers le gouffre. Au lieu de l'accepter comme un mal inhérent dont il faut tenir compte, Scottie cherche à la nier. Il y mettra le même zèle intempestif que dans sa lutte contre les complices des Ténèbres. Ce faisant, il masque sous le prétexte apparemment noble d'éliminer définitivement le Mal, son désir caché d'entretenir sa révolte, voire de favoriser son essor. Le but, en effet, qu'il se fixe et qui deviendra son idée fixe – vaincre le vertige qui dans le contexte ésotérique actuel est celui de la connaissance totale – implique la volonté de saisir le pourquoi des Ténèbres, donc de percer le Plan divin et, par conséquent, de se substituer à Dieu pour, soi-disant, le sauver de Lui-même. Telle est la mission que l'inconscient suggère d'une manière déjà plus perceptible que précédemment à notre héros en réponse à son monstrueux orgueil inavoué. C'est ce qu'explicite la première scène de la première partie.

Scottie, une jambe dans le plâtre, est hébergé et soigné par Madge. Celle-ci, dans l'interprétation ésotérique, n'est pas le double de Scottie (le double chez Hitchcock est toujours d'essence ténébreuse) mais la part lumineuse de son âme. Elle figure la connaissance sensible face à la connaissance intellectuelle. Elle forme avec Scottie une union que l'attirance de ce dernier envers son propre inconscient menace de plus en plus (on sent, en effet, dès cette scène que leur couple se désagrège). Son aventure retracera sur le mode pitoyable celle de Scottie. Elle succombera, elle aussi, à l'orgueil, non de l'intelligence pure comme Scottie, mais de l'amour dévoué, maternel, sûr de son droit qui la conduira au moment de sa défaite, après avoir vainement tenté de rivaliser avec l'inconscient, à la révolte.

Voyons comment d'entrée la signification de ces deux personnages nous est donnée. Après la scène d'ouverture sur les toits qui a causé en nous une pénible impression de violence, nous éprouvons soudain dans ce confortable studio une sensation de quiétude encore renforcée par l'adagio d'un concerto de Mozart que diffuse un électrophone. Nous sentons alors qu'une gêne s'établit dans la conversation entre Madge et Scottie, et qui atteint son paroxysme quand le policier prie sa compagne d'arrêter le disque, comme s'il voulait briser le sentiment de paix distillé par la musique mozartienne.

La musique, accord harmonieux de tous éléments, symbolise chez Hitchcock la beauté sublime du Plan divin et de son déroulement. Quand un criminel joue d'un instrument c'est qu'il cherche à détruire le Plan de l'intérieur, ou bien qu'il essaie de s'en emparer au profit des Ténèbres. (Cf. l'assassin de *Young and Innocent* qui cherche refuge dans un orchestre mais que trahira une « désharmonie visuelle » : un tic facial ; Farley Granger jouant du piano dans *The Rope* ; le tueur de *The Man who Knew Too much* qui profite du concert pour perpétrer son crime, etc.). S'il s'agit du héros (Balastrero jouant de la contrebasse au Storck Club dans *The Wrong Man* ou Mélanie pianotant dans *The Birds*, etc.), la signification dépend du contexte. Dans le cas présent, c'est parce qu'il souhaite inconsciemment arrêter le déroulement du Plan divin que Scottie demande à Madge d'arrêter le disque. Et si la jeune femme lui obéit, c'est parce qu'elle est prête à entrer dans le jeu de son amant pour le retenir. N'engage-t-elle pas Scottie à rencontrer son ex-camarade de collège qui, nous le saurons plus tard, appartient au monde ténébreux. N'est-ce pas elle qui aide Scottie à substituer son propre plan à celui de Dieu ? Elle, en effet, qui place l'escabeau près de la fenêtre, soutient Scottie pour lui permettre de gravir les trois marches et là, de s'exercer à surmonter son vertige. « *I look up, I look down : I look up, I look down...* » (sous-entendu : je veux embrasser l'étendue complète de l'esprit). Mais le regard du héros tombe sur l'abîme. Il défaille dans les bras de Madge (ce qui renforce son espoir de récupérer Scottie en flattant ses penchants). Après ce nouvel échec, l'obsession de Scottie s'exacerbe encore davantage.

Face à cette attitude négative qui contrarie son projet, le créateur (sous l'apparence du créateur du film) doit intervenir. C'est alors le passage d'Hitchcock de gauche à droite sur l'écran. Il tient à la main un porte-voix enfermé dans une boîte comme s'il voulait lancer un ultime avertissement à son héros tout en sachant fort bien qu'il est trop tard pour être désormais entendu.

Puisque Scottie-Lucifer se montre rétif envers sa mission, force est au Créateur d'inverser son Plan initial. Il laissera à sa Face négative le soin de le séduire. À moins que – et la tragédie de Lucifer atteindrait au grandiose par l'absurde – tout fut déterminé : que la condamnation du héros était impliquée dès la conception du Plan ; qu'elle était le Plan.

Aussitôt après le passage d'Hitchcock, nous retrouvons Scottie dans le bureau de Galvin Elster. Notre héros a traversé le miroir. Il est entré dans le domaine ténébreux. Il pénètre dans le monde des doubles[1].

Le premier qu'il rencontre est son reflet physique. Galvin Elster, un ancien camarade de collège devenu par un riche mariage gérant d'une importante affaire de construction navale, se présente, en effet, à Scottie comme l'image idéalisée de lui-même (narcissisme). Par rapport à notre héros, Elster derrière son bureau de président-directeur général a grande allure (nous y sommes d'autant plus sensibles que dans sa conversation précédente avec Madge, Scottie laissait entendre qu'il devait s'agir d'un tapeur fauché). Sa situation très enviable (enviée en tout cas par Scottie puisque Elster étant sa projection matérielle représente ce à quoi il aspire : occuper le poste éminent auquel il estime avoir droit et dont il a été injustement déchu) le rend d'emblée insoupçonnable aux yeux de Scottie. Désormais ce dernier est prêt à se laisser abuser.

D'autant que la raison qui a poussé Elster à faire appel à notre héros semble des plus nobles. Il veut sauver

Madeleine d'un sort étrange et maléfique. Il décrit à son ex-condisciple l'énigmatique comportement de Madeleine qui serait possédée par l'esprit d'une morte et poussée irrésistiblement au suicide. Il souhaiterait donc que Scottie surveille Madeleine, afin de la préserver d'elle-même.

Scottie refuse, arguant de son incompétence, effrayé par la morbidité de cette histoire. Elster, son double, obtient malgré tout son accord en usant de la flatterie. Il affirme que personne en dehors de Scottie ne peut être chargé d'une mission si délicate et si importante. Tant et si bien que Scottie, se sentant restauré dans ses fonctions, bien que d'une manière officieuse, accepte. Sa valeur unique est reconnue. Il écoute la suite du discours.

Commence alors la grande ruse de la mise en scène (celle du criminel Elster ou celle d'Hitchcock). Elster qui avait quitté son siège directorial pour venir près de Scottie assis dans son fauteuil afin de le convaincre ne cherche pas, comme il eût été normal après le refus de sa proposition, à rejoindre Scottie qui se dirige vers la porte. Au contraire, il paraît très bien comprendre son ami. Il laisse éclater son désarroi comme si la partie était perdue d'avance. Si même Scottie refuse, à quoi bon ! Désemparé il semble continuer son discours pour lui seul. Il évoque les faits : les absences de Madeleine, les bizarreries inexpliquées de son comportement. Ce faisant, et comme pour bien prouver qu'il ne cherche pas à retenir Scottie, il s'éloigne de lui. Il accède, par deux marches, à la pièce attenante du conseil d'administration. Il va au fond de cette salle et là, marchant de long en large, continue son monologue sur Madeleine.

La disposition du décor, en particulier la surélévation de la seconde pièce par rapport à la première, participe d'une intention délibérée de la part d'Hitchcock. Il fallait dramatiser par les lieux mêmes une conversation fort longue mais surtout faire en sorte que la seconde pièce soit comme une scène de théâtre. En effet, quand il monte, le ténébreux Elster sait que pour s'emparer de l'esprit de Scottie il ne s'agit pas de rivaliser avec lui sur le plan de l'argumentation logique – car l'agent de l'ordre Scottie aurait vite fait de démasquer la machination criminelle d'Elster – mais de le fasciner par un spectacle, seul apte à capter son attention, à travailler son imagination, à occuper entièrement sa pensée. Elster se donne en représentation au spectateur immobile qu'est alors Scottie, tel un récitant au début d'une pièce qui éveille l'intérêt du public par l'exposition de l'énigme. Il excite son orgueil en lui proposant, vanité des vanités, la suprême tentation de résoudre le grand mystère de la mort et du néant. À la fin de son évocation des malheurs de Madeleine, Elster peut redescendre vers son public. Le pacte entre Scottie et son double est désormais scellé. À son insu et sous l'exaltant prétexte de combattre une anomalie monstrueuse contraire à l'ordre des choses, de rétablir l'harmonie de l'être menacé, de sauver le Plan qu'un contre-plan semble vouloir détruire de l'intérieur, notre héros est devenu l'exécuteur de ce contre-plan.

Le voici, au restaurant chez Ernie's, en présence du reflet de sa sensibilité, du double de sa conscience, Madeleine. Ne s'offre-t-elle pas, en effet, à son regard comme l'incarnation de son désir profond ? Car c'est bien comme un pur désir qu'elle lui apparaît : sa fascinante beauté se détache sur le fond cramoisi du restaurant, qui, telle une braise que l'on attise, vire insensiblement au rouge vif, avant de retourner à sa couleur initiale. Elle est la part de son âme imprégnée d'Ombre. Elle est le spectacle de son angoisse. Elle est l'ange de mélancolie soumis au vertige de la mort.

Et le voici, maintenant, spectateur impuissant, attaché à suivre les rites funèbres de ses périples, à observer l'errance de son âme. Et le voici, au musée, mené par Madeleine jusqu'au portrait de Carlotta, face au double de son esprit qu'il ne cesse de poursuivre, en présence de la représentation de l'esprit maléfique dont le regard et le sourire semblent à la fois le narguer et tourner d'avance en dérision sa tentative.

Mais Scottie relève le défi. Il a enfin trouvé l'ennemie. Il triomphera. Il veut d'abord tout savoir de Carlotta. Il vient demander l'aide de Madge, qui trop heureuse de son retour, s'empresse, inconsidérément, de répondre à son vœu. Elle le conduit chez un libraire, spécialiste de la petite histoire de San Francisco. Et pendant que celui-ci évoque le souvenir de la belle et infortunée Carlotta, la boutique s'assombrit progressivement, la nuit tombe, les Ténèbres envahissent insidieusement Scottie.

Madge peut alors mesurer la conséquence de son aide. Assise dans la voiture de Scottie qui la raccompagne, elle se rend bien compte que les pensées de son amant sont ailleurs. Elles vont vers Carlotta dont Madge découvre la photo dans le catalogue du musée que Scottie tient ouvert dans sa boîte à gants comme pour avoir la possibilité de la contempler en permanence. Mais la pauvre fille se trompe quand elle croit que Carlotta n'est qu'un prétexte pour songer à Madeleine. C'est l'inverse qui est vrai. Madeleine n'est que l'enjeu d'une lutte dont Carlotta est la véritable adversaire.

Ce que confirme Galvin Elster auquel Scottie vient rendre compte de son enquête dans un club. Il apprend à notre héros que Carlotta s'est suicidée à 26 ans. Or, Madeleine entre dans sa vingt-sixième année. Le déroulement fantastique des événements laisse donc craindre que la morte, inconsolable de la disparition de son enfant, ne profite de cet anniversaire pour entraîner sa descendante dans la tombe.

Scottie, maintenant, est définitivement pris dans l'engrenage infernal. Il est mûr pour succomber au piège que lui tend la Face négative de Dieu. La première phase de cette mise en scène qui consistait à le rendre passif, à l'envoûter lentement par le déroulement d'apparences séductrices dont l'habile agencement épousait ses désirs inconscients, bref, à lui ôter tout sens critique, vient de s'achever. La seconde phase commence où Scottie doit quitter son rôle de spectateur pour devenir acteur.

C'est l'instant choisi par la machination criminelle pour forcer Scottie à sauver Madeleine du suicide. Suivant le plan, il la prend en filature. Elle l'entraîne sur les berges de la baie de San Francisco au pied du Golden Bridge. Et là, comme poussée par une volonté supérieure, se jette à l'eau. Il est pourtant bien visible, à qui veut regarder objectivement la scène, qu'elle fait semblant de se noyer. Mais Scottie est incapable, désormais, de la moindre objectivité. Il plonge à son tour, ramène Madeleine sur la berge et la dépose dans sa voiture.

Cet acte de bravoure mérite qu'on s'y attarde. Il rend évidente la contradiction interne dans laquelle s'est enfermé Scottie. Car son double, Madeleine, lui représente d'une manière absolue – jusqu'à vouloir s'abîmer dans le néant – l'attirance invincible qu'exerce le vertige sur son esprit. En arrachant Madeleine à la mort, Scottie se prive de cette connaissance totale qui justifiait à ses yeux son aventure. En revanche, il emporte un semblant de victoire sur sa rivale.

Ce faisant, il s'enferme un peu plus dans sa contradiction. Cette victoire, en effet, va à l'encontre de ce qu'il espérait. Que cherche Scottie ? À prouver aux autres comme à lui-même sa valeur en tant que policier. Il accomplit, au péril de sa vie, la mission qu'on lui a confiée. Il vient de démontrer qu'il est capable de l'emporter sur n'importe quel criminel, appartiendrait-il, comme ici, à l'autre monde.

Or, son triomphe prouve exactement l'inverse. S'il avait eu les trois qualités essentielles que l'on exige d'un bon policier, à savoir le sang-froid, le flair et la lucidité, Scottie ne serait pas devenu ce qu'il est maintenant : la base et le principal complice involontaire d'un crime qui va se perpétuer. Car supposons qu'il ait conservé ce « doute raisonnable », dont un homme de sa profession ne doit jamais se départir, la comédie de la noyade jouée par Madeleine lui serait immédiatement apparue. Le charme eût été rompu, la machination découverte.

Et pourtant la faute que commet Scottie et qui renouvelle en l'aggravant celle sur les toits de San Francisco vient en aide à la Création. Elle contribue au déroulement du film ou simplement à l'histoire policière qui nous est contée et qui doit être menée jusqu'à son terme. C'est en assumant complètement son rôle de spectateur et d'acteur, de coupable et de victime que le policier Scottie aboutira, comme malgré lui, à faire éclater la vérité. On ne peut être d'une façon aussi humiliante pour son orgueil plus magistralement « doublé ».

Cette explication, au niveau du scénario, trouve sa correspondance sur le plan ésotérique, Scottie-Lucifer aime à se persuader qu'il est toujours apte à assumer la mission dont il fut déchu. N'en apporte-t-il pas la preuve par ce geste de bravoure ? En sauvant l'existence de Madeleine, c'est le déroulement du Plan qu'il prétend sauver. Le but de Dieu n'est-il pas, en effet, dans cette première phase, de donner l'existence ? Comment y parviendrait-il si cette part de Lui-même qu'est Madeleine échappait à la vie ?

Hélas, la bonne conscience du héros, ne résiste pas à l'examen. Son action n'est motivée que par l'esprit de révolte. Elle s'oppose directement au Grand Dessein dont

29

la raison lui échappe et qui consiste à effectuer le passage de la Conscience divine à sa négation. C'est Madeleine, Âme invinciblement attirée vers les Ténèbres (d'où sa mélancolie) qui est chargée par la Face négative de Dieu – laquelle, nous l'avons dit, calque exactement son Plan sur celui de la Face positive – de représenter à Scottie cette tragédie. Son destin est inexorable. Vouloir lutter contre en empêchant Madeleine d'aller au bout de sa mission (le suicide) manifeste un orgueil insensé.

Car le pathétique refus du Plan se révèle vite dérisoire puisqu'en fait, il en accélère la réalisation. Ce n'est pas le Vrai Plan que combat Scottie, mais son simulacre. Le Vrai Plan, au contraire, se joue de cette dualité fictive et compte, in fine, la récupérer à son profit pour en obtenir la réalité. Ainsi, ironie suprême, l'action de Scottie aide à son déroulement. Elle montre à quel point Scottie s'attache au personnage mythique de Madeleine. Et plus celle-ci, prise à son propre rôle, accentue la comédie de son attirance pour les ténèbres, plus Scottie est attiré par eux. Ce qui est le but de la Face positive. Pour que la Création ait lieu il ne suffit pas qu'une part de la Conscience divine s'abîme dans sa négation (la Matière), il faut qu'une part de l'Esprit de Lumière se fasse Esprit de Ténèbres afin d'animer maléfiquement la Matière. Il faut que chute Scottie-Lucifer.

À partir de cette scène, la Tragédie est en marche entraînant dans son sillon tous les personnages. Tragédie double qui concerne à la fois l'amour et l'esprit. L'attraction de Madeleine pour les Ténèbres, de Scottie pour Madeleine, de Madge pour Scottie engendre un mouvement fatal de descente d'autant plus irrémédiable que cette attraction est fortifiée par l'idée fixe. Il y a glissement, d'un point de vue ésotérique, de chacun des trois personnages vers leur inverse et leur double : Madeleine rejoint progressivement Carlotta ; Scottie, l'agent de Lumière, se change en Galvin Elster, le porteur d'Ombre; et Madge, l'ange tutélaire, en Madeleine, l'ange de Mélancolie. En sorte qu'à la fin du premier volet de *Vertigo* la chute de Madeleine provoquera celles de Scottie et de Madge.

Les personnages ne sont, pourtant, si déterminés que par peur profonde de la liberté. L'amour pourrait encore les sauver s'il n'était faussé par leur esprit.

Ainsi de Madeleine. On sent très bien dans la scène qui suit son sauvetage et qui se déroule dans l'appartement de Scottie à quel point elle est touchée par l'amour fou qu'il lui porte. Mais le drame de Madeleine vient de son humilité. Celle-ci est aussi grande qu'est immense l'orgueil de Scottie (étant le double de l'âme de Scottie, elle en est l'inverse et c'est pour ce motif qu'elle séduit à ce point notre héros). Madeleine se sait aimée pour le personnage qu'elle interprète mais se croit indigne de mériter pour elle-même un tel amour. C'est pourquoi la crainte d'affronter une vérité qui la rendrait méprisable aux yeux de Scottie, la peur de lutter pour faire triompher sa propre personnalité, la poussent à se réfugier dans son rôle, à accentuer cette soi-disant attirance pour les Ténèbres (scène des séquoïas et au bord de la mer) qui attise la passion de son protecteur. Elle se contente de vivre un grand amour par procuration. Et lorsqu'au moment crucial du baiser dans la grange ce rêve merveilleux et impossible devient réalité, elle préfère s'enfuir pour soi-disant accomplir son destin. Elle se sacrifie. Elle disparaît de la vie de l'aimé afin qu'il garde intacte et pure, dans son souvenir, l'idée de cette sublime aventure amoureuse.

Ainsi de Scottie. Son amour pour Madeleine est foncièrement trompeur, car il est d'essence narcissique. Notre héros ne s'attache qu'au reflet qu'elle lui renvoie de lui-même. Plus elle est son image inversée, plus elle l'attire. Ainsi, l'absolue soumission de Madeleine à une volonté funeste supérieure à la sienne excite d'autant plus en Scottie un sentiment d'immense pitié et un désir intense de protection qu'elle figure celle de sa propre conscience malheureuse, contrainte d'obéir aux ordres d'un Dieu sans merci, obsédé par Son Plan et indifférent à tout ce qui n'est pas Son Projet. Et puisque, malgré l'injustice qu'il a subie, Scottie met son point d'honneur à continuer à servir le Dieu de la Lumière, il ne veut point qu'une autre souffre les affres d'un tel destin. Il arrachera Madeleine au sort inexorable que lui réserve le Dieu des Ténèbres grâce à la force même de son amour. Il introduira de cette façon dans la froide détermination du Plan qu'il aura sauvé in extremis la vibrante puissance de l'Amour. La Création sera, dès lors, son fait. Il aura corrigé l'erreur de Dieu. Il se sera substitué à Lui en marge de l'action officielle (le caractère privé de la mission de Scottie) dans le seul but de faire éclater Sa Gloire. Car Scottie se prétend humble (l'humilité de son double Madeleine exprime cette intime conviction si aisément justificatrice). L'amour qu'il porte à Madeleine n'est que le signe de l'immense amour qu'il consacre à Dieu. Mais étant donné qu'à ce degré d'aberration où il est tombé, Scottie-Lucifer se prend pour Dieu, sa passion pour Madeleine témoigne en fait de l'incommensurable amour qu'il voue à la haute idée qu'il se fait de lui-même[2].

Ainsi de Madge. Par orgueil, elle perdra elle aussi son amour. Cet ange tutélaire ne se contente pas de rivaliser avec Madeleine, l'ange de Mélancolie, qui est son égale dans l'ordre occulte ésotérique. Elle vise à plus puissant qu'elle. Elle s'attaque à la racine du mal, à la divinité ténébreuse, à Carlotta. Elle n'hésite pas à commettre un sacrilège et une profanation. Parce qu'elle désespère de son charme, Madge use de l'artifice de l'esprit démoniaque. Elle entend triompher sur son propre terrain, celui de l'esprit d'ironie. Elle reproduit sur une toile le portrait de Carlotta en substituant son visage à celui de l'ennemie. Par cet acte d'humour (donc, d'inversion), elle espère provoquer en Scottie une prise de conscience. Elle prétend le désenvoûter. Erreur fatale. En se prêtant, par présomption sur son propre pouvoir, comme objet de dérision (toute dérision dans la rêverie poétique implique l'ironie de la Mort triomphante), elle rend sa tentative dérisoire. La réaction de Scottie est d'une extrême violence. « *Ce n'est pas drôle, pas drôle du tout* », dit-il, en la quittant à jamais. Restée seule, Madge laisse éclater sa rage de vaincue. Elle jette violemment son pinceau contre la baie vitrée qui reflète (il fait nuit) son image (cf. le symbolisme du reflet chez Hitchcock). Puis par trois fois se traite de « stupide ». Stupide psychologiquement, puisqu'elle perd tout espoir d'être aimée. Stupide logiquement, puisque sa manœuvre s'est retournée contre elle. Stupide, enfin, ésotériquement, puisque loin d'avoir délivré Scottie de son idée fixe sa ruse l'enfonce encore plus dans sa nuit.

À la fin de cette triple tragédie de l'amour, les jeux sont faits. Le drame va se dérouler. Nous retrouvons Scottie et Madeleine au moment du baiser dans la grange. Laissons à notre héros le temps de savourer cet instant si ardemment désiré qu'il prend pour celui de sa victoire alors qu'il précipite sa défaite. Car il ne sait pas que ce moment de bonheur est déjà menacé par les regards anxieux que jette Madeleine sur le clocher, que plus il la tient dans ses bras, plus il la force à lui échapper.

N'oublions pas, en effet, qu'ésotériquement Madeleine est mandée par la Face négative pour représenter le déroulement du Plan divin d'une façon mélodramatique qui excite à la fois la pitié de Scottie envers elle et sa révolte contre l'exécution du projet lumineux ; que dans le même temps, et pour atteindre ce but, elle est chargée par la

33

machination ténébreuse d'être la projection des désirs inavoués de Scottie. Il est donc logique qu'elle réalise son vœu le plus secret et le plus ardent, ce souhait qu'il exprime présentement en l'embrassant : empêcher l'évolution, supprimer la mort, donc le temps, c'est-à-dire remonter à l'origine pour s'y complaire éternellement.

Madeleine, en conséquence, se délivre de l'étreinte de Scottie et se sauve. Il la rattrape et cherche à la retenir. Elle s'échappe encore. Elle court vers le clocher, commence à gravir l'escalier – lequel, comme par hasard, fait, avant d'atteindre le sommet, trois révolutions et demie (chiffre ésotérique de la spirale descendante qui forme avec les trois révolutions et demie de la spirale ascendante le chiffre sept), poursuivie par Scottie qui, à son tour, commence l'ascension. Mais il ne parviendra pas à son terme. En cours d'escalade, le vertige le saisit derechef. Il est forcé de s'arrêter et de se détourner du vide. Mais c'est pour voir passer de l'autre côté de la fenêtre le corps de Madeleine qui va s'écraser sur le toit de l'église. Il ne reste à Scottie qu'à s'enfuir, accablé par le poids de sa faute.

Pourtant notre héros ne pouvait – ce que savait d'emblée Galvin Elster – échapper au vertige. Et ce, dans le cadre de notre interprétation présente, pour deux raisons. La première est liée au processus irréversible de l'évolution universelle. Pour que Scottie puisse parvenir au sommet il aurait fallu qu'il possédât la connaissance totale. Or, c'est impossible. Cela impliquerait qu'il en sache plus que Dieu dont la Création – et nous en sommes ici à la première phase – a justement pour fin d'accéder à cette connaissance par la réalisation de tous ses possibles. Vouloir remonter à contre-courant la spirale de l'évolution dénote un orgueil insensé qui trouve aussitôt son châtiment dans le vertige, dans cet écartèlement de l'esprit sollicité par l'entraînement irrésistible et universel vers le bas et la postulation chimérique vers le haut, vers le point originel.

La seconde raison est liée au comportement individuel de Scottie. Comment pourrait-il prétendre à la connaissance totale dans l'état d'aveuglement intellectuel où il se trouve envers les apparences de la mise en scène illusoire organisée par la Face négative qui se joue de lui. Il succombe à la loi de l'attraction-répulsion que met en branle tout spectacle lorsqu'il n'est considéré que du point de vue de l'esthète. Plus il veut saisir la forme qui est, par essence, insaisissable, plus il ressent amèrement la vanité de son entreprise par la sensation du vide. La machination ténébreuse est trop subtile pour son esprit et rend dérisoire sa tentative avouée.

Par la même occasion, elle réalise son désir secret. Elle voue (ou croit vouer) à l'échec la Création. Que se passe-t-il, en effet, au sommet du clocher ? Madeleine y a rejoint le criminel Galvin Elster, lequel l'attendait pour précipiter dans le vide sa femme, la vraie Madeleine, préalablement étranglée. Ce que l'on peut interpréter de cette façon : après avoir trompé complètement la surveillance de Scottie-Lucifer, la Face négative exécute le Plan lumineux en l'annihilant. Ce n'est plus la Conscience divine qui va s'abîmer pour donner naissance à la Matière, mais une Conscience déjà morte, assassinée, qui chute dans le néant, qui ne peut donner naissance à rien.

C'est pourquoi la première partie de *Vertigo* s'achève, toujours dans ce couvent, par une scène de tribunal. Comme après un projet qui a échoué dans son exécution à la dernière minute, il y a examen des raisons de ce ratage. Le juge considère par une suite d'attendus qu'il égrène d'une voix surprenante, qui forme comme une spirale sonore, le comportement de Scottie avant, pendant et après l'accident.

Le travelling avant, qui de l'extérieur, monte jusqu'à l'intérieur de la salle où se déroulent les délibérations, ainsi que la curieuse atmosphère inquiétante à force d'être

35

paisible qui règne en ce lieu et surtout la litanie des attendus, procurent une impression d'étrangeté. Nous sommes dans un univers autre. Celui où le pour et le contre de chacune des actions de Scottie sont pesés soigneusement à la lumière de la seule raison qui écarte sagement les motivations occultes pour ne retenir que celles dont Scottie eut conscience. Et qu'on ne s'étonne pas de la présence en ces lieux de Galvin Elster. N'appartient-il pas lui aussi, bien que d'une façon maléfique, au monde divin?

Or, tandis que pour Scottie, persuadé de la mort de Madeleine, tout semble fini ainsi que pour Galvin Elster dont la machination criminelle a parfaitement réussi, cette scène du tribunal qui semble inutile à l'action lui est, au contraire, absolument nécessaire. Il faut que Scottie soit mis face à face avec sa conscience (« *c'est un problème qui ne concerne que lui et sa conscience* », dit le juge), qu'il ait l'ultime possibilité de se racheter (Dieu reprendrait alors son Dessein initial et le mènerait à son terme). Mais dans l'immensité de Sa conception le Créateur a prévu que loin de se repentir, Scottie-Lucifer s'enfermerait dans sa révolte. Son Plan en tient non seulement compte mais en tire profit.

On s'explique, dès lors, pourquoi dans cette assemblée sur laquelle plane une morne immobilité, s'élèvent les spirales sonores des attendus du juge. C'est le signe que le mouvement de l'Idée qui a présidé au Plan continue sur sa lancée, même si apparemment son déroulement semble stoppé. Scottie le sent si bien qu'il manifeste de plus en plus d'impatience à cette agaçante lecture. Plus l'occasion de voir clair en lui-même lui est offerte, plus se vrillent en son esprit de funestes pensées. En sorte que lorsqu'il sera acquitté (et comment ne le serait-il pas puisqu'il fut malgré tout joué par Dieu) il refusera l'aide des forces lumineuses que lui propose son ancien supérieur. Il rejettera de même l'aide des forces ténébreuses que lui offre Galvin

Elster (à la fin de la scène Elster rejoint Scottie près d'une fenêtre et lui dit : « *nous seuls savons réellement ce qui est arrivé à Madeleine* », puis lui tend la main mais Scottie refuse de la serrer). Il restera seul.

C'est cette orgueilleuse attitude qui relance la Création. Revenons, en effet, pour un moment à une explication au niveau du film. Supposons que Scottie accepte l'aide de son supérieur. Ce serait, de sa part, admettre sa réintégration à plus ou moins brève échéance dans la police, c'est-à-dire reprendre goût à la vie par le biais de l'activité professionnelle et par conséquent estomper peu à peu le souvenir de son extraordinaire aventure. En sorte que son histoire avec Judy (Kim Novak) dans la troisième partie se déroulerait indifféremment : il accepterait cette femme telle qu'elle est, avec sa vulgarité opposée à la race de Madeleine. Supposons maintenant qu'il ait serré la main de Galvin Elster. Ce serait accepter une fois pour toute le triomphe de l'irrationnel sur la logique, du mystère sur la raison, de la beauté apparente sur la réalité. Ce serait s'enfermer définitivement dans la passivité de l'imaginaire, dans l'incapacité de prêter attention à la fille du peuple qu'est Judy et donc d'agir sur elle, nouveau Pygmalion, pour la sortir de sa gangue et la métamorphoser en la diaphane Madeleine. Dans un cas comme dans l'autre le film n'aurait plus de motifs de se prolonger. Il s'arrêterait là.

À moins que pour satisfaire notre volonté de connaissance totale suscitée par l'intrigue et dont notre héros Scottie est le reflet sur l'écran, le créateur Hitchcock prenne sur lui de dévoiler le secret en nous montrant d'autorité l'envers du mystère. Solution inesthétique, artificielle et immorale. C'est ce qui sépare un Hitchcock d'un Clouzot, *Vertigo* des *Diaboliques* puisque ces deux films, on le sait, ont la même source, les romanciers Boileau-Narcejac.

La solution choisie par notre cinéaste est la seule

possible : celle de respecter la liberté et la logique interne de son héros. C'est à lui qu'il appartient d'inverser l'intrigue, de la retourner comme un gant pour découvrir, in fine, ses dessous. Pour cela, il convient qu'après avoir été victime d'une mise en scène criminelle, Scottie en conçoive une à son tour, qu'après avoir été la victime de l'intrigue il s'en fasse le moteur. Il faut donc que Scottie opère une inversion en lui-même, qu'il passe du pôle positif où il se tenait apparemment jusque-là au pôle radicalement opposé, que son être cède à l'appel de ses propres abîmes. Un tel changement ne peut s'effectuer que chez un être qui refuse le secours des autres, qui s'enferme volontairement dans une solitude désespérée.

Tel est le sens immédiat de la deuxième partie de *Vertigo* constituée par le cauchemar de Scottie. Il aide à mieux saisir sa signification ésotérique. Notons d'abord que le premier plan du cauchemar est un lent panoramique sur les toits de San Francisco, la nuit. Il relie la deuxième partie à la séquence dramatique d'ouverture (la poursuite sur ces *mêmes* toits). Tout se passe, alors, comme si la première partie du film était une immense parenthèse mentale introduite à l'intérieur de la véritable action occulte qui se déroule au sommet (la notion de toits). Mais maintenant c'est Scottie qui soumis à son idée fixe d'obtenir une réponse à sa quête, accepte de choir dans l'abîme. C'est pourquoi le premier plan du cauchemar proprement dit est une reprise du dernier plan de la première partie. Il montre Galvin Elster en train de tendre à Scottie, Carlotta. Non la Carlotta figée du portrait, mais une Carlotta vivante, Esprit actif du Mal, qui, tel un sphynx au sourire énigmatique, doit lui entrouvrir le domaine interdit de la connaissance totale. Et aussitôt, en effet, Scottie se promène dans le jardin de la mort (découverte du monument funéraire de Madeleine et descente dans la tombe *vide*), avant de choir dans le gouffre vertigineux des Ténèbres *blanches* que nulle intelligence, hors celle de Dieu, ne peut explorer sans succomber à la démence.

En d'autres termes, le Créateur profite de ce que Scottie, tout entier attaché à poursuivre son idée fixe, prolonge, prend même à sa charge le mouvement de l'évolution, pour inverser son Plan. Du sommet où notre héros se tient, Il le laisse glisser vers son obsession. Et puisqu'Il n'a pu obtenir que les Ténèbres viennent s'unir à la Lumière, Il consent à ce que les forces maléfiques poussent Carlotta dans les bras de Scottie. Il y a union du principe masculin et du principe féminin. Lucifer pénètre et féconde les Ténèbres. Le caractère voluptueux de cette union (la promenade mortuaire) se change rapidement en un affreux cauchemar. Scottie est emporté par le mouvement de précipitation cosmique par lequel la Substance divine se mue en son contraire la Matière, qui permet à l'Essence d'accéder à l'Existence (cette notion de l'inversion divine est suggérée par les Ténèbres *blanches*). La deuxième partie de *Vertigo*, traitée d'une manière fantastique (l'introduction dans cette séquence du dessin animé renforce encore son caractère onirique) figure le grand moment de la Naissance de l'Univers.

Quand s'ouvre la troisième partie, Scottie, encore sous le choc de sa chute vertigineuse, demeure dans un profond état de prostration. Son esprit est obnubilé. Rien ne peut le distraire de ses sombres pensées. Pas même Madge qui vient lui rendre visite dans la chambre de clinique et qu'il ne voit ni n'entend. Pas même la musique de Mozart (le même adagio que nous avons déjà écouté dans la première partie juste après la séquence de poursuite sur les toits). Si bien que Madge, désespérée de constater à quel point elle ne compte plus pour lui, prend, cette fois, sur elle d'arrêter le disque. Puis sortant de la chambre, elle se rend dans le bureau du médecin. Avec une ironie amère elle raille sa thérapeutique : « *Ce n'est pas avec votre Mozart, docteur, que vous le guérirez.* » Et sceptique sur les chances de guérison de Scottie, elle s'enfonce affreusement solitaire dans le couloir de la clinique avant de disparaître à jamais.

La douceur paisible de la musique et du lieu renforce l'impression d'anxiété qu'implique la situation. Tout se passe, en effet, avec cette scène comme si nous nous trouvions dans une sorte de no man's land, de purgatoire où résiderait notre héros après son épreuve : comme si Dieu offrait une ultime chance de salut au serviteur qui par sa défaillance même a opéré son Plan (d'où le sens symbolique de la thérapeutique mozartienne, invite non dissimulée à Scottie pour qu'il reprenne place dans le concert divin). Mais Scottie n'en a cure. Il est hanté par la vision magnifique et terrifiante de l'abîme insondable. Son esprit refuse toute lumière. Il est habité par les Ténèbres.

Ce que voyant, son ange tutélaire, sa conscience rayonnante le suit par amour dans sa détresse. Elle se révolte, à son tour, contre l'Ordre divin (Madge arrêtant le disque). Elle clame sa méfiance et son doute envers le pouvoir bénéfique de la Création divine (scène avec le médecin). Personnage éminemment hitchcockien, Madge met en valeur le thème fondamentalement pessimiste des dernières œuvres du cinéaste : l'incompréhension entre le créateur qui veut leur bonheur et les créatures intimement persuadées que la création leur apporte le malheur. Et c'est à la chute de Madge que nous assistons dans le dernier plan de cette séquence. Chute qui ne s'effectue pas d'une façon verticale mais d'une manière horizontale (Madge s'enfonçant dans le couloir) puisque nous sommes dans la période étale au moment où, à la fin de sa descente, le mouvement de la spirale s'apprête à remonter.

Désormais privé du secours de Madge, coupé de l'aide

divine, Scottie est devenu Lucifer, l'ange des Ténèbres. C'est en révolté conscient qu'il va maintenant attenter au résultat de la création : l'existence. Dans la troisième partie de *Vertigo*, en effet, nous sommes plongés dans le monde de la réalité. Le San Francisco que l'on nous montre, ainsi que les personnages qui y vivent, n'ont plus cet aspect surnaturel qui les caractérisait dans la première partie mais possèdent en revanche ce quelque chose de quotidien, voire de vulgaire, qui tend à prouver qu'ils appartiennent bien à notre univers.

Et voilà notre héros prisonnier du monde inférieur de la matière humaine, englué dans l'univers fade et désenchanté de la réalité. Il n'aura de cesse de les nier l'un et l'autre au nom d'une conception aristocratique, angélique, divine de l'existence. Plus que précédemment son esprit est obsédé par son idée fixe : renouveler son expérience, afin de la pousser à son terme et triompher du vertige. Sa quête d'un instrument pour y parvenir se fait exigeante. Il lui faut trouver un sujet qu'il puisse transformer en objet d'expérience. D'où sa nécessaire rencontre avec Judy (Kim Novak). C'est pour refuser aussitôt ce qu'elle est, une fille du peuple à l'allure on ne peut plus commune, et la métamorphoser en ce qu'elle n'est pas ou n'est plus : Madeleine. Il réduit son être à une pure apparence, une simple effigie (comme l'était le portrait de Carlotta) à partir de laquelle il compte percer le grand secret. Ce faisant, il anéantit ce qui est (chute et mort de Judy-Madeleine du haut du clocher). Désemparé, il regarde ce vide qu'il a cru dominer et qui le possède maintenant à jamais (dernier plan de *Vertigo*).

Scottie, dans cette troisième partie, entend sciemment imposer à l'existence son plan au détriment de celui de Dieu. Dessein qui consiste comme précédemment mais cette fois d'une manière consciente et volontaire à refuser sa déchéance maintenant absolue et à remonter la spirale pour revenir à l'origine. Or, il se trouve que la première phase de l'évolution de la Conscience divine (la chute dans la non-Conscience) étant achevée, la seconde (celle du retour à Dieu selon la spirale ascendante à partir du niveau le plus bas de l'existence, la matière, et de son niveau le plus élevé, l'homme) commence. Une fois de plus et malgré lui, Scottie exécute le Plan divin. À la différence qu'il le réalisera maintenant à l'inverse de ce que veut la Lumière, mais tel que le désire la Face négative de Dieu. C'est dire qu'au lieu d'opter librement, comme dans la première partie, pour la révolte, il est maintenant, sans le savoir, l'esclave entièrement soumis aux ordres des Ténèbres.

À cette inversion va répondre une autre inversion : celle de la vulgaire Judy, incarnation de l'angélique Madeleine, Ariel est mué en Caliban. Judy réitérera, non plus par noblesse de sentiment, mais par animalité, besoin physiologique d'attachement, la faute de Madeleine. Mais c'est à Madge qu'elle empruntera sa manière. Elle veut sauver Scottie. C'est la raison qui la pousse en toute liberté à prendre la décision de déchirer sa lettre d'aveu. Par là elle succombe non plus au péché d'humilité (comme précédemment Madeleine), mais à celui d'orgueil (comme Madge). En se sacrifiant totalement, en acceptant que son être soit nié, elle espère délivrer finalement Scottie de son obsession et se faire aimer pour elle-même.

Grave présomption, qui sera cause de sa mort. En choisissant de dissimuler ce qu'elle fut, et que révèle l'instant du *flash-back* (l'évocation du crime dont elle fut, grâce à l'excellente interprétation qu'elle donna de la passive Madeleine, l'active complice) Judy se condamne elle-même. Ne serait-ce parce qu'elle s'aveugle volontairement sur le cas de Scottie. Elle désire le croire toujours agent de Lumière et penser qu'il l'aidera à la restaurer dans son état angélique dont elle conserve la nostalgie (le *flash-back* exprime toujours chez Hitchcock le désir d'un retour à un état antérieur, à l'origine : d'où la raison occulte qui pousse Judy à consentir aux exigences de Scottie). Mais simultanément elle pressent que ce *flash-back* préfigure son propre destin ; que Scottie est devenu, entre-temps, agent des Ténèbres : qu'il a pris la place de son double et qu'en conséquence cette femme que l'on jette du sommet du clocher c'est elle-même (d'où la raison occulte des révoltes de Judy contre les exigences de Scottie).

Ainsi par son mensonge amoureux, Judy se prête, comme instrument, au sombre dessein de Scottie. Il entend opérer sur elle une transmutation magique à caractère diabolique : l'arracher à sa gangue matérielle ; la forcer à quitter la grossière apparence d'être humain pour revêtir l'aspect angélique ; l'amener du monde inférieur, à travers le miroir des apparences (cf. l'importance des miroirs dans *Vertigo*), jusqu'au monde supérieur d'où elle est déchue ; bref, faire réapparaître Madeleine, une Madeleine vidée de toute substance, ange et âme à jamais dissipés, dont l'écorce, comme celle de Carlotta, puisse servir de support à l'esprit de Scottie pour percer le grand secret.

En sorte que lorsqu'il a enfin obtenu ce qu'il voulait et que Judy traverse les voiles pour surgir devant lui, telle que Madeleine fut, illusion d'une illusion, Scottie est-il convaincu d'avoir opéré le grand œuvre. La connaissance, enfin, lui appartient. Il peut la saisir dans sa totalité. D'où le fameux travelling circulaire sur le baiser (l'union tant souhaitée des deux extrêmes de l'esprit), dans la misérable chambre d'hôtel de Judy. Ce mouvement boucle toute l'étendue, et spatiale et temporelle, que cherchait à posséder si furieusement notre héros : Scottie a remonté le présent dans le passé, hissé la vulgaire Judy au rang de la pure apparence angélique, installé le monde matériel et humain dans la sphère céleste. Instant voluptueux de triomphe aussitôt trompé.

Rien n'est arrêté. Tout continue. La mécanique mise en branle par notre héros poursuit son mouvement sur sa lancée. Elle va combler le vœu de Scottie mais en l'inversant. Il voulait que Judy, à travers Madeleine, fût, comme Carlotta, réduite à une pure apparence : le collier de rubis que Judy-Madeleine se met au cou devant son miroir la renvoie directement au portrait de Carlotta (travelling sur le collier réel ; fondu sur le portrait de Carlotta ; travelling avant sur le collier peint ; fondu enchaîné sur le visage de Carlotta qui semble s'enfoncer progressivement dans le crâne de Judy-Madeleine) (on retrouve cette idée cinématographique à la fin de *Psycho* : le visage de Norman se transformant en tête de mort). Il voulait connaître le secret du mystère : l'indice (le collier) le lui révèle soudain. La si redoutable énigme se réduisait à une simple évidence intellectuelle : la mort, le néant, le chaos, les Ténèbres et l'abîme insondable ne sont pas choses en soi, mais un passage, un état transitoire et nécessaire du mouvement dialectique par lequel Dieu veut se connaître.

La quête spirituelle de l'absolu débouchait sur une vérité limpide qui était tout particulièrement à la portée du policier Scottie (pour lui, démontrer la machination criminelle aurait du être jeu d'enfant). Son orgueil se cabre devant cette évidence. Il lui faut la preuve décisive : le vertige, ce vertige de la connaissance que, depuis le début du film, il *veut* dominer et vaincre. Et l'épreuve réussit. Il parvient, sans défaillance, à escalader la spirale de l'escalier qui grimpe au clocher du couvent. Il a la certitude désormais, qu'il sait : que le rêve exaltant du vertige de l'intelligence est à jamais brisé ; qu'il a été loué par les Ténèbres, joué par Dieu. Ainsi ce n'était pas lui qui accomplit le grand œuvre !

Sa fureur éclate. Il lui faut détruire cette œuvre qu'il

croyait sienne et qui se révèle brutalement être celle de l'Autre : Galvin Elster ? le créateur ? Au moment de la précipiter dans l'abîme (c'est-à-dire renvoyer la création au chaos). Judy-Madeleine lui échappe. L'illusion de notre héros dissipée, cette pure forme perd instantanément son caractère d'illusion. Elle n'est plus simple apparence évanescente. Elle existe réellement[3]. Stupéfait, Scottie se trouve soudain face à une écorce qui recouvre un être insoupçonné. Et celui-ci lui clame son attachement et son amour avant de se jeter dans ses bras (scène dans le clocher). La beauté, la grandeur du mystère de la Création, ainsi que la joie plénière qu'elle procure, embrasent, un instant, son esprit.

On conçoit que devant cet élan d'amour Scottie soit déconcerté. Le mécanisme qu'il a déclenché s'est effectué à contre-courant de son plan, mais a réalisé celui de Dieu, ou plus exactement celui de Sa Face négative. Le Dieu des Ténèbres sait que la tentative de Scottie de revenir à l'état antérieur à la Création est impossible. Mais Il s'en sert, dans cette troisième partie, comme Dieu l'avait utilisé dans la première. Obéissant strictement au Plan, la Face négative fait en sorte que Scottie exécute à son insu le processus irréversible de l'évolution de la Conscience divine : qu'il élève la terrestre Judy (le corps) par l'ascèse et le sacrifice de soi au rang angélique de Madeleine (l'âme) afin de faire accéder celle-ci au niveau du pur esprit (Carlotta qui, visuellement – l'apparition de son portrait sur l'écran – est l'ultime étape de cette transformation). Nous trouvons ici la forme dernière et divine de l'idée d'« échange », chère à Hitchcock. En effet, la négation du corps (Judy) donne à l'âme (Madeleine) une existence matérielle ; puis celle de l'âme un support physique à l'esprit. Ce que confirme la matérialité du collier de rubis et que porte maintenant Judy-Madeleine, qui est le signe de l'existence de Carlotta.

Dans le même temps que cette matérialité anéantit le projet de Scottie-Lucifer, elle réalise celui du Dieu des Ténèbres.

Car Scottie, nous l'avons vu, n'a plus d'autres solutions que d'aller au bout de sa quête (de son enquête). Il entraîne dans la course folle et nocturne de sa voiture Judy-Madeleine-Carlotta effrayée qui ne peut s'empêcher de jeter des regards apeurés sur le ciel, terme de son périple. Il la force à gravir l'escalier du clocher, c'est-à-dire à monter les trois révolutions et demie de la spirale *ascendante* que lui-même grimpe *sans vertige* puisqu'il accomplit maintenant le mouvement de l'évolution et à contraindre la créature Judy-Madeleine-Carlotta à s'arracher à son assise terrestre pour parvenir au sommet du clocher, c'est-à-dire au monde divin.

C'est ici que s'achève pour le Dieu des Ténèbres le processus même de la Création. À partir du moment où l'œuvre s'unit à son créateur, où Judy-Madeleine-Carlotta se jette dans les bras de Scottie, la Face négative a gagné. Le fantastique effort de la Création débouche sur l'*existence du néant*. Et dérision suprême l'amour qui en était la raison nécessaire et supérieure est bafoué, réduit à ce que nous en voyons. À cet instant, la Création – et que l'on songe d'abord à celle de *Vertigo* si le film s'achevait là – a été complètement vidée de son sens. Ce n'est plus qu'une vaste mystification caricaturale et criminelle.

Il est donc urgent que Dieu intervienne. À la différence de la fin de la première partie où le Créateur se devait de s'effacer, c'est maintenant l'unique solution faute de quoi Il sombrerait Lui-même avec sa Création dans le néant. Au terme de Son expérience, il Lui faut exorciser l'une des formes multiples que prend chez le Dieu hitchcockien, la tentation du suicide. À peine l'union scandaleuse entre Judy-Madeleine-Carlotta et Scottie-Lucifer s'est-elle effectuée que Dieu se manifeste. C'est l'apparition de la religieuse.

Remarquons d'abord l'aspect éminemment théâtral de cette apparition. Elle est à la fois « deus ex machina » et coup de théâtre (jusqu'à son surgissement d'une trappe qui accentue encore le côté théâtral). N'est-ce point la conclusion logique d'une œuvre entièrement fondée sur la mise en scène fallacieuse et la volonté de représentation illusoire que de rétablir brutalement sa vérité profonde par une surenchère dans l'artifice : celui de l'intervention directe de l'auteur dans son œuvre.

Examinons, maintenant, comment visuellement s'agence cette apparition. Scottie et sa compagne se tiennent enlacés dans une zone éclairée du clocher. La caméra les quitte pour cadrer un espace vide et obscur – celui par où débouche l'escalier – d'où s'élève soudain une ombre. À sa vue, Judy-Madeleine-Carlotta recule effrayée et chute dans l'abîme. La forme ombrée sort alors de la région ténébreuse, pénètre dans la zone lumineuse, se transforme sous nos yeux en religieuse qui se précipite vers la cloche qu'elle sonne à toute volée en murmurant ces paroles, les dernières du film : « *Que Dieu ait pitié.* »

Point n'est besoin d'être occultiste patenté pour appréhender la signification de cette courte scène. Nous venons d'assister à une opération magique : celle qui consiste à substituer une apparence (celle de la jeune femme) par une autre (celle de l'ombre). Rien d'extra-ordinaire à cela. La vivante créature Judy a consenti à annihiler son être pour se métamorphoser en une forme séduisante privée de toute existence propre. Dieu se doit de procéder alors à un échange. Il lui vole la dernière chose qui restait à l'infortunée : sa pure apparence. Judy-Madeleine-Carlotta à la vue de cette Ombre (de ce qu'elle est devenue) n'a plus qu'à disparaître, happée par son vide intérieur. Elle s'évanouit dans l'abîme, ombre désormais de l'Ombre. Il est impensable, en effet, que le processus de la Création aille du plein au vide. Il doit partir du vide pour parvenir à la plénitude (de l'Ombre à la religieuse).

Une telle opération magique, toutefois, ne serait guère possible si elle était pratiquée dans l'absolu et l'immuable (sans compter qu'elle serait en contradiction avec la notion même de *déroulement du* Plan). Il faut que le Créateur inverse, par sa seule volonté, les courants de forces mises en œuvre par sa propre Face négative : qu'Il les rétablisse dans leur bon sens; bref, qu'Il retourne, en les prolongeant sur leur lancée, tous les mouvements jusque-là déployés.

Ainsi du rapide et fulgurant mouvement ascensionnel par lequel l'Ombre apparaît. Ce mouvement se réalise d'une manière logique, majestueuse et sacrée telle qu'il fut conçu dans le Plan et à l'opposé de la pénible façon dont Scottie-Lucifer traîna de force Judy-Madeleine-Carlotta jusqu'au sommet. La remontée au monde divin – étape ultime du mouvement de la spirale – ne peut être que le fruit d'une aspiration profonde et non d'une crainte immense.

Ainsi du mouvement externe qu'effectue la forme de l'Ombre en passant des Ténèbres à la Lumière. Ce que, par la faute de Scottie-Lucifer, Dieu n'avait pu obtenir – à savoir que le Mal éprouve le besoin d'aller s'unir au Bien – puisque, nous l'avons vu, il Lui fallut adapter la Création sur le désir irrésistible du Porteur de Lumière de passer aux Ténèbres, Dieu en fait l'acte ultime de son Plan. L'Ombre abandonne la zone obscure pour revenir à son Créateur. Elle révèle alors sa vraie nature et sa raison : être la servante de Dieu.

Ainsi du mouvement intérieur qui anime ce passage, Dieu ne peut tolérer l'élan amoureux qui vient de pousser l'esclave Judy-Madeleine-Carlotta dans les bras de son maître Scottie. Il l'inverse et le transfigure en donnant à cet élan le sens qu'il doit avoir. Le sacrifice de soi par l'ascèse (idée même de la religieuse) implique un immense amour envers le Créateur et sa Création (idée de la religieuse qui appelle à l'aide en sonnant la cloche et supplie Dieu d'avoir pitié). Le don de soi ne sera jamais la caricature que vient de nous en donner Judy-Madeleine-Carlotta et qui ne vise qu'à un attachement possessif et égoïste. Au pathos mélodramatique de Judy-Madeleine-Carlotta auquel nous sommes prêts à succomber (quel spectateur, en effet, ne souhaite au moment où l'héroïne clame son amour à Scottie que celui-ci lui pardonne et que le couple soit enfin heureux, entérinant par là le crime), le Créateur substitue la simple, noble, généreuse leçon de l'amour authentique.

À la fin de cette permutation, Scottie, désemparé, se voit dépossédé de tout (créature et mouvements) ce dont il se pensait maître. Il se retrouve (dernier plan de *Vertigo*) face au vide qu'il voulait dominer et qui le domine, désormais, pour l'éternité. Il mesure alors l'étendue de son crime.

Contre l'Intelligence, d'abord. Scottie comprend soudain que la connaissance est foncièrement dialectique. Elle n'est conflit que pour mieux autoriser l'échange d'idées contraires. Elle ne peut être le produit d'une idée fixe, signe d'orgueil impuissant à saisir le mouvement même de la pensée et de la vie. La faute immense de Scottie-Lucifer fut d'avoir tenté d'imposer l'unicité d'un point de vue et ce par deux fois : il a voulu dissiper les Ténèbres pour en percer le mystère (première partie). C'était attenter à la Face négative de Dieu. Puis n'y parvenant pas, il s'est fait porteur de Ténèbres pour anéantir définitivement la Lumière (troisième partie). C'était attenter à l'existence même du Créateur.

Contre l'amour, ensuite, Scottie s'est enivré du froid éclat de l'intelligence oubliant que la Lumière est aussi chaleur et communion. Il a sacrifié le fantastique capital d'amour que lui vouèrent successivement Madge, Madeleine et Judy à la haute image narcissique qu'il s'est fait de lui-même. Son aventure débouchait nécessairement sur le néant.

« *Que Dieu ait pitié.* »

1. Hitchcock est le peintre de la faiblesse de l'être dès qu'il est sollicité par les voluptés charnelles. Ses films décrivent donc les ruses du corps qui, pour échapper à la vigilance de l'âme et au contrôle de l'esprit du monde conscient, invente leur double dans l'univers inconscient. Il leur présente un miroir dans lequel se refléteraient une âme et un esprit négatifs qui, en échange, lui imposeraient leur tyrannie. Jusqu'au moment où se dissipe le caractère chimérique de ces phantasmes et apparaît, avec évidence, la machination du corps pour satisfaire ses instincts.

Pour masquer son abdication devant les désirs inavoués, l'esprit conscient cherche à fonder l'existence d'un double inversé et qui serait sa propre négation. De cette quête est issue la Tragédie de *Vertigo*.

2. Pour le lecteur-spectateur qui inclinerait à croire à une extrapolation de notre part, rappelons les bases mêmes du scénario et de la mise en scène sur lesquelles nous fondons cette interprétation.

Scottie (comme nous-même spectateur dont il est la projection sur l'écran) est intimement convaincu que Madeleine est possédée par une puissance diabolique. Pour contrebalancer celle-ci, il outrepasse la mission que lui a confiée Galvin Elster : il doit se contenter de surveiller en permanence sa « cliente » pour l'empêcher de commettre un acte irrémédiable. Ce qu'il fit lors de la noyade manquée.

Or, Scottie, désormais profondément attaché à Madeleine, veut plus. Il entend l'arracher définitivement à l'emprise maléfique. Il cherche d'abord à opposer à cette influence funeste la force de la logique ou plus exactement de son esprit : il conduit Madeleine au couvent espagnol pour lui prouver l'inanité de ses cauchemars ignorant que par la même il entre dans le jeu de la machination criminelle. Puis voyant que loin d'éclaircir le cas de Madeleine, la vue de ce couvent renforce l'idée de la possession démoniaque, il lui oppose directement la puissance de son amour. En d'autres termes, il ose prétendre que son amour est plus fort que la mort, qu'il mérite une adoration telle qu'elle puisse vaincre la fascination du néant (alors que c'est justement l'inverse qui doit se produire comme nous allons le montrer plus avant). On ne peut manifester considération plus narcissique de soi-même. Signalons, pour finir, que cet amour dévoile une image peu flatteuse de Scottie. Il bafoue les valeurs les plus fondamentales sur lesquelles il a bâti son existence. Que peut valoir, dès lors, un tel amour qui trahit la confiance d'un ami d'enfance et par surcroît d'un client, qui vole la femme d'un mari (apparemment) attentionné et aimant. À proclamer que l'amour a tous les droits, qu'il est au-delà des contingences, on goûte peut-être à l'ivresse de se croire Dieu. On devient plus sûrement démon.

3. En vérité Judy-Madeleine affirme son existence à partir du moment où l'épreuve de la métamorphose passée (le baiser dans la chambre) elle se croit libre. C'est ce qui la perd. La grande faim qui la tenaille et qu'elle proclame alors trahit son appétit de vivre, donc de se vouloir belle, donc de se parer pour plaire à l'être aimé. C'est pourquoi elle met son collier. Notons l'ironie (le sourire de Carlotta !) qui veut qu'à l'instant où Scottie pense avoir réussi en transformant la vulgaire Judy en la diaphane Madeleine désincarnée, la nature de Judy resurgit au galop pour la plus grande damnation de l'un et de l'autre.

LE SUSPENSE ESTHÉTIQUE

S'il est vrai que le sujet fondamental d'un auteur est celui de ses rapports avec sa création, il suffit de regarder l'œuvre d'Hitchcock pour voir l'idée qui la fonde : le danger de l'imaginaire qui se nourrit de désirs et de craintes et dévore progressivement ceux (personnages, spectateurs et, par voie de déduction, auteur) qui se laissent gagner par son charme. Parce qu'Hitchcock prend pour unique sujet et pour unique objet de son œuvre l'angoisse qui fertilise l'imagination et l'imagination qui alimente l'angoisse, la menace qui plane en permanence sur ses personnages renvoie à celle éprouvée dans les affres de la création.

Menace d'être « agi » par le flot tumultueux d'une invention qui jaillit d'un monde riche, complexe et trouble de sensations. Le déferlement de l'imagination place l'artiste dans un état d'impuissance. La conscience de l'auteur se fait d'autant plus attentive à sa création qu'elle la sait menacée par le caractère impérieux de ce déferlement dont dépend justement son existence.

Pour résoudre ce suspense, Hitchcock prend possession de toutes les données qui entrent dans la construction de ses films. La pure sensation exige, en contrepartie, la pure intellectualité. Le déferlement imaginaire nécessite l'excès de raison qui l'endigue, le canalise et utilise à bonne fin ses forces vives. Hitchcock a besoin d'une succession d'armatures dans lesquelles son esprit contraint son imagination à venir se mouler : histoires pré-existantes, conception de la mise en scène achevée avant le premier tour de manivelle, prévision et respect des réactions du public, hermétisme, etc.

Mais ce sont dans les rapports complexes et multiples qu'Hitchcock établit entre le monde objectif et l'univers subjectif que se perçoit le mieux son drame esthétique. Pour notre cinéaste, l'union de ces deux mondes, soudés l'un à l'autre par une base commune, l'existence, constitue la réalité. Qu'ils se scindent : l'existence menace de sombrer dans le néant.

Pourtant leur seule contradiction et leur opposition animent le suspense hitchcockien. Car il est une tentation maligne. Le monde subjectif de l'imaginaire, loin d'accepter son rôle de prolongement interne du monde objectif, entend inverser le rapport qu'il entretient avec ce dernier. Il refuse de n'être que son reflet : Il se proclame le seul monde vrai. Tentation ou tendance schizoïde ? Qu'importe. C'est le drame qu'à chaque film, Hitchcock met de nouveau, et différemment, en scène et en question. Il justifie les passages tantôt insensibles, tantôt brutaux, du monde objectif au subjectif, qui forcent le spectateur à s'embarquer dans l'univers irrationnel de la pure sensation. Événements, personnages, objets cessent progressivement d'avoir une existence autonome pour n'être plus considérés, purs éléments fictifs, que sous l'angle de l'émotion qu'ils éveillent ou non.

C'est vouloir immiscer directement le public dans le suspense. En le lui faisant vivre, Hitchcock dont la seule hantise est de se couper du réel, introduit les autres dans son univers et, en conséquence, prouve sa réalité. Aussi est-ce avec le plus grand sérieux que l'on doit considérer ses multiples déclarations à propos du public. Ce dernier tient dans son œuvre le rôle essentiel. Il représente le monde objectif face au film, projection des phantasmes du cinéaste.

Se manifeste, alors, la perversité de notre auteur. Hitchcock, pour apaiser son angoisse et affirmer son existence, inverse le rapport de ces deux mondes. Tout est agencé et prévu pour que le film, de fictif, apparaisse, en cours de projection, comme le seul univers possible vrai. Ce qui implique que le spectateur, se transportant tout entier dans le film, abandonne peu à peu l'état passif pour celui d'acteur. Il faut que l'œuvre, projection de l'univers mental du cinéaste, coïncide exactement avec la projection mentale du public ; que les forces animées qui se meuvent sur l'écran expriment à la perfection ses désirs et ses craintes ; qu'à la limite, le film qui se déroule sous ses yeux soit *son* film. Parvenu à ce point critique où il est dominé par sa subjectivité, perdu par l'imagination dans la terreur de ses illusions, le public doit résoudre, très souvent par le cri, le suspense qu'on lui impose. C'est alors que le cinéaste introduit la raison et présente les éléments rationnels de l'intrigue. Les rapports des deux univers se normalisent. Dans le même temps que le spectateur retrouve son objectivité, le film redevient ce qu'il était, une fiction.

North by Northwest

Il n'est de meilleur exemple (à l'exception peut-être de *Rear Window*) que *North by Northwest* pour illustrer et approfondir le suspense de la création hitchcockienne. On s'aperçoit, en effet, si l'on décrypte le film selon l'ordre occulte logique, que le vrai sujet qu'il traite est l'histoire de sa genèse.

Comme il convient à un suspense – et celui-ci n'est pas l'un des moins réussis ni des moins fameux de son auteur – nous retrouvons la composition ternaire à tous les niveaux et en particulier dans les rapports de force entre les personnages. Nous aurons un élément passif, souffrant, mis à l'épreuve [le couple formé par Roger Thornhill (Gary Grant) et Eve Kendall (Eve Marie Saint)] que se disputent deux forces agissantes et contraires : d'un côté le trio des espions constitué par leur chef Vandamm (Jame Manson), son second Léonard (Philip Ober) et leur homme de main : de l'autre, le professeur, chef du F.B.I. (Leo G. Caroll). Remarquons simplement en passant le jeu des nombres :

le un (le professeur), le deux (le couple), le trois (le trio d'espions). Qu'il nous suffise de noter que le un et le trois parce qu'ils sont les forces agissantes forment respectivement une unité et que le suspense, justement, consistera à savoir si le couple parviendra ou non à l'unité.

Puisque ce couple est l'enjeu du film voyons d'abord sa signification dans le cadre de l'interprétation que nous proposons maintenant de donner. Il est facile d'admettre que le héros du film, Roger Thornhill, figure le spectateur. D'abord, parce que c'est une loi du suspense hitchcockien : le public doit toujours s'identifier, de quelque façon avec le personnage central. Mais surtout, ici, pour la simple raison que Roger Thornhill, représentant type de l'homme moyen moderne, beaucoup plus conditionné (donc passif) par la publicité qu'il ne la conditionne (puisqu'il est publiciste), s'agite beaucoup. Il se donne l'illusion de l'action pour ne pas s'avouer qu'il est le spectateur de sa propre vie.

Il est plus délicat, en revanche, d'affirmer qu'Eve Kendall représente l'œuvre. Pourtant nous nous apercevrons vite que cette femme éminemment séduisante n'est pas libre d'elle-même. Elle semble à la solde des espions pour mieux servir les desseins du chef du contre-espionnage. Elle est leur œuvre dans le même temps qu'elle œuvre pour eux. Si donc, comme nous nous proposons de le montrer maintenant, les deux forces agissantes figurent les deux pôles par lesquels passe toute création esthétique, Eve Kendall, qui en est la résultante, peut, en effet, être considérée comme l'incarnation du film que nous sommes en train de visionner.

Reste à déterminer le sens qu'il faut donner aux deux forces contraires des espions et du « professeur » chef du contre-espionnage. Notons d'abord que Vandamm comme le chef du F.B.I. usent de la mise en scène et de ses artifices dans un but opposé. Ils forment une dualité hostile mais complémentaire et nécessaire l'un à l'autre : celle qui oppose dans le même temps qu'elle unit ce que nous appellerons la « tendance artiste » à la « volonté créatrice ».

Nous nommons, en effet, « tendance artiste » la tendance à l'exaltation narcissique du « moi ». Cette tendance *hait les autres*. Elle refuse, par peur et impuissance, la réalité. Elle pousse l'être à s'enfermer dans un monde imaginaire aux formes d'autant plus parfaites qu'elle dispose à sa guise des apparences du monde vrai. Elle laisse, sous ce couvert de beauté idéale, libre cours au déferlement d'une réalité subjective qui a pour fondement les sensations et les motivations secrètes. Elle se révèle être, livrée à elle-même, une force négative et criminelle qui n'a de cesse de détruire tous les obstacles et tabous sociaux, sexuels, moraux, métaphysiques, esthétiques, etc. et en dernier ressort de s'auto-détruire.

À cette force négative – et les exemples de ses ravages ne manquent pas, depuis les artistes ratés jusqu'aux criminels à prétention « artiste » – doit venir s'opposer une force positive qui capte l'apport capital de la « tendance artiste » pour, en l'épuisant, la transmuer. Nous la baptisons « volonté créatrice ». Celle-ci se manifeste à partir de l'instant où l'auteur abandonne le rêve de l'œuvre pour la pensée constructrice de sa réalisation. Idéalement elle est respect des autres, souci vrai de la réalité, humilité artisanale pour accéder à la maîtrise, bref, volonté de communier, en donnant naissance à l'œuvre, avec l'univers. Nous disons idéalement, car ce n'est pas sans compromis ni ruses que la « volonté créatrice » parvient à ciseler la riche matière brute de la « tendance artiste » tout en ne se laissant pas absorber par elle. Ce que nous conte *North by Northwest*.

Le trio des espions forme comme une sorte d'analyse de la « tendance artiste ». Au sommet Vandamm. Il est « l'artiste » au sens péjoratif du mot, l'amateur qui ne voit dans la création qu'objet unique et sans prix et se délecte de sa possession d'une façon jalouse et exclusive comme le confirmera son comportement d'esthète collectionneur. Tout chez lui n'est qu'artifice et apparence. Ses relations avec ce qu'il pense être son œuvre, Eve Kendall, ne sont que de pure forme. Il ne tient à elle que parce que sa diaphane beauté en fait l'objet le plus précieux dont il soit possesseur et lui renvoie du même coup l'image la plus flatteuse de lui-même (Vandamm est en moins, pathétique, en plus outrecuidant, une réplique altérée du Scottie de *Vertigo*, lequel s'essayait, au moins dans la troisième partie, à la création, alors que l'action de Vandamm ne peut s'exercer que dans la destruction).

Plus vrais et plus profonds sont ses rapports avec Léonard, son second. Il est aisé, en effet, de soupçonner que leur indéfectible amitié est à base d'homosexualité. Or, chaque fois qu'Hitchcock nous montre de tels couples (*The Rope, North by Northwest*, etc.) c'est pour renforcer la notion de narcissisme ainsi que l'idée d'une recherche d'absolu et de perfection dans le crime. Mais dans le contexte d'interprétation esthétique où nous nous plaçons actuellement, Léonard représente le côté critique, intimement lié à l'artiste, terriblement exigeant par rapport à lui et d'autant plus négateur qu'il se veut lucide et détaché de l'œuvre, qu'il la juge sans indulgence, en soulignant ses moindres défauts, pour mieux la dénigrer et la détruire (cf. le moment où Léonard démontre la « mise en scène » du meurtre blanc et condamne par là Eve Kendall).

Quant au troisième larron, l'homme de main qui exécute les basses œuvres de Vandamm, il figure, ici, la force brute sur laquelle repose l'édifice mensonger de la beauté apparente. Il prouve que le caractère éthéré et idéal de l'art (ou simplement le côté de parfait gentleman de Vandamm) a pour fondement la réalité criminelle des instincts. C'est pourquoi ce troisième homme est interchangeable. Il a des compères et des complices. Le monde tumultueux des sensations est assez riche pour fournir une cohorte de criminels prompts à servir le « maître ».

Face à ce trio d'espions se dresse la figure du « professeur » dont l'apparition clôt la première partie de *North by Northwest* et prouve que tout, dans l'aventure incroyable de Thornhill à laquelle nous venons d'assister, s'est déroulé selon son plan. Plan que justement cherchent à percer Vandamm et ses acolytes. Il consiste à partir du néant et à compter sur le spectateur pour parvenir à l'existence. C'est ce même plan, ce pari sur la création, qu'Hitchcock s'amuse à tenir comme un défi tout le long du film. *North by Northwest* est construit, en effet, du point de vue spatial aussi bien que temporel, sur un vide qu'il faut meubler. Comme il se doit, le premier plan du film est, sur ce point, explicite : les lettres du générique arrivent en diagonale sur une surface verdâtre qui se dissipe pour laisser apparaître l'immense surface de verre – impression de vide – d'un building moderne sur laquelle vient se refléter, morcelée, l'agitation de la vie new-yorkaise avant que nous apercevions la réalité de cette agitation en pénétrant à l'intérieur du building au moment de la sortie des bureaux et d'un Thornhill on ne peut plus affairé.

En d'autres termes, Hitchcock joue de sa propre angoisse : comment animer la surface vierge de l'écran ? La scène la plus spectaculaire à cet égard sera celle de l'avion en rase campagne. Un temps désespérément creux et un espace étrangement désert attendent que notre angoisse face au vide les remplisse et les meuble.

D'où le sens de la première partie de *North by Northwest* (qui va du générique à la réunion dans le bureau du chef du F.B.I., c'est-à-dire qui comprend l'épisode à New York). Le créateur sait que, seul, le spectateur peut donner une existence réelle à son œuvre. Il faut donc qu'avant même de la concevoir, il veuille accrocher le public pour que ce dernier se précipite dans les salles. Or, il n'est pas facile à « appâter » ce spectateur ! Il est comme Roger Thornhill assailli par les multiples petits problèmes quotidiens et ne désirant s'en distraire qu'avec les divertissements les plus convenus. Comment l'arracher à son indifférente paresse, à son manque de curiosité fondamentale ? Comment contraindre Roger Thornhill à préférer l'aventure cinématographique à la représentation théâtrale où il doit se rendre avec sa mère ? la mère qui joue un rôle important dans cette première partie peut être envisagée dans notre explication actuelle aussi bien comme la tenante d'un genre dépassé (le théâtre) dont le cinéma pour Hitchcock est le prolongement moderne – d'où l'importance, chez lui, comme nous l'avons déjà montré à propos de *Vertigo*, de l'idée de représentation dramatique ne serait-ce que pour mieux en dénoncer le caractère illusoire – que, comme le passé de l'œuvre d'Hitchcock, dont tout créateur doit se délivrer faute de sombrer dans l'académisme mortel : ce n'est peut-être pas gratuitement si la mère de Thornhill occupe une place importante dans cette première partie et si elle disparaît complètement dès que s'ouvre la seconde partie sur l'œuvre nouvelle, Eve Kendall. Comment, enfin, changer ce spectateur absolument passif en acteur qui participe totalement au film (cf. les réflexions que les autres personnages font à Roger Thornhill sur son aptitude à jouer, mal ou bien, la comédie tout le long de *North by Northwest*) ?

Il faut que l'esprit du créateur se fixe, avant même d'avoir l'idée de l'œuvre, sur ce spectateur. Il en invente un, fictif, nommé Kaplan. Il le conçoit le plus moyen, courant et anonyme possible, et de ce personnage inexistant il fait le héros de l'œuvre à venir. Or, la simple *idée* de ce

« héros » théorique, présentée sous sa forme la plus sommaire (une mise en scène primaire et factice qui consiste à louer une chambre d'hôtel et y semer des effets personnels suffit à fonder la réalité de ce Kaplan fantomatique) déclenche la vive réaction de la « tendance artiste ». Celle-ci entend conserver une liberté sans entrave et refuse l'immixtion dans l'œuvre à venir de ce qui n'est pas elle-même et « son art ». Cette fidélité à l'unique sortilège des apparences par quoi se caractérise cette tendance explique pourquoi le clan des espions se laisse aussi naïvement berner par la « mise en scène » du créateur, qui est pourtant la plus artificielle possible.

Mais elle a pour mérite de mettre en branle l'imagination de la « tendance artiste ». Pour éliminer ce corps étranger, le public, que lui impose la « volonté créatrice », elle est d'abord obligée de personnaliser Kaplan, de lui accorder un corps, un caractère, une épaisseur, bref, de donner un contenu (Thornhill) à une enveloppe vide (Kaplan). Alors seulement peut-elle tenter de l'escamoter par une suite de mises en scènes plus ahurissantes les unes que les autres (la grande demeure appartenant au membre de l'O.N.U., la scène d'ivresse en voiture et leur conséquence pour Thornhill). Elle use des effets de l'art à seule fin magique d'illusion, effets qui culminent au moment où Thornhill se retrouve un poignard à la main, un cadavre dans les bras, en plein O.N.U.

Ce qui revient à dire que la « tendance artiste » vise à disposer de la forme pour s'y complaire et perdre ainsi en route le public. Mais c'est par là précisément qu'elle force celui-ci à sortir de sa passivité, à devenir actif et pénétrer au-dedans de cette forme qui, mirage, lui échappe d'autant plus qu'il croit l'avoir saisie. Par ailleurs, c'est déjà accorder à l'illusion un début de réalité que de la provoquer : ce sont les espions, ne l'oublions pas, qui, par leur erreur, confèrent à Kaplan une existence qu'il n'a pas d'abord, en le confondant avec Thornhill, lui tout à fait réel.

Tout se passe comme si le créateur, avec un humour éminemment hitchcockien, c'est-à-dire jouant de l'inversion, voulait utiliser la répugnance de la « tendance artiste » à toute concession d'ordre commercial afin justement d'obtenir d'elle une œuvre qui, comme *North by Northwest*, soit très accessible au public… Son plan rejoint celui de ces pêcheurs qui introduisent une impureté dans une huître, puis attendent, dès lors, que se forme la perle.

En même temps que le conflit créateur-artiste, la première partie du film met en valeur la manière qu'a Hitchcock de « penser public ». Il se glisse d'abord, idéalement, dans la peau d'un spectateur moyen, dont il prévoit, imagine et dépasse toutes les réactions possibles. Le véritable spectateur ne peut ensuite que s'identifier et même se confondre, avec le héros, son modèle (malgré les difficultés qu'il éprouve, au départ, comme Thornhill essayant dans la chambre d'hôtel les costumes de Kaplan, à endosser des vêtements trop justes). Il doit pourtant s'adapter à ce rôle, prévu pour lui sans qu'il le sache. Il n'échappera plus au réseau de formes élaborées par l'artiste en fonction précisément des sensations qu'elles doivent éveiller en lui, pour, mobilisant toute son attention, le retenir captif.

Enfin, Hitchcock expose ici sa conception de la publicité (qui est aussi l'un des thèmes apparents du film) domaine où, comme on sait, il est passé maître, au même titre que du suspense. C'est que la publicité est essentielle à son art. Puisque l'œuvre, répétons-le, n'existe que par l'intervention du public. Il faut *forcer* ce dernier à venir la voir. Comment ? Pour reprendre cette question que nous avons laissée en suspens : en visant bas. En jouant sur les motivations les moins avouables du public. En éveillant son appétit de voyeur. En spéculant sur sa peur fondamentale de l'aventure et le désir de cette peur. Bref, en violant sa conscience selon les techniques de la publicité moderne.

De même qu'il fait afficher son portrait à la porte des cinémas, comme label d'angoisse spectaculaire, de même Hitchcock achève la première partie de *North by Northwest* par l'apparition du créateur. C'est comme un avertissement du sort réservé au seul spectateur : « Pauvre monsieur Thornhill, où que vous soyez, adieu », dit à l'issue de la réunion que préside le professeur chef du contre-espionnage, la seule femme qui y assiste. Lorsque le film commence, plus rien ne peut ni ne doit sauver le spectateur, hormis lui-même.

Débute alors la seconde partie, laquelle, pour poursuivre notre interprétation, correspond au moment où le spectateur, tout entier sous la coupe de la publicité, achète son billet et entre dans la salle : c'est-à-dire quand Thornhill-Kaplan, prenant son billet au guichet de la gare, se précipite dans le train qui va l'emporter, définitivement et sans recours, hors de son univers familier (New York). Il est entraîné irrémédiablement – se souvenir de l'impression profonde d'entraînement irrésistible ressentie dans le train en marche, qui nous fait comprendre, mieux qu'un long discours, le sens des mouvements d'appareils, en particulier des travellings, chez Hitchcock – vers l'aventure fantastique, toute en suspense, voulue par le créateur et alimentée par la « tendance artiste ». Il se heurte, alors, à l'œuvre, en d'autres termes la femme, Eve Kendall. Un rapport de complicité s'établit immédiatement entre elle et lui. Thornhill est séduit par l'apparence angélique de sa beauté. Eve Kendall, à la fois distante et brûlante, joue avec ce partenaire que lui imposent simultanément (mais nous ne le saurons que plus tard) la « volonté créatrice » et la « tendance artiste » et qu'elle a mission de racoler. D'où la scène stupéfiante d'érotisme, toute en allusions osées (le wagon-restaurant) et en gestes sensuels (le baiser sans fin, en station verticale – car filmé à l'horizontale, il eût été interdit par la censure – dans la cabine du sleeping-car), scène par surcroît d'une extrême beauté plastique. Comme si Hitchcock avait voulu la parer de toutes les séductions esthétiques pour mieux en dénoncer l'imposture. Car elle a été mise en scène par la « tendance artiste », par Vandamm et Léonard qui sont dans un compartiment voisin, et pour qui travaille (ou semble travailler) Eve Kendall.

Par cette scène, Hitchcock confesse, en le justifiant, le caractère « racoleur » de son œuvre. Sous une apparence de princesse glacée et intouchable, cette œuvre a un côté délibérément « putain » (il faudra attendre la fin de *North by Northwest* pour saisir que le comportement premier d'Eve Kendall n'est que superficiel et qu'il obéit, en fait, à un ordre supérieur). Notre cinéaste appartient à la race des conteurs – et ses films peuvent être considérés comme les contes des mille et une nuits de notre époque – pour qui captiver l'auditoire passe avant tout. S'ils ne négligent ni la richesse, ni la profondeur, ni la sagesse de leur récit, seul importe, pour eux, le frémissement de la foule. De même que par son attitude de provocation Eve Kendall dissimule à Thornhill, donc au spectateur, le sens véritable de sa mission, de même l'aspect purement extérieur de son œuvre permet à Hitchcock de celer ses véritables préoccupations et de plaire ainsi au plus grand nombre (ce qui ne l'empêche pas, comme tout grand auteur, de récolter des échecs quand il n'a su ou pu concilier besoin de s'exprimer et désir de plaire).

Par cette scène, encore, Hitchcock énonce une règle absolue de construction, qui ne souffre chez lui aucune exception. Chaque début de ses films est conçu pour troubler le spectateur et éveiller en lui ce qu'il refoulait. On le savait depuis *Rear Window*, autre œuvre-clé qui nous livrait, déjà, sa réflexion sur son art. Hitchcock prête à son public la nature d'un « voyeur » qui entend jouir au maximum du suspense. Aussi la première chose offerte à Thornhill dans le train est-elle un désir érotique. Dès qu'il se trouve en présence d'Eve, Thornhill, comme le spectateur, est littéralement « allumé » (cf. la scène de la cigarette et de l'allumette dans le wagon-restaurant).

Mais, dans le wagon-restaurant, le couple ne se sent pas seul. De même, au premier contact avec l'œuvre, le spectateur se sait-il entouré de la masse du public. C'est alors au créateur de renforcer leur intimité, de les pousser à communier en oubliant les autres, d'accentuer le trouble érotique de Thornhill et par voie de conséquence notre propre gloutonnerie optique. D'où l'arrêt du train et l'arrivée des flics (puisque chez Hitchcock la police représente la force de l'ordre elle dépend, dans notre interprétation, actuelle, de la « volonté créatrice » comme le prouvera plus avant le moment où le chef du contre-espionnage se fera remettre Thornhill à l'aéroport par les policiers qui l'ont arrêté. Les flics figurent, ici, les règles esthétiques de construction par lesquelles le créateur élimine le superflu pour atteindre l'essentiel). Contraint de se réfugier dans le compartiment d'Eve, Thornhill se livre avec sa partenaire à cette scène lascive de baisers à laquelle, mentalement, nous participons activement.

Ce suspense sexuel sera, toutefois, brisé net par Eve. Elle laisse Thornhill, et nous-mêmes, sur une faim qui ne sera rassasiée qu'aux dernières secondes du film, lorsque ce sera à l'homme (et au spectateur fait acteur), et non plus à la femme ou l'œuvre, de prendre l'initiative amoureuse : alors que maintenant Eve oblige Thornhill à coucher par terre, aux derniers plans du film, c'est le héros qui tire jusqu'à la couchette, une Eve désormais consentante. Mais, pour l'instant, Eve et l'œuvre ont accompli leur mission : user de leur beauté idéale, mise en valeur par l'artiste pour séduire tout à fait Thornhill et le public, afin de les mieux trahir.

Après ce flirt poussé, l'œuvre prend ses distances. Elle rejette chaque spectateur – qui s'est cru l'unique et heureux élu – dans la masse anonyme et uniforme du public. De la même manière qu'Eve, arrivée à destination, sous prétexte de mieux protéger Thornhill, lui impose de revêtir l'uniforme des bagagistes de Chicago. Si Thornhill échappe ainsi à la police c'est pour mieux tomber dans les rêts de sa séductrice. Télécommandée par Léonard (le côté critique et destructeur de la tendance artiste), elle l'envoie sciemment au danger (scène du téléphone). Trahison forcée, certes, et qui permet à Eve de prendre conscience de ses sentiments à l'endroit de Thornhill, mais trahison tout de même. Et c'est la fameuse scène de l'avion.

Fruit de l'imagination de la « tendance artiste » qui en a conçu la mise en scène *ex nihilo*, cette scène est aussi la résultante des rapports ennemis de l'artiste et du public. L'artiste a apprêté l'œuvre de la manière la plus séduisante possible. Il prend le public au piège des pures apparences auxquelles ce public s'accroche maintenant. Refusant l'être de l'œuvre, il est logique que le spectateur soit victime de sa facture, et livré au seul agencement des formes qui deviennent réalité menaçante.

La maîtrise d'Hitchcock à manier les apparences pour susciter, comme et quand il lui plaît, terreur ou angoisse ainsi que sa prodigieuse aptitude à jouer du flux et du reflux émotionnel implique le pouvoir du magicien. Le conflit que le sentiment grisant de ce pouvoir éveille en « l'artiste » est d'autant plus fort qu'Hitchcock ne peut créer qu'en usant au maximum du caractère magique de son art. Et ce à tous les niveaux.

Magie esthétique d'abord, par la recherche de la beauté plastique. Signification magique, ensuite, de ce qui surgit sur l'écran, puisque rien n'arrive à un personnage qui ne soit l'accomplissement de ses désirs ou de ses craintes. Le surgissement de l'avion, ici, en est la preuve : il matérialise, comme appelé par eux, le désir de Thornhill de voir apparaître, enfin, son double Kaplan et tout à la fois sa crainte de le voir enfin se préciser, *prendre forme*.

Magie effective enfin : l'œuvre est conçue pour réaliser, à chaque instant, les aspirations du public, Hitchcock devance son désir et l'accomplit d'autant plus aisément que sa préoccupation majeure est de le susciter. Il déroule devant l'assistance le tapis magique de ses rêves, qui l'emportent fatalement dans un monde où les vœux sont comblés au-delà de tout espoir. À cela suffit que l'imagination du cinéaste soit plus riche que celle du public le moins crédule. Au bout du voyage vers ses aspirations les plus secrètes, le spectateur se heurte violemment à la conséquence inéluctable de son attente inassouvie, de l'état de passivité où il s'est abandonné. Le voilà soudain face à la réalité de la forme de spectacle qu'il se fabriquait à son insu. Que le spectacle trompe son attente, en dépassant son imagination, par l'intrusion d'un élément naturel et quotidien, imprévisible à la fixation de son esprit attaché à ne suivre que la seule matérialisation de ses désirs et de ses craintes, et cet élément se fait insolite, inquiétant, terrifiant. Il ne fait, pourtant, que concrétiser ses mêmes aspirations.

Car il appartient à la logique interne et occulte de l'œuvre que le spectateur remonte jusqu'à la source de ses rêves et rencontre la projection de son moi intime. Non content de ne point le reconnaître, il s'en effraye. Rien n'est plus étranger, méconnaissable et même hostile que l'apparition d'éléments apparemment objectifs qui recouvrent ce qu'il y a de plus subjectif en chacun. Le choc de cette rencontre, quand le spectateur se rend soudain compte que la magie de l'artiste l'a dépossédé de son être affectif et l'étale impudiquement sur l'écran, contraint alors le public à abandonner sa passivité. Il est vital pour lui que cesse son état d'impuissance. Il lui faut partir à la reconquête de son « moi ».

C'est ce qu'illustre la scène de l'avion. Lorsque Thornhill, avide d'éclaircir le mystère qu'il subit, descend de l'autobus pour *attendre* dans cette vaste plaine nue, c'est le moment du film où l'identification du spectateur avec le héros est la plus poussée. Cela vient de ce que nous savons une chose de plus que Thornhill : qu'Eve, complice de Vandamm, l'a envoyé dans un traquenard. Nous nous trouvons ainsi dans la même situation émotionnelle que lui. Comme la sienne, notre anxiété accroît notre envie que le danger invisible qui peut fondre de l'horizon tout entier se manifeste. Nous souhaitons et redoutons en même temps, que chaque voiture fonçant sur la route, que ce cultivateur qui attend le bus, soient l'ennemi. Mais cette attente est invariablement déçue. Ce qui nous pousse, chaque fois, à désirer plus fortement l'apparition du danger.

Attitude peu reluisante et qui dévoile de peu avouables motifs : un égoïsme forcené, une grande lâcheté et quelque sadisme. C'est pour soulager plus vite son angoisse et sa curiosité que le spectateur souhaite voir surgir rapidement l'ennemi. Ensuite, que Thornhill se débrouille ! Le spectateur, il est vrai, espère alors que son héros trouvera bien le moyen de se sortir de cette périlleuse situation. Pour l'instant, la forme du danger, que nous espérons voir enfin se préciser, est appelée par la force de notre désir.

C'est donc *nous* qui faisons naître cette forme hostile, *nous* qui lui transmettons sa force, *nous qui la créons*. Cette *forme-force* n'est que la projection de notre monde mental doté de la toute-puissance de notre participation émotionnelle au spectacle. Et si nous n'avons pas pris garde à l'aéroplane qui rôdait depuis le début de la scène et qui était le danger, c'est par manque de logique imaginaire[1]. Car seul un avion pouvait pleinement concrétiser la menace que nous attendions voir fondre de n'importe quel coin de l'horizon et qui s'empare donc effectivement de l'horizon tout entier (on sait comment Hitchcock a développé ce sentiment dans *The Birds*). Mais la fonction imaginative de la « tendance artiste » avait d'emblée tiré les conséquences de cette logique interne. Devançant nos facultés inventives elle avait suscité la forme de l'avion qui attendait, pour devenir menace, de se charger de la force de nos désirs et de nos craintes. Nous (Thornhill et le public) sommes tombés dans le guet-apens qu'elle nous a dressé. Epuisés, nous voici, désormais, à sa merci.

Nous le sommes d'autant plus que la « volonté créatrice » semble, durant cette scène, avoir complètement abdiqué toute prétention à diriger le spectacle. C'est, en effet, le clan des espions qui a monté la mise en scène de ce traquenard lequel échappe en apparence au chef du contre-espionnage. En apparence, car l'auteur sciemment s'est déchargé sur nous de sa « volonté créatrice ». Parce qu'il est vrai que nous l'en avons dépossédée. Par notre vil appétit de jouir passivement en « voyeur » du spectacle nous avons, répétons-le, créé la forme-force de l'avion qui se retourne maintenant non seulement contre Thornhill et nous, mais contre le spectacle lui-même. Qu'elle triomphe, que l'avion tue Thornhill-Kaplan, le spectacle est achevé. Nous n'avons plus qu'à quitter la salle, frustrés.

Puisque imprudemment nous nous sommes appropriés la « volonté créatrice », à nous désormais de l'assumer. Comment ? En inversant brutalement les motivations profondes de notre participation au spectacle. Avant que le danger se précise, le spectateur, installé dans son confort, était « pour » l'apparition de la forme et « contre » Thornhill.

Maintenant, dérangé dans son confort, il lui faut être « pour » Thornhill et « contre » l'avion. Il lui faut souhaiter le salut de son héros. L'émotion du public converge ainsi avec celle de Thornhill luttant pour son existence. Plus l'espace vital autour de notre héros se resserre, plus cette complicité affective augmente. Elle atteint son sommet au moment où Thornhill tente sa dernière chance, qui prend, à cet instant, la forme d'un camion-citerne d'essence, matérialisation, en quelque sorte, de la réserve d'énergie que notre nouvelle attitude a concentrée. Il est donc logique que les deux formes, avion et camion, que nous avons suscitées par nos vœux contraires, se rencontrent, que leurs deux forces se heurtent avec violence, et que le suspense se résolve par leur explosion, leur volatisation réciproque.

Cette scène, l'un des sommets du suspense hitchcockien est capitale pour saisir le secret de fabrication de notre cinéaste. La mécanique de son suspense, en effet, est simple et, ici, exemplaire. Elle consiste à juxtaposer une série de *glissements* (de personnages, d'objets, de mouvements d'appareils) à une série de plans morts où tout est en *attente* jusqu'au moment crucial où le suspense se résout par un *heurt*. Cette figure mère[2] ne souffre aucune exception et caractérise, en fait, le style même d'Hitchcock puisque chacun de ses films est, de bout en bout, un suspense. Disons, dans notre interprétation actuelle, que les glissements, visualisations de la pénétration maléfique du danger sont le fait de la « tendance artiste » qui a pour mission de susciter, d'agencer et d'animer les formes ; que l'attente est liée à celle du public ; que le heurt, enfin, est dû à l'intervention in extremis de la « volonté créatrice ». Mais cette dernière n'est possible qu'à condition que le public sorte de sa passivité.

Il importe donc que le public, après s'être abandonné à la jouissance de voir et au délice du frisson, se ressaisisse.

Il doit prendre parti contre le spectacle que lui propose l'artiste et tenter, dès lors, de participer activement à sa création. C'est bien ce que va faire, à partir de l'explosion de l'avion, notre délégué sur l'écran, Thornhill. Car, depuis le début du film, notre héros n'a pris aucune décision. Il s'est contenté de se laisser *emmener* jusqu'au bar où sa mère doit l'*emmener* au théâtre, mais d'où les espions l'*emmèneront* chez Vandamm, qui le mettra, ivre, dans une voiture qui l'*emmènera*, etc.

Parvenu à la limite de la passivité, lorsque son existence est en jeu, il est enfin contraint de changer d'attitude. Son impuissance doit cesser. Il lui faut reprendre son destin en main. Dès que l'explosion a eu lieu, payant enfin d'audace, il s'empare d'une voiture que le propriétaire a désertée pour aller contempler l'accident et se sauve. De spectateur de sa propre vie, ballotté au gré des événements, il est devenu, ce qu'on exigeait qu'il soit depuis le départ, un acteur.

Désormais, nous avons un Thornhill qui agit. Son premier acte est de retrouver Eve. De même qu'échaudés, nous avons appris à nous méfier de l'œuvre, de même notre héros va ruser avec sa compagne. Il surprend son lieu de rendez-vous. Il y court. Et c'est la scène de la vente aux enchères. Elle est importante dans notre optique, puisqu'elle confirme la conception qu'a Hitchcock de l'art.

Contentons-nous d'en signaler brièvement l'intérêt. C'est la seule scène du film qui réunisse tous les personnages. Leur position par rapport au spectacle (celui de la vente des objets d'art) est significative. Le professeur (chef du contre-espionnage), perdu dans la salle avec l'audience, semble indifférent alors qu'il ne perd rien de la scène. Eve, entourée de Vandamm et Léonard (l'œuvre mise en valeur par l'artiste et le critique) se tient à l'écart, bien en évidence, comme si, elle aussi, elle surtout, était offerte aux enchères. Enchères que se disputent âprement

Thornhill qui a soudain la preuve de la duplicité et de la trahison de la femme et Vandamm qui devine l'amour d'Eve pour Thornhill.

C'est encore au cours de cette scène que se joue d'une façon plus directe le conflit supérieur entre l'artiste et le créateur. Sous les yeux mêmes du professeur, Vandamm se porte acquéreur d'une statuette qui contient, mais on ne le saura que plus tard, un micro-film (il recèle le plan du secret atomique convoité par les espions). Pour Hitchcock, et l'idée de microfilm semble le confirmer, ne s'agirait-il pas, plutôt, du secret de la puissance de la création cinématographique laquelle, dans les mains de Vandamm, deviendrait destructrice ? Notre auteur pose ainsi, sous le déguisement du divertissement, le grave et insoluble problème des conséquences morales, sociales, voire physiques (troubles émotionnels) de la création artistique[3].

Enfin, la confusion semée par Thornhill dans la vente aux enchères est révélatrice de l'opinion de notre cinéaste sur la valeur de l'œuvre d'art. La « pagaïe » qu'il provoque anéantit la fausse échelle des valeurs, fondée sur l'argent, qu'ont instituée esthètes et collectionneurs (dont font partie Vandamm et Léonard qui participent au jeu et même semblent le contrôler : cf. la facilité avec laquelle Léonard passera par les coulisses pour empêcher notre héros de sortir par la scène ainsi que tous les signes de connivence qu'il échange avec les commissaires-priseurs). Ces derniers suppléent à l'impuissance créatrice par la possession égoïste de l'art. Or, l'œuvre, pour Hitchcock, n'a de sens que si elle est la preuve de l'existence de son auteur, celui-ci étant aussi bien son créateur que celui qui la contemple. Une œuvre n'est pas une valeur en soi, comme voudraient le faire accroire ces spéculations boursières que sont les ventes aux enchères. Que, pour sauver son existence menacée, Thornhill bouleverse et ridiculise toutes les cotes est le plus sûr moyen de restituer aux toiles, offertes comme des esclaves, leur valeur authentique, Thornhill se révèle, en définitive, comme le véritable amateur. Façon élégante, pour Hitchcock, de dire que son œuvre est destinée avant tout au public populaire qui frémit et vibre plus qu'au public délicat qui croit goûter et apprécier sur les simples apparences.

Que Thornhill se laisse embarquer par la police révèle la distance qui sépare sa nouvelle attitude de l'ancienne. Jusqu'à la scène de l'avion, notre délégué sur l'écran était le jouet de l'organisation subversive. Là, en revanche, c'est lui qui prend la décision de troubler le spectacle, escomptant ainsi l'arrivée des forces de l'ordre. Ayant fait ses preuves d'acteur, Thornhill provoque l'intervention du professeur. Celui « *qui ne dit pas son nom* » révèle la vraie nature d'Eve Kendall. Elle travaille pour lui et est chargée d'espionner les espions. La façon dont Thornhill s'est comporté avec elle pendant la vente aux enchères a éveillé les soupçons de Vandamm et Léonard. Son existence est en danger. Le professeur a maintenant besoin de l'aide directe de Thornhill.

En d'autres termes, le spectateur qui a marché à l'œuvre a soudain l'impression d'avoir été « roulé » par elle (sentiment fréquent du public de bouder son plaisir pendant ou après le spectacle). Dès lors, trouvant l'œuvre sans valeur, il perturbe le spectacle. Ce faisant, il la renvoie à la « tendance artiste » qui, déçue par cet accueil, après avoir adulé l'œuvre n'y voit plus que des défauts et cherche à la détruire (autocritique). Mais, ce faisant également, il en appelle inconsciemment aux forces de la « volonté créatrice » pour qu'elles rétablissent l'ordre et par conséquent ses rapports amoureux avec l'œuvre. Mais ce faisant encore, la « volonté créatrice » ne peut plus rien si elle ne tient pas compte du désir impérieux du spectateur d'intervenir directement dans le spectacle pour lui donner, enfin, une signification, une valeur.

Nous en arrivons donc à la scène du simulacre de crime passionnel dans le snack-bar aux pieds des monts Rushmore. De même que le créateur avait mystifié l'artiste par la mise en scène trompeuse d'un Kaplan fantomatique, de même il renouvelle avec un Thornhill qui incarne Kaplan l'opération, en employant, d'où l'ironie, les mêmes procédés que l'artiste, Vandamm, persuadé qu'Eve est amoureuse de Thornhill-Kaplan, désire par jalousie et devoir professionnel, supprimer son rival. Souhait que le professeur réalise par sa mise en scène factice : Eve, dans une crise passionnelle simulée, tire… à blanc sur Thornhill qui fait semblant de s'écrouler mort et se sauve.

Par ce geste, l'œuvre reconquiert l'entière estime amoureuse de l'artiste (Vandamm, car déjà le doute critique – Léonard – s'est installé au cœur de la « tendance artiste »). Ne vient-elle pas de prouver que, blessée par son orgueil, elle déteste maintenant le public vulgaire et bas qui la méprise (la manière cavalière dont Thornhill traite Eve devant la clientèle populaire du snack-bar). Ne donne-t-elle pas raison, avec l'éclat, à l'artiste qui depuis le début cherche à supprimer le grossier spectateur inapte à apprécier la délicatesse d'une beauté apprêtée par lui-même (car ne l'oublions pas, *North by Northwest* succède immédiatement dans la chronologie hitchcockienne à *Vertigo* et la ressemblance frappante entre l'apparence d'Eve Kendall et celle de Madeleine nous renseigne sur l'exigence amoureuse, semblable à celle de Scottie de Vandamm). Voilà qui renforce la complaisance narcissique de l'artiste seul capable de goûter les subtilités esthétiques de l'œuvre.

Toutefois, cette mise en scène factice n'est possible que parce que notre héros est devenu comédien. Ce dont le félicite Eve qu'il retrouve dans une forêt des alentours, sous la protection du professeur qui avait tout manigancé. Mais le tête-à-tête amoureux sera vite interrompu. Il faut qu'Eve retourne auprès du clan Vandamm afin de récupérer le secret (le micro-film) dont il est possesseur. Thornhill cherche à s'interposer. Il reçoit d'un policier un violent coup de poing dans la mâchoire qui l'envoie K.O.

Quelle raison pousse le créateur à séparer ainsi les amants ? Au premier abord, on peut croire à un calcul égoïste. Après avoir utilisé l'illusion prodiguée par la « tendance artiste » pour fonder l'œuvre, après avoir utilisé l'œuvre pour susciter un rapport amoureux avec le spectateur, après avoir utilisé ce dernier pour rétablir ce rapport compromis, il le sacrifie à son tour et force l'œuvre à découvrir son plan dont la « tendance artiste » s'est emparée. Voilà qui dénoterait chez lui une désinvolture et un mépris des autres en contradiction flagrante avec le plan lui-même qui est de prévoir, pour en tenir compte, des réactions du public. Il est vrai qu'un tel plan doit être arraché à la « tendance artiste » qui en userait d'une façon néfaste pour le public (cf. *The Birds* qui est construit d'une façon similaire mais inverse que *North by Northwest* où la satisfaction des motivations les moins avouables du public mène à une quasi-destruction générale).

Il serait plus juste de voir dans l'emploi d'un procédé contraire à son projet – celui de l'intervention autoritaire du créateur dans sa création – une ruse suprême qui autorise le créateur à atteindre le but ultime de son plan. Et par ailleurs il n'a pas le choix. Il sait qu'il prend un risque grave en renvoyant l'œuvre sous la dépendance de l'artiste. Le moment d'exaltation passé, l'artiste doute de celle-ci, la critique et cherche finalement à détruire ce qu'il a formé (tentation à laquelle aucun artiste n'échappe).

S'il prend un tel risque, c'est que le professeur spécule sur la réaction de Thornhill dont il a éveillé le caractère combatif. Notre héros n'entend pas être frustré de sa conquête amoureuse, et encore moins être retenu captif dans une chambre d'hôtel. Il soupçonne Eve d'être menacée. Il lui faut s'évader pour la délivrer. Décision qui mérite qu'on s'y attarde. À ce moment du film, Thornhill s'est débarrassé du personnage fictif de Kaplan (ce à quoi a encore servi la mise en scène fictive du professeur puisqu'on annonce la mort de Kaplan à la radio). Il a retrouvé, avec son identité et la connaissance des données qui, jusque-là, lui étaient cachées, son entière individualité. Lui-même est sain et sauf, et son cauchemar est fini. Mais, par la même occasion, son rêve (Eve) s'est évanoui. L'explication de la trahison d'Eve, la découverte du sens de sa mission et la conscience de ce qu'elle a dû et doit encore subir ne peuvent que lui révéler la force et l'étendue de l'amour qu'il lui porte. C'est donc en toute liberté que Thornhill décide d'affronter à nouveau son cauchemar pour sauver son rêve. Un tel comportement chevaleresque justifie le risque pris par le créateur qui désormais attend le salut de son spectacle du spectateur.

La conduite de notre héros, en effet, n'est possible que parce qu'elle répond à notre propre attitude. Au moment où Thornhill, après la réussite du simulacre du meurtre, rejoint Eve dans la forêt et l'embrasse sous l'œil apparemment bienveillant du professeur, nous sommes soulagés. C'est le *happy-end* : Le héros est sauvé. Son amour est comblé. Tous les mystères sont éclaircis. Le film est achevé. Nous nous apprêterions à nous lever, si le magistral coup de poing reçu par Thornhill, en fait reçu par nous puisqu'il est asséné en direction de la caméra, ne nous forçait à nous rasseoir dans notre fauteuil.

Nous nous retrouvons dans le même état de passivité contrainte que Thornhill, retenu prisonnier dans sa chambre d'hôtel par le professeur. Or, cette passivité qui faisait nos délices au début du film, nous la rejetons désormais. Nous nous débarrassons du moule Kaplan dans lequel Hitchcock nous avait enfermés. Avec la connaissance de l'intrigue, nous avons retrouvé notre lucidité et notre personnalité de spectateur conscient. Nous pourrions, en signe de protestation contre ce coup de poing, ou coup de théâtre, qu'on nous impose à la dernière minute, quitter le cinéma comme cela se voit quelquefois dans une salle qui croit l'œuvre achevée et qui s'aperçoit, à la fois confuse et furieuse, que le spectacle continue.

D'où vient que nous choisissons de rester assis. De ce que le spectateur, après s'être ressaisi, à la suite du brutal renversement de situation qui ne lui a pas laissé le temps de souffler, désire voir réaliser ce *happy-end* dont on vient de le frustrer si cavalièrement. L'intérêt et la curiosité qui le retiennent ne doivent plus rien à des mobiles égoïstes. Seule lui importe la réunion des deux amants. Et il ne peut l'obtenir que si Thornhill arrache Eve des mains, non seulement de Vandamm, mais aussi du professeur.

En d'autres termes, le spectateur prend en main la destinée de l'œuvre. Lui aussi est maintenant animé par un sentiment profond et durable. S'il accepte de subir les affres du dernier et plus terrible suspense que sa décision ne peut manquer de provoquer, s'il choisit de s'accrocher jusqu'au bout à l'œuvre, c'est pour imposer contre l'artiste, contre le créateur (apparemment), le triomphe de son vœu altruiste. C'est ici la phase ultime et supérieure de l'idée d'échange chère à l'auteur : après la phase inférieure, où la « tendance artiste » dérobait au public les forces émotionnelles pour animer ses formes et nourrir ainsi l'imagination de l'œuvre, la « volonté créatrice », elle, au risque d'anéantir l'entreprise, transmet au spectateur le pouvoir souverain d'achever sa propre création et de sauver son plan.

C'est pourquoi, nous nous engageons volontairement avec Thornhill dans l'aventure qui l'attend malgré la crainte que nous en avons. S'enfonçant dans les ténèbres, escaladant la maison de Vandamm, Thornhill[4] surprend une conversation entre ce dernier et Léonard au sujet d'Eve. Le caractère fictif de la mise en scène du meurtre entièrement fondée sur l'agencement des apparences met Eve en position périlleuse. Si l'artiste, par complaisance narcissique envers son propre travail, s'est laissé rouler, la tendance critique à laquelle n'échappe aucune des ficelles et artifices de ces numéros d'illusionnistes qui sont le propre de l'artiste, n'est point dupe.

À partir de cet instant, Léonard prend une place décisive dans l'action. Par une démonstration aussi évidente qu'efficace, il réduit à zéro la brillante « mise en scène » du meurtre blanc. Désormais, Vandamm sait qu'il a été victime de la duplicité de la femme. Il comprend qu'il a été trahi par l'œuvre, joué et manœuvré par le créateur. D'où le défi ouvert qu'il lance à son ennemi, défi qu'accompagne un mouvement vertical de la caméra qui s'arrête en plongée sur Vandamm : « nous aussi, prouverons que nous aimons la perfection ». Mais sa perfection, on s'en doute, est désormais la destruction d'Eve. Car renier une œuvre qu'il a si amoureusement façonnée c'est non seulement se détruire soi-même, mais en même temps anéantir le créateur et le spectateur, désormais ligués avec l'œuvre, contre lui. C'est rejeter la création en lui préférant le retour au chaos.

D'où l'extrême violence du suspense qui s'ensuit. Cette fois, il ne s'agit plus, comme dans la scène de l'avion, de dessiner une illusion que nous avions contribué à forger. Encore moins d'un effet magique de l'imaginaire qu'il nous appartenait d'éliminer. Cette violence tient à la résistance de ce à quoi nous nous heurtons maintenant : la cause même de cet effet, c'est-à-dire l'univers vrai de l'artiste. Nous ne sommes plus victimes d'apparences. Nous avons pénétré dans un monde occulte qui a une existence réelle. Ce monde ne peut être le produit de nos projections mentales. Il leur préexiste. Il nous a été imposé dès le début du film où il possédait déjà une forme et une force organisées, qui ne nous devaient rien, sauf fictivement, mais auxquelles nous devons tout effectivement.

Une telle subordination implique que, malgré son courage et sa témérité, Thornhill ne peut, par lui-même, arracher Eve au monde occulte. Et nos élans de sympathie et d'espoir semblent devoir rester vains. Rien ne paraît pouvoir empêcher la force la plus négative de la « tendance artiste », la critique, de s'attaquer victorieusement au spectateur qui, tel Thornhill retenant Eve par les doigts tandis que Léonard lui martèle la main du pied, tient l'œuvre à laquelle il s'est définitivement attaché à bout de bras.

À cette puissance malfaisante qui, sous prétexte d'amour parfait de l'art, ne vise qu'à éliminer l'œuvre et son public, doit s'opposer une puissance supérieure dont elle dépend. Seule, la volonté créatrice peut sauver Eve et Thornhill, arrêter Vandamm (et non le supprimer puisqu'il est une partie intégrante de lui-même : que serait un chef de contre-espionnage sans espion, le créateur sans artiste. Dieu sans Lucifer ?) et tuer Léonard. Car la critique, à ce moment, devient nuisible. Elle a été une fonction indispensable tant que durait la gestation de l'œuvre. Elle est vaine lorsque sa naissance est accomplie. Elle ne peut empêcher l'œuvre d'exister. Or, lorsqu'à cet instant le créateur surgit, qu'il répond à notre appel angoissé, c'est que l'acte créateur est achevé. Nous venons d'y accéder. L'échange est opéré.

Désormais, Eve appartient à Thornhill et l'œuvre au spectateur. Aussitôt les deux tensions issues de leurs rapports antérieurs s'apaisent. Le premier sentiment de

78

frustration imposé dans le wagon-lit par la « tendance artiste » et le second, dans la forêt, par la « volonté créatrice » prennent fin simultanément. L'impuissance est vaincue. La réunion du couple, à la fois spirituelle, humaine et sexuelle s'accomplit instantanément sous nos yeux. Nos émotions de spectateurs liées à l'œuvre s'enfoncent harmonieusement dans la nuit du souvenir, comme le train renfermant nos amoureux s'engloutit dans le noir du tunnel. Les lumières de la salle peuvent se rallumer. Nous venons, nous-mêmes, de mettre le mot fin à *North by Northwest*.

Que ce soit sur un plan métaphysique, esthétique, psychanalytique ou sexuel, toujours la conscience, chez Hitchcock, est déchirée par un conflit intime. D'un côté, cherchant la volonté créatrice ou volonté de puissance. De l'autre, attirée par une tendance régressive à se couper du monde, à s'enfermer dans l'imaginaire, à succomber à l'aspiration, à l'impuissance.

Nous avons vu la force d'attraction qui accompagne cette dernière tendance. Elle explique la prédilection visuelle qu'Hitchcock voue aux ténèbres et le rôle primordial qu'elles occupent dans son œuvre. Encore faut-il en chercher la raison, mettre en relief cc que signifient, ici, les ténèbres à partir du *double* jeu qu'elles pratiquent et que nous avons eu l'occasion de relever aussi bien dans l'analyse de *Vertigo* que dans celle de *North by Northwest*.

Force nous est de tenter une explication psychanalytique à laquelle nous accordons une valeur davantage poétique que scientifique. Nous avons constaté, en effet, dans les films précités, la peur que manifeste le héros envers l'évolution de la vie, son désir de revenir à l'origine, fût-il le chaos. Cette préférence secrète du héros hitchcockien pour les ténèbres autorise l'hypothèse suivante sur laquelle, de toute façon, consciemment ou non, se fonde et brode l'imagination de notre acteur.

Pendant la gestation, l'être, purement impressionnable, baigne dans une obscurité qui l'enveloppe, mais aussi l'habite de l'intérieur (l'inconscient). Il en reçoit non seulement la nourriture, mais surtout la chaleur intime et sa voluptueuse sensation de bien-être. À ce stade, qui est la nuit de l'être, il s'identifie avec les ténèbres.

Or, ce sont ces mêmes ténèbres – mais sont-ce bien les mêmes? Sous une apparence identique ne sont-ils pas leur *double* maléfique? – qui s'inversent radicalement lors de la naissance. Soudain, une nouvelle enveloppe, le corps (qui révèle ainsi sa nature traîtresse) transmet un contact terrifiant : celui d'un monde hostile, qui, au stade des premières semaines, demeure lui aussi ténébreux. C'est dire que les ténèbres, après avoir été le plus sûr ami de l'être, recouvrent désormais ce qui lui est le plus hostile. On ne peut concevoir plus totale trahison d'une substance nourricière.

Dès lors les ténèbres se confondent avec l'angoisse de pénétrer dans un univers inconnu. *Elles sont l'angoisse*, et resteront à jamais le signe menaçant de sa présence. Elles épouvantent, comme épouvante tout ce qui se révèle brusquement « autre »; comme est effrayée Charlie dans *Shadow of a Doubt*, lorsqu'elle découvre le vrai visage de son *double* Oncle Charlie dont elle espérait tant la venue; comme nous surprend, dans *North by Northwest*, le surgissement de l'avion qui était notre double émotionnel.

Dissiper les ténèbres (et donc l'angoisse), accéder à la lumière, laquelle, n'ayant pas été connue dans l'autre monde, devient peu à peu l'unique valeur sûre du nouvel univers, telle est la tâche urgente qui se présente à la conscience. Il lui faut mener une lutte sur deux fronts : poursuivre la conquête d'une double réalité, aussi bien celle du monde extérieur que celle du monde occulte et ténébreux de l'inconscient.

Que la conscience se batte ainsi sans relâche pour intégrer son être au monde quotidien, adhérer à la réalité, prouve à quel point il lui est difficile d'échapper à une angoisse qui a pour origine, justement, l'existence de ce monde et, pour effet, de resurgir chaque fois qu'il pose un problème d'adaptation, c'est-à-dire, chez Hitchcock, constamment. Aucune âme, même la plus forte – mais notre auteur ne la prend que dans son pire moment de faiblesse – peut mener pareille lutte sans crier grâce, sans aspirer, ne fût-ce qu'un instant, à une pause.

Erreur fatale. Cette aspiration au repos trahit la nostalgie du paradis perdu, d'une époque merveilleuse où l'être jouissait d'une *situation passive*, source de félicité. Le besoin, même éprouvé confusément, d'un retour au sein maternel et à ses ténèbres bienfaisantes, montre combien il est difficile, pour ne pas dire impossible, à la conscience, de résister à cette douce évocation d'une obscure et chaude quiétude. Au moment où elle ressent l'envie de cesser la lutte, elle abdique toute volonté. Elle s'abandonne à sa tendance régressive. Puisque son rôle est d'effacer l'angoisse, elle prend le parti d'en supprimer la cause, le quotidien. Elle fuit la réalité pour se réfugier dans un monde imaginaire ou fantastique.

Un tel manquement à sa mission mérite un châtiment exemplaire. Et, pour qu'il soit utile, il convient que la conscience prenne réellement « conscience » du sens et de la raison de sa mission. Le meilleur moyen est de ne point la contrarier. Et même de satisfaire totalement sa lâcheté. Il faut que, parvenu à la limite de son désir, elle découvre qu'il n'est plus un rêve, mais un cauchemar, que la voie qu'elle a choisie mène à une impasse au bout de laquelle il ne lui reste qu'une alternative : ou l'anéantissement ou la lutte, mais la lutte la plus violente, la plus effrayante qu'elle aura jamais connue.

Hitchcock, en conséquence, prend toujours son héros au moment où il aspire au repos. À peine a-t-il ressenti ce besoin que son vœu est exaucé; les ténèbres, comme dans le sein maternel, l'environnent. Le voilà aussitôt protégé, pris en charge, délivré de ses soucis par cette enveloppe tutélaire. Autrement dit son double ténébreux surgit et réalise son désir secret. Le professeur Ruppert, dans *The Rope*, est l'auteur d'une théorie fasciste qui libère de toute entrave (lisez : qui délivre de la contrainte de l'existence, donc de l'angoisse, donc de la naissance). Brandon et son complice – le double s'étant lui-même dédoublé, puisqu'il s'agit d'une inversion d'invertis (toujours l'humour hitchcockien) – mettent en pratique la conséquence ultime de cette théorie. Dans *I Confess*, le père Logan, en butte à un maître chanteur, craint le scandale autant pour lui-même que pour la femme qu'il a aimée. Keller, le domestique du presbytère, déguisé en prêtre, supprime, en tuant le maître chanteur, la cause de ses ennuis. *Strangers on a Train* : Guy ne sait comment se débarrasser de sa femme qui refuse le divorce; Bruno survient, propose son criminel marché, au terme duquel la femme encombrante disparaîtra, etc. Il nous faudrait citer, sans exception, tous les films. Notons simplement que le vœu est toujours réalisé avant même que le héros l'exprime (*l'inconscient sait et exécute avant la conscience*) et que cette réalisation comble, au-delà de toute espérance, son attente... en la trompant radicalement (toujours l'humour hitchcockien).

Si les films d'Hitchcock illustrent, d'une façon ou d'une autre, cette « cruelle désillusion », il en est un d'exemplaire, à ce point de vue. Il s'agit de *Shadow of a Doubt*. Les premières images nous montrent Oncle Charlie (Joseph Cotten) allongé sur son lit, dans l'*obscurité* d'une chambre aux volets clos. Puis apparaît l'héroïne, Charlie (Teresa

Wright) également allongée sur son lit, dans une position similaire, mais inverse de celle de son oncle (comme lui, elle est habillée, mais sa tête se trouve à gauche de l'écran. Il fait jour dans sa chambre).

Interprétation possible selon notre optique : s'il y a position inverse, cela implique qu'il existe deux mondes différents et parallèles qui se reflètent comme en un miroir. L'un interne (absolument clos sur lui-même et fermé aux autres : les policiers qui surveillent à l'extérieur) dans lequel se tient Oncle Charlie. On peut le considérer comme le monde ténébreux de la gestation (nous savons qu'il représente aussi le monde du désir et celui des forces occultes, c'est-à-dire, encore, l'inconscient). L'autre externe est le monde quotidien conscient et vrai (lumineux), dans lequel se trouve Charlie après sa naissance.

S'explique alors aisément que, dans les deux cas, la position des personnages soit celle du repos. Oncle Charlie, dans la situation passive de la gestation, est prêt (le fait d'être habillé) au moindre appel, à bondir hors de ce monde. Charlie, lassée de cette activité incessante du quotidien (le fait d'être, bien qu'habillée, désireuse de repos) aspire au « merveilleux » de l'époque prénatale. Ce que confirment les paroles qu'elle adresse à son père : « *Je hais le morne quotidien* ».

Puisque Charlie ne peut remonter à la source du « merveilleux », il faut que celui-ci surgisse dans le monde haï du quotidien. Nous retrouvons donc notre héroïne au bureau de poste : elle expédie un télégramme (le côté irrésistible de son impulsion), priant son oncle de la rejoindre. Mais lui n'a pas attendu cet appel conscient et délibéré. À l'instant où l'inconscient de sa nièce avait ressenti ce besoin, il accourait vers elle : Charlie n'a pas encore eu le temps de remettre son télégramme à la postière que, déjà, le train dans lequel Oncle Charlie se dissimule derrière des rideaux noirs, fonce vers la quiète petite ville provinciale où vit la douce Charlie.

Passant d'un monde à un autre, Oncle Charlie change immédiatement de nature (duplicité soulignée par le boitillement sur le quai de la gare, qui s'estompe pendant que le train part). Et il en change doublement : pour sa famille, lui, l'assassin des veuves joyeuses, est un jeune homme qui a brillamment réussi et dont on a tout lieu d'être fier. Mais pour Charlie, dont il exaucera le rêve à sa façon, il se révélera agent des ténèbres.

Il trahira sa nièce radicalement, en s'attaquant à son être, avec la volonté de le détruire. Il va l'aider à pénétrer insensiblement dans l'univers dilaté du suspense (double de celui qu'elle réclamait) sans rien modifier, apparemment, à son univers familier. Charlie s'en voit peu à peu arrachée, découvrant, mais trop tard, que ce morne quotidien était le vrai monde merveilleux.

Mais poussons la rêverie d'Hitchcock jusqu'à son terme logique. S'il y a passage d'un monde à l'autre, il y a *figuration de la naissance*. Figuration explicite, même, puisque Oncle Charlie est accueilli véritablement par la famille de sa sœur comme un enfant désiré que l'on gâte, que l'on couve, que l'on dorlote, que l'on est heureux et fier d'exhiber. Et puisque Oncle Charlie est Charlie, c'est aux affres et au drame de sa naissance que nous allons assister. Oncle Charlie était la « substance » enveloppante de son être pendant la gestation. Venant au monde, il reste cette enveloppe. Il représente son corps (la puissance contraignante de ce dernier est donnée par le chantage de l'oncle sur sa nièce, par lequel il l'enveloppe, l'enserre de plus en plus).

C'est donc à lui que s'adressent, tout le long du film, les risettes et les mille prévenances de la famille. À lui que sera destinée la plus belle chambre de la maison : celle de Charlie. C'est lui qui, en contact amical (l'irrésistible séduction d'Oncle Charlie) avec le monde « haï », s'en fait le complice. Par le chantage, il transmet à l'être les sensations d'angoisse qui marquent l'emprise progressive du monde. C'est fatalement à lui – pure et trompeuse apparence – que ce monde rendra un hommage ému et solennel (les obsèques d'Oncle Charlie).

Il faudra que, seule, Charlie pressente, devine, puis combatte et vainque son erreur. Et, pour cela, il est nécessaire que son désir de régression la replace dans ce moment de suspense entre la naissance et le premier cri. Elle apprend ainsi à connaître la vérité sur les ténèbres, les sensations, le corps. L'âme (Charlie), après s'être tant réjouie de son incarnation, découvre dans l'épreuve son véritable allié, l'esprit (figuré par le policier qui pourchasse, depuis le début du film, Oncle Charlie et avec lequel se fiancera finalement Charlie). *Shadow of a Doubt* retrace ainsi le suspense intime (d'où la distinction progressive qui s'établit entre l'aventure « fantastique » que vivent Charlie et son univers familier) d'une âme victime et enjeu d'un conflit corps-esprit.

On comprend, dès lors, pourquoi, chez Hitchcock, jusqu'à la seconde version de *The Man Who Knew Too Much*, le monde ténébreux apparaît sur l'écran avant le quotidien ; pourquoi le double précède toujours le héros en réalisant son vœu intime et encore inconscient et qu'il est visuellement traité par reflet, ombre, forme qui ne se précise que lorsque l'être se manifeste. Ainsi, il importe qu'Oncle Charlie baigne dans l'obscurité de sa chambre ; que Brando et son ami exécutent leur crime camouflés derrière un rideau et que nous les retrouvions dans la pénombre, pendant qu'ils rangent l'arme du crime, la corde (*The Rope*) ; que Keller, lorsqu'il va tuer le maître chanteur, ne soit qu'une ombre immense qui envahit l'écran (*I Confess*) ; que les pieds de Guy succèdent à ceux de Bruno (*Strangers on a Train*) ; que le chat noir courre la nuit sur les toits (*To Catch a Thief*) ; que l'immeuble d'en face soit vu avant l'appartement du reporter-photographe (*Rear Window*), etc.

Le problème qui semble actuellement préoccuper Hitchcock est moins celui du double que celui du dédoublement. Il ne s'agit plus de mettre en scène la trahison externe de la substance ténébreuse. Il faut révéler une trahison interne plus grave et subtile. Le héros n'est plus soumis à un chantage de la part de son double qui le tient à sa merci. Il est contraint d'endosser un corps, une enveloppe, une apparence qui ne lui appartient pas, d'assumer ce qu'il n'est pas. Ainsi Balastrero regardé par tous comme un malfaiteur alors qu'il est innocent (*The Wrong Man*) ; ou Scottie, devenu « autre » au sortir de sa nuit mentale, forçant Judy à ressembler à Madeleine (*Vertigo*) ; ou Thornhill, servant de cible parce que pris pour Kaplan (*North by Northwest*) ; ou Norman qui pousse ce dédoublement jusqu'à sa phase ultime, la folie (*Psycho*). Le stade du dédoublement semble être dépassé lorsque, avec une témérité insensée, Mélanie Daniels vient provoquer les Ténèbres dans leur retraite (*The Birds*). Celles-ci se vengent, non plus par l'intermédiaire d'un double contraignant, non plus par le prêt d'une apparence qui colle à l'être : elles envoient une monstrueuse enveloppe à l'échelle du monde, qui obscurcit peu à peu le ciel. Le corps a cessé d'être le moyen de transmission de l'hostilité du monde. Ce dernier passe directement à l'attaque. Et que dire de *Marnie* où le dédoublement fait tellement corps avec l'être que sa résolution annihile désormais toute personnalité.

Si *The Man Who Knew Too Much* est le film-charnière (les héros sont vus avant leur double) c'est réellement avec *The Wrong Man* que notre cinéaste a commencé à explorer cette nouvelle voie. Ce film mérite, donc, que l'on s'y arrête. Au début du film, Balastrero (Henry Fonda) est dans le métro. Il déplie son journal, ne trouvant intérêt à sa lecture qu'à deux choses : une publicité pour une assurance-vie, puis la rubrique des courses. Cet intérêt trahit ses deux aspirations profondes et complémentaires. S'assurer sur la vie, c'est en refuser le risque et vouloir la tranquillité d'esprit, le repos de l'être. Pour compenser cette lâcheté envers l'existence, Balastrero prend un simulacre de risque : jouer aux courses. Au lieu de s'obliger à un incessant effort sur lui-même (et le fait qu'il soit contrebassiste dans un cabaret chic implique une abdication de ses rêves artistiques), il préfère compter sur le hasard pour améliorer son « quotidien ». Il cède, en réalité, à un fort désir de régression.

Désir aussitôt exaucé. Balastrero espérait, par le truchement d'un hasard providentiel, subvenir à ses besoins. Le hasard maléfique répond à son appel. Au guichet des assurances, on le confond avec un malfaiteur. Il souhaitait retrouver le quiet état de la gestation. Il sera comblé. Il aura droit à une parfaite réplique de cet état. D'une part, une substance externe vient se coller à lui, en sorte que son corps ne sera plus le sien mais celui de son double. Et, pour achever ce travail de substitution, de même que l'on ne s'intéresse pas à l'être d'un fœtus mais à son organisme, de même la personnalité de Balastrero sera niée. Il n'existe plus en tant qu'individu. Son corps seul, examiné, soupesé, ballotté, embarqué, devient l'unique objet d'attention. Balastrero ou l'homme réduit au rang d'objet. D'autre part, le désir de notre héros de s'abandonner aux ténèbres nourricières et tutélaires ne restera pas sans écho. Il sera logé et nourri gratuitement... en prison (toujours l'admirable humour hitchcockien savoureusement relevé d'une pointe de sadisme : un humour de fin gourmet).

Enfin son intention charitable de délivrer sa femme de tout souci financier sera, de la même manière, prise en considération. Mais loin de la libérer, il la précipitera dans les abîmes. Le mouvement ayant été lancé, c'est elle qui achèvera idéalement la récession. N'est-elle pas, en effet, la projection de son âme pusillanime ? Sa crainte maladive de la vie quotidienne (tout lui est menace) qu'elle cherche à oublier grâce aux somnifères, manifestant, par là, le refus même de la conscience, ne peut aboutir qu'à la catastrophe. Telle la glace qu'elle brise dans un accès de folie et qui renvoie son image morcelée comme un Picasso, son être se fissure. Elle sombre dans la douceur terrible de la mélancolie. Elle sera prise en charge par les autres. Elle entre à l'asile, simulacre combien plus horrible que la prison de l'univers fœtal. Elle erre inconsciente, l'esprit perdu, dans un monde glacé où tout n'est que prévenance, soins, attentions.

Qu'y a-t-il donc là, de nouveau, par rapport aux films antérieurs ? Peu, mais qui est capital : le propos *s'inverse*. Auparavant, les souhaits du héros se réalisaient *malgré lui*, et parfois même *contre lui (I Confess, Strangers on a Train, To Catch a Thief)*. Nous assistions, visuellement, au *déferlement de l'inconscient* dans le domaine de la conscience. C'est pourquoi le monde des Ténèbres agissait le premier. Il ne s'en trouvait que plus libre pour exercer son chantage sur une conscience qui n'osait s'avouer sa lâcheté et la forçait ainsi, par le suspense qu'elle devait traverser, à reconnaître l'inexorable de sa mission. Alors, la solution était individuelle.

Mais depuis, c'est le héros qui *veut* recréer lui-même les *conditions de son existence prénatale*, au sein de son univers familier. Sa conscience n'est plus la victime paralysée de l'inconscient. Elle entend demeurer maîtresse d'elle-même. Mieux, elle tâche d'allier à la quiétude d'un anéantissement dans le végétatif (et les conditions de dépendance fœtale et de fuite dans l'inconscience), les avantages de la lucidité qu'elle désire conserver, afin sans doute de mieux en jouir.

C'est dire qu'elle va délibérément pénétrer (avec timidité d'abord dans *The Man Who Knew Too Much* et *The Wrong Man* – quoique la femme de Balastrero… – mais avec quelle résolution depuis, quelle audace…) dans l'inconscient, pour s'y lover, s'y réfugier, mais aussi profiter pleinement d'une situation unissant ce que la vie séparait : monde présent et monde fœtal, réel et irréel. Tel est le nouveau rêve de nos héros, d'autant plus violent qu'il est insensé.

Le résultat ne peut être que catastrophique. Alors que précédemment (cf. *Shadow of a Doubt*), le quotidien restait inchangé, immuable et comme étranger au destin du héros, pendant que celui-ci, entraîné par son double, s'enfonçait solitairement dans l'autre monde sous les regards aveugles de ses proches, c'est maintenant *tout l'environnement* du héros qui l'accompagne dans sa chute. La solution ne peut plus être personnelle. Elle l'était, et le problème le concernait individuellement, tant que la conscience du héros était bloquée par son double, et que lui-même se heurtait chaque fois à la contraignante réalité matérielle et physique de ce dernier. Il ne pouvait lui échapper. Toutes les issues lui étaient interdites (exemple entre mille : Bruno rencontrant Guy à chaque pas, menace obsédante, dans *Strangers on a Train*).

Mais, dès que le héros bloque lui-même sa conscience, il s'interdit toute issue. C'est d'autant plus grave que, dans des films comme *The Wrong Man*, *Vertigo*, etc., il peut, au départ, écarter de lui la menace du suspense. Mais il s'y refuse, s'entête en son fatal penchant. Aussi, dès que le piège où il s'est délibérément enferré se referme – à l'exemple de Mélanie Daniels qui referme la porte du grenier, au moment de l'ultime attaque de *The Birds* – il se trouve plus prisonnier que ne l'étaient les héros des films antérieurs. Et pas seulement lui. Le sort qu'il a sciemment choisi engage totalement celui des autres, aussi bien des êtres et des choses qui l'entourent sur l'écran que le nôtre, spectateur, puisqu'il est notre projection. Par ce bloquage de la conscience, il se déclenche une sorte de réaction en chaîne, qui se répercute de proche en proche et s'amplifie démesurément. Il y a fixation de tout le contexte. La marche du monde est stoppée. Le quotidien change sa nature, qui est de progresser insensiblement, par incessante transformation, et de procéder ainsi à une perpétuelle et quasi secrète renaissance. Il adopte d'un coup celle du monde fœtal où tout se dilate, s'exagère, s'enfle.

Aussi, dès *The Man Who Knew Too Much*, la dilatation n'est-elle plus seulement temporelle. Elle se visualise sur l'écran, elle affecte l'espace. Et cela de deux façons, selon que l'on pénètre à l'intérieur des ténèbres, venant de l'extérieur (comme un avion s'enfonce dans les nuages), ou que l'on assiste de l'intérieur à leur accroissement.

Dans le premier cas, c'est une poursuite incertaine dans un monde mouvant, fluide, sans prise, *inconsistant;* c'est une course éperdue dans un univers de brumes qui se changent sans cesse en apparences sitôt dissipées qu'on les croit saisies. Que l'on songe à James Stewart se trompant d'« Ambrose Chapel » et aboutissant chez un taxidermiste (*The Man Who Knew Too Much*); à Balastrero et sa femme, partis à la recherche de leur alibi et découvrant successivement que leurs compagnons de vacances sont morts ou disparus (*The Wrong Man*); à *Vertigo*, bien sûr, tout entier placé sous la vanité de cette course derrière une ombre évanescente…

Dans le second, c'est une dilatation des apparences elles-mêmes qu'on nous invite à voir. Par exemple, l'aspect sphérique du Royal Albert Hall pendant le suspense-concert de *The Man Who Knew Too Much*; l'impression qu'on a, dans *North by Northwest*, que plus le héros s'enfonce dans l'autre monde, loin de New York, plus celui-ci se fait démesuré, s'enfle jusqu'aux gigantesques et monstrueuses figures des monts Rushmore ; ou bien, dans *The Birds*, la progression à la fois par la taille et le nombre des oiseaux : quand Mélanie attend la sortie des enfants dans la cour de l'école, c'est d'abord un corbeau qui se perche derrière elle, puis trois, puis dix et toute la horde, enfin, couvrant l'espace...

On conçoit dès lors pourquoi le cinéma d'Hitchcock est très proche du cinéma d'animation, auquel il n'hésite pas de recourir à l'occasion (cauchemar de *Vertigo*, certains génériques, trucages de *The Birds*, etc.). Dans les films qui précèdent *The Man Who Knew Too Much*, il y avait, par le biais du héros, décollage lent et progressif du monde mental et du monde réel. Le héros s'enfonçait progressivement dans son univers onirique, inconscient, mental, qui l'arrachait du quotidien, ne conservant de ce dernier que la pure apparence. Maintenant, nous l'avons vu, le héros entend s'installer pleinement dans le quotidien, mais en faisant en sorte qu'il n'ait plus aucune réalité intrinsèque, qu'il soit son univers mental. En d'autres termes, que ses désirs (ou ses craintes) soient effectivement la réalité. Pour y parvenir, il met en mouvement un pur phénomène magique. Il conserve du quotidien son contour, son apparence et même sa consistance, mais lui nie toute réalité. Il faut que les formes n'obéissent plus qu'à son affectivité, son imagination, et ne se soumettent qu'à ses forces émotionnelles. D'où leur plasticité. Bien que photographiées, elles ont presque la liberté du dessin animé, et, à la limite, lui cèdent la place.

Mais, puisque le héros est notre projection et notre intermédiaire, si nous prenons tant d'intérêt à le voir recouvrir le monde vrai du manteau illusoire de son monde mental, c'est qu'en fait nous projetons sur l'écran la forme mouvante et apparente de notre *mentalité*. Afin de mieux la contempler, nous nous laissons « ravir » par elle. Mais cette mentalité, dont le film n'est et ne veut être que le reflet le plus exact possible, est celle que nous possédons effectivement dans notre monde quotidien. Nous l'apportons avec nous, en entrant dans la salle de cinéma. Loin d'ignorer – comme certains l'affirment – les problèmes contemporains, Hitchcock ne soulève au contraire que les grandes questions qui se posent à notre temps. Car ce qu'il nous offre à regarder et à juger, c'est notre civilisation d'abondance, avec sa morale du bonheur, et tous les mythes, concepts, aspirations et désirs qu'elle suscite et qui *forment* justement notre mentalité.

En nous plaçant à l'intérieur de notre sphère mentale, Hitchcock nous convie à sa critique. Pour ce faire, il intègre le mécanisme du suspense jusque dans la structure du cinématographe (cf. *Rear Window* ou *North by Northwest*). La trame secrète de nos aspirations, telles qu'elles ont été façonnées par notre époque, est d'abord dissociée de nous pour être projetée, dilatée sur l'écran. Nous adhérons d'autant plus facilement à ce spectacle que nous le croyons, que nous le faisons nôtre. Mais, au terme de sa dilatation, il apparaît que notre mentalité, loin d'aider l'être à s'accomplir et s'épanouir – comme le prétend et le promet pourtant notre actuelle civilisation – est une gangue qui l'enserre pour mieux le corrompre et l'étouffer. C'est une peau parasitaire, une sorte de placenta inutile qui colle à l'être et que le processus même de la projection cinématographique, en le plaquant sur l'écran, nous arrache par la souffrance (imaginaire, donc relative) et par le cri (souvent effectif).

La fin morale du suspense hitchcockien consiste ainsi à nous « dépiauter » d'une enveloppe trompeuse et traîtresse. Lorsqu'enfin elle est complètement détachée de nous, que nous pouvons la regarder lucidement (comme nous regardons Norman à la fin de *Psycho*), nous constatons à quel point notre vision courante truque, modifie et détourne, pour son unique satisfaction, le monde naturel ; à quel point, donc, elle engage notre responsabilité.

Cela explique, d'une part, qu'Hitchcock ne puisse traiter que des sujets contemporains. S'il se sent si mal à l'aise dans les films à costume (*Jamaïca*, *Under Capricorn*), et va même jusqu'à les renier, c'est probablement que son suspense y manque de sa base nécessaire : notre état d'esprit actuel.

Cela explique, aussi, que ce caractère de « contemporanéité » ne serve en aucune manière, à enregistrer, et encore moins à dénoncer, les convulsions sociales, raciales, économiques, politiques de notre temps. Il ne s'agit nullement d'un paradoxe. Hitchcock n'est pas un cinéaste des remous, mais des profondeurs. Dans son optique, il ne peut concevoir le drame d'un homme à la recherche d'un morceau de pain, ou d'un plat de riz, et qui doit, jour après jour, lutter pour assurer sa simple survie. La conscience d'un tel homme, toujours en éveil, constamment aux aguets, loin de se couper de la réalité, se voit soumise à un incessant effort d'adaptation. La moindre velléité de repos, le plus minime relâchement signifient la fin quasi immédiate de son existence. L'exemple cinématographique le plus illustre de cette forme de suspense a été fourni par Charlot.

Or, dès 1936, le nouveau contexte économique américain contraignait Chaplin lui-même à remiser aux magasins des accessoires la défroque de son célèbre personnage. L'ère d'abondance qui s'ouvrait transformait progressivement le misérable, l'affamé, le « tramp » en consommateur privilégié (*Les Temps modernes* témoignait de ce passage). La politique des ventres creux faisait place à celle des ventres pleins. Au suspense à la Charlot, en conflit direct avec la réalité, devait succéder le suspense hitchcockien, qui naît de la coupure avec la réalité et se révèle plus apte à dénoncer un nouveau mode plus subtil et pernicieux d'exploitation.

Ce mode, certes, vise toujours à nier le droit de chaque individu à une existence pleine et entière. Mais loin de l'empêcher, comme jadis, de vivre matériellement, ce qui entraînait de la part du réprouvé une prise de conscience, donc une révolte, il ne cherche qu'à obtenir, par un gavage sans fin de biens matériels, la démission de sa conscience, le refus de ses responsabilités, sa passivité totale. Ce mode tend donc à favoriser chez l'ex-affamé, promu consommateur, sa tendance à l'embourgeoisement le plus bas, et à le placer, au sein de la civilisation d'abondance dont il est le moteur et la raison d'être, dans la même situation végétative qu'un fœtus dans le giron maternel. « Naissez, vivez, mourez, nous ferons le reste. » L'essentiel est d'acheter pour consommer encore davantage. Les techniques les plus savantes d'information, fondées sur les connaissances très poussées des motivations psychiques (d'où le rôle capital de la psychanalyse dans cette civilisation), influent sur cet ilote, façonnent sa mentalité, l'enferment dans le mythe du meilleur des mondes possibles. Elles conditionnent, sous l'apparence du libre arbitre, la moindre réaction. Elles prévoient et comblent, avant même que le consommateur n'en soit conscient, ses aspirations les plus secrètes : celles de bien-être, de sécurité, de jouissance, celle surtout de la disparition de son angoisse devant l'existence. Elles fabriquent, à l'insu de ce dernier, une conception du monde issue du plus bas de son être : de ses sensations constamment sollicitées, de son inconscient perpétuellement travaillé. Toute une société, en quête d'un bonheur fallacieux, dérive ainsi dans un délire schizophrénique organisé.

Peut-on, dès lors, reprocher au cinéma d'Hitchcock de répondre entièrement, suivant en cela la loi de toutes les vraies grandes œuvres, à ce qu'attend le type de société pour lequel il est fait ; d'intégrer dans sa propre facture le processus et le mécanisme par lesquels cette société a constitué son univers ; d'être, en conséquence, un produit de grande consommation qui use, pour s'imposer, de tous les moyens que nous venons de décrire. La peur d'Hitchcock de se couper de la réalité le pousse, en effet, à calquer le mode de son cinéma sur le mode de la civilisation qu'il peint. En connaissant ses rouages intimes et ses dangers profonds, il n'en est que plus à l'aise pour démystifier la forme d'esclavage qu'elle suscite et qui consiste à soumettre et même annihiler l'esprit en s'emparant des âmes, grâce à la satisfaction des corps. C'est une forme d'aliénation d'autant plus grave qu'à travers la masse elle vise chaque individu, sollicitant, par de constantes tentations, sa faiblesse et son abdication devant la vie. Aussi, un tel cinéma, comme nous l'avons vu, s'adresse-t-il, à travers la masse du public, à chaque spectateur en particulier. Son but est de le forcer à se débarrasser de cette néfaste mentalité et à retrouver l'entière primauté de son esprit.

À cette désintoxication interne doit correspondre une réflexion externe sur le sujet lui-même : la formation du mythe du bonheur et ses conséquences pour son principal usager, le consommateur. C'est avec *Shadow of a Doubt*, étape cruciale dans son œuvre, qu'Hitchcock aborde pour la première fois en profondeur ce qui allait devenir, à partir de *The Rope*, son unique préoccupation : la peinture et la critique de la mentalité américaine courante.

Il semble, en effet, que notre cinéaste ait été extrêmement frappé par le phénomène nazi auquel il a consacré près de dix films (sans compter les nombreux criminels d'essence nazie qui fourmillent dans son œuvre) et qu'il se soit étonné – car cela ne pouvait être qu'un grand sujet de stupéfaction pour un bourgeois libéral anglais – de ce qu'un peuple se soit laissé aller à une telle démence unanime. Et, par ce biais, il découvre combien notre vie quotidienne est menacée par la mentalité collective.

Shadow of a Doubt ne laisse aucun doute là-dessus. En introduisant un criminel de type nazi dans la quiète vie d'une caractéristique famille provinciale américaine, Hitchcock entend montrer comment cette dernière, conditionnée par son milieu, influencée à l'extrême par les moyens d'information (cf. l'extrême importance que revêt le journal dans la vie familiale, et le jeu de l'assassinat auquel s'amuse le père pour distraire une existence trop tranquille), est la proie rêvée pour tomber sous la dépendance et le charme d'un aventurier. *Lifeboat*, qui succède immédiatement à ce film, en inverse la proposition : des naufragés qui forment un parfait échantillonnage de la société américaine, du milliardaire « self made man » à l'ouvrier syndicaliste, en passant par la journaliste à sensation et le nègre, tous nourris de démocratie, vont se comporter en criminels vis-à-vis du rescapé nazi qui a laissé se noyer l'un des leurs, blessé, selon sa conception que seuls les plus forts ont le droit de vivre. Le fait que quelqu'un attente à une idée-force de leur mentalité les pousse tous au lynchage, à l'exception du nègre qui, sur la démocratie américaine, a sa petite opinion (sa phrase au sujet du droit de vote).

Depuis ces films, les héros d'Hitchcock se divisent en deux catégories : celle des formateurs de mentalité et celle des simples consommateurs. Dans la première se trouvent aussi bien les formateurs d'esprit : prêtres (*I Confess*, le faux pasteur de *The Man Who Knew Too Much*), éducateurs (le professeur théoricien de *The Rope*, l'institutrice de *The Birds*), psychanalyste (*Spellbound*), que les informateurs qui forgent une vision collective du monde, journalistes à sensation (*Lifeboat*, le reporter-photographe de *Rear Window*, Mélanie Daniels, fille d'un grand propriétaire de journaux, dans *The Birds*), publicistes (*North by Northwest*), ou les garants de la santé morale publique : juges *(The Paradine Case)*, procureurs *(I Confess)*, avocats (Mitch Brenner dans *The Birds)*, policiers (Scottie dans *Vertigo*), hommes politiques *(Strangers on a Train, I Confess,* etc.), bref tous ceux qui ont une influence sur la collectivité, même s'ils ne sont garants que de sa santé physique (le médecin de *The Man Who Knew Too Much*).

Exemple caractéristique de ce premier groupe : Thornhill, le publiciste de *North by Northwest*. La publicité, en effet, est la base de la société américaine, la source même de son activité. Pour soutenir et accroître cette dernière, elle doit conditionner la mentalité collective, afin de créer artificiellement en chaque consommateur d'incessants besoins et de nouveaux désirs qui, purement épidermiques, n'ont pas le temps de se développer et se chassent, en s'annihilant, l'un l'autre. Tout devient égal, rien ne possède de vraies valeurs. La publicité, conçue sur la pure sensation, aboutit à l'inverse de ce qu'elle prétend obtenir : loin de susciter l'action, qui est prise directe sur la réalité, elle la caricature, en provoquant son contraire, l'agitation, qui est incapacité à saisir la réalité. Ainsi, les dix premiers plans du film montrent l'agitation insensée de New York, dont Thornhill apparaît comme le maître à danser. Le tout premier, même, propose l'idée de la démence qui préside à notre façon moderne de vivre : un building de verre inverse et brise en multiples facettes l'image de la vaine agitation new-yorkaise, de la même façon que le miroir brisé par *Vera Miles,* au moment de sa crise de folie dans *The Wrong Man* reflète son visage en mille éclats épars. Il s'agit bien, en effet, de la démence, non plus physique et psychique cette fois, mais bien morale et sociale, de l'apprenti sorcier qui met en mouvement des effets qui se développent au point de se retourner contre lui et de le détruire.

C'est pourquoi, comme toujours chez Hitchcock, le

mal sera guéri par le mal. La folie dont Thornhill est responsable par la conception purement matérialiste d'un métier qui exerce un pouvoir si redoutable sur les esprits sera soignée par une démence encore plus grande dont il sera la première victime. Le faux rêve se transformera en vrai cauchemar. C'est dire que Thornhill, par une opération Garap (puisqu'il incarne un produit fictif, Kaplan), sera métamorphosé en objet de publicité, lancé comme tel (après l'attentat à l'O.N.U. son nom est connu universellement) et il ne rencontrera dans son aventure que ce qui constitue la nature de sa publicité : le mensonge et l'exagération (on se souvient que Thornhill déclare au début du film : « *en matière de publicité il n'y a pas de mensonges, à peine de l'exagération* »).

L'intervention qui sauvera Thornhill ressortit à la publicité à laquelle elle restitue, du même coup, la noblesse fondamentale de sa mission – qui est d'imposer au consommateur l'existence d'un produit – et de sa fonction – qui est de provoquer son action pour mériter ce produit. Comme cette intervention, voulue par le créateur (ou Créateur), est un suspense dans toute son ampleur, elle ne peut lancer que ce qui constitue l'essence même du produit Kaplan – l'existence – auprès de son principal usager, le consommateur Thornhill. Elle le force à désirer profondément cette existence, c'est-à-dire à lutter pour elle et la défendre. Elle lui apprend ainsi à en apprécier et la qualité et la valeur.

La série de films où les héros ne sont que des consommateurs se divise elle-même en deux catégories : celle où ils ont un désir si vif de profiter de ce bien-être qu'on fait miroiter à leurs yeux qu'ils n'hésitent pas à se le procurer par le vol (« Robbie the Cat » dans *To Catch a Thief ;* Marion dans *Psycho* et Marnie dans le film du même nom). N'entrent pas ici en ligne de compte tous les doubles, assumant en cela les aspirations profondes du héros, qui vont jusqu'au meurtre pour le vol : (Oncle Charlie dans *Shadow of a Doubt;* Keller dans *I Confess;* le personnage de Ray Milland dans *Dial M. for Murder;* le double de Scottie dans *Vertigo,* ou celui de Balastrero, simple voleur dans *The Wrong Man,* etc.) ; celle où les héros cherchent par leur travail à améliorer leur sort matériel (en un certain sens, Alicia dans *Notorious;* Guy dans *Strangers on a Train,* et surtout Balastrero dans *The Wrong Man*).

Avec *The Wrong Man,* nous entrons dans la dénonciation la plus vigoureuse qu'ait faite l'auteur de l'emprise néfaste, tant sociale qu'individuelle, du mythe sur lequel s'appuie le système économique des pays capitalistes surdéveloppés. D'abord Hitchcock fait de son héros, Balastrero, un homme d'ascendance italienne. Fils d'émigrés, c'est-à-dire à la fois d'ex-affamés et d'ex-réprouvés par la société, il cherche à tout prix à s'intégrer dans l'ère d'abondance, sans se rendre compte qu'il en est la victime toute désignée. Ensuite, nous le voyons travailler comme musicien au Storck-Club, l'une des boîtes les plus chics de New York. Il est doublement exploité, puisque chargé de distraire ceux qui profitent du surdéveloppement et, d'autre part, si mal payé qu'il ne parvient pas lui-même à en tirer avantage. En effet, la vente à crédit, l'un des piliers du système et conséquence logique de la publicité, provoque, par la menace constante d'échéances que l'on craint de ne pouvoir honorer, un état d'angoisse, une tension purement artificielle qui, loin de provoquer le bien-être, ne suscite que son contraire. C'est pour faire face à ses dettes que Balastrero veut emprunter sur son assurance-vie.

Cette action déclenche la catastrophe. Balastrero est confondu avec son sosie, un voleur. C'est dire que le système qui force à la consommation en misant sur les mobiles les moins nobles de l'acheteur, parce que fondé sur un appel constant à l'inconscient et donc sur un relâchement de la conscience, est une incitation directe et permanente au vol. La morale sociale du cinéaste, parodiant la phrase fameuse de Proudhon, « La propriété c'est le vol », et la situant dans notre actuel contexte économique, revient à ceci : « La consommation à outrance, pour les exploiteurs du système, est le vol, et, pour les exploités, mène au vol. » Tous les « consommateurs », même ceux de la seconde catégorie, seront donc des voleurs : Alicia, contrainte par amour et devoir à s'introduire dans la maison de Sébastian pour y dérober ses secrets ; Bruno qui, venant d'un modeste milieu et cherchant à pénétrer dans des sphères plus nobles, devra se comporter comme un cambrioleur. Hitchcock se révèle ainsi combien plus sévère que nombre de cinéastes prétendus sociaux envers une conception néo-capitaliste des rapports économiques.

L'épreuve imposée à Balastrero – et, par son exemple, à notre réflexion – consiste à lui faire prendre conscience, par leur perte successive, que les seuls biens véritables de l'existence sont purement affectifs, moraux et spirituels, et qu'ils ne peuvent, en aucun cas, être mis sous la dépendance des seuls biens matériels ; et que, de tous ces biens, le plus précieux est l'esprit dont la vigilance et la force permettent seules de triompher des difficultés de la vie.

Ainsi, la psychanalyse de notre mentalité contemporaine, fruit d'un système, voire d'une doctrine qui table sur l'abondance (que ne condamne nullement en soi Hitchcock : il ne s'attaque qu'à la manière de la susciter), et le bonheur apparent des masses, au détriment de la conscience individuelle, mène à l'extrême sévérité d'une morale janséniste. Rien, ou quasiment, n'y est autorisé. Le moindre plaisir est aussitôt dénoncé. Car, s'il est vrai que la jouissance ravive l'impression euphorique de dilatation éprouvée en l'état « édénique » prénatal, elle devient aussitôt source de mal. N'opère-t-elle pas une fixation? Afin de mieux goûter l'instant, la conscience provoque la dilatation de la durée et crée les conditions mêmes du suspense.

Dès lors, toute velléité de stopper le présent pour en profiter crée un état de vide propice aux pires catastrophes morales. C'est la raison pour laquelle, chez Hitchcock, la notion de *vacance* (vacancy = vide) est la source du suspense, et que *ses héros, sans exception, se trouvent, professionnellement et temporellement, disponibles*.

Professionnellement, pour une raison fort simple. Le suspense commence toujours lorsque le héros se trouve coupé de la réalité. Or, l'exercice d'un métier, par le fait qu'il force à résoudre des problèmes concrets, met en contact avec la réalité. C'est là une apparence d'existence, qui suffit à nombre d'individus. Il convient donc de désoccuper ces héros pour les placer face au vide véritable de leur vie, face à eux-mêmes – et aussi, l'état de vacance aidant, pour que le public se délasse complètement, oublie ses propres soucis quotidiens et s'identifie au héros.

Temporellement, pour ce motif que les vacances sont à la fois la satisfaction la plus profonde au désir de bien-être, et, en un certain sens, la finalité de l'ère d'abondance, qui doit être, selon les économistes, celle des loisirs. Au-delà de tous les conflits encore en suspens, on se préoccupe déjà des multiples crises que ce nouvel état de fait va susciter. Hitchcock, lui, ne les envisage que sous l'angle moral. Il prévoit les dangers du temps libre, plus exactement de la vacuité temporelle proposée à l'imagination des foules comme but ultime du bonheur : si l'on continue à proposer la démission devant la vie comme fin à l'humanité, il se pourrait fort bien que ce vœu soit exaucé et qu'il aboutisse, en effet, à la fin de l'humanité. C'est cette idée – elle est patente dans *The Birds*, et explique peut-être l'échec du film – qui inquiète de plus en plus notre auteur.

Les vacances de ses héros seront donc de deux sortes :

1. Ou bien elles sont forcées par les événements : les naufragés de *Lifeboat;* l'avocat de Mrs. Paradine, qui perdra sa fonction à la fin du procès *(The Paradine Case);* le père Logan dans *I Confess* (n'oublions pas que son double, Keller, tue par amour pour voler et soulager ainsi sa femme de son labeur ancillaire, accomplissant le souhait du prêtre qui cherche à sauvegarder le confort, la réputation et la tranquillité morale de celle qu'il aima) ; le reporter à la jambe cassée, privé de son « job », dans *Rear Window;* Balastrero jeté en prison, tandis que sa femme recherche vainement les témoins de leurs vacances passées ; le policier Scottie qu'un vertige *(Vertigo)* met en congé définitif ; Thornhill métamorphosé malgré lui en touriste dans *North by Northwest.*

Il est à noter que ces héros – la tentation étant trop forte – transforment très vite ces vacances imposées en vacances volontaires. Ainsi les naufragés de Lifeboat. Après la tempête où il leur a fallu mener une lutte acharnée pour leur existence, ils se croient en croisière sur un bateau de plaisance. Les uns roucoulent le tendre amour, d'autres se livrent à leur appétit sensuel, d'autres à leur passion du jeu (le poker). Tous abdiquent l'idée de la lutte, coulant une vie insouciante, à l'exception de leur prisonnier qui rame sans cesse vers le ravitaillement allemand, lequel les conduira dans un camp de concentration, aboutissement logique et atroce de l'idée de vacances. Seuls, parmi ces films, deux héros refusent ces vacances forcées ; le père Logan, parce qu'il symbolise le Christ et sa passion, et Thornhill qui apprend à ses dépens le prix de l'existence.

2. Ou bien, ce qui est plus grave, ces vacances sont désirées et voulues par les héros. Charlie, à l'abri du besoin dans le sein familial, rêve du prince charmant qui la sortira de sa province pour lui faire mener une vie brillante, facile

et mondaine, dans *Shadow of a Doubt;* la vie facile de poule de luxe que mène Alicia, amoureuse de sensations fortes, dans *Notorious,* la conduira à une vie apparemment mondaine et dorée, mais pleine de risques, jusqu'à la porte des vacances éternelles que la clé, audacieusement dérobée, a imprudemment ouverte ; les vacances d'hiver (le ski) que prend le héros de *Spellbound* entraîneront la vacance de son esprit ; ce n'est plus que l'idée d'une détente, d'une partie mondaine où tout est permis, qui prédomine dans *The Rope ;* c'est pour décharger Harietta du soin des affaires domestiques que Sam Flusky, dans *Under Capricorn,* se fait affairiste sans scrupule et même esclavagiste, et c'est justement pour sauver sa cousine Harietta de la déchéance où la conduit son désœuvrement absolu que Charles Adare la force à s'occuper de sa maison, le trousseau de clés, à l'inverse de *Notorious,* ouvrant ici sur la vie.

Si, avec *Strangers on a Train,* nous nous trouvons en face de la seule exception de tous ces films, c'est-à-dire d'un héros, Guy, qui ne cesse de pratiquer son métier, c'est qu'on ne peut, dans l'esprit d'Hitchcock, nommer comme tel celui qui consiste à transformer un jeu mondain, le tennis, en profession. Mais surtout, si Guy est ainsi privé de vacances, c'est que son double, Bruno, trahit la véritable aspiration de notre playboy : celle d'une vie luxueuse, dans la plus haute sphère de la société américaine (Washington), d'homme entretenu. La fille du sénateur, plus âgée que lui, maternelle, qu'il veut épouser, lui accorderait par sa fortune cette existence dorée de farniente que mène Bruno, grâce à l'argent que sa mère soutire à son père aussi immensément riche que haï (cette vie oisive et fortunée, qu'Hitchcock condamne chez les femmes, est plus condamnable encore chez les hommes, ne serait-ce parce qu'elle révèle en eux une nature féminine).

C'est encore parce que l'héroïne de *Dial M. for Murder*

veut profiter pleinement, en prenant un amant, de son heureuse existence, que son mari, ex-joueur de tennis, cherche à la tuer, pour s'emparer des avantages de sa fortune ; « Robbie the Cat », dans *To Catch a Thief,* veut jouir de son présent, grâce à la richesse que lui a procurée son passé de rat d'hôtel, en s'offrant des vacances permanentes sur la Côte d'Azur, haut lieu de ses anciens exploits, ce qui justifie que son passé, profitant du vide ainsi créé dans son existence, remontera à la surface et le cernera de toutes parts ; les protagonistes de *Trouble with Harry* poussent l'audace, eux, jusqu'à transformer leur profession en partie de plaisir gratuit, et leur vie en vacances perpétuelles.

De même, les déboires touristiques que subissent les héros de *The Man Who Knew Too Much* viennent, entre autres choses, du fait que ce voyage au Maroc a été financé par les gains effectués par le chef de famille, médecin de profession. Cette façon lucrative de considérer les souffrances physiques des autres (scène dans le souk, où Doris Day ironise sur le fait que leurs vacances ont été payées par l'appendicite d'un tel, les amygdales d'un autre, etc.) provoque l'intervention du double, faux pasteur (au guérisseur des corps doit correspondre un faux guérisseur des âmes) qui infligera au couple la pire des souffrances morales. N'omettons pas le week-end malheureux de Marion dans *Psycho* et l'inoccupation volontaire de Norman dans sa propre branche professionnelle. Enfin, évoquons les dégâts catastrophiques que provoque Mélanie Daniels, prototype de la riche oisive, familière de la « dolce vita », qui vit dans une cage dorée.

À l'inverse de tout à l'heure, ces vacances désirées se transforment, sans exception, en vacances forcées dont le héros ne peut plus se délivrer seul. Il lui faut le secours d'une aide extérieure – et qui n'est même point assurée *(Vertigo* ou *The Birds)*. Il n'y a rien là que de très normal.

Est-il besoin d'insister sur la vraie signification de ces vacances hitchcockiennes : au-delà d'un refus de l'existence et d'un désir de régression, elles trahissent l'appel irrésistible et voluptueux de la mort.

Cette condamnation du désir de bien-être et de repos implique-t-elle que le salut réside dans la crainte de la jouissance ? Non, car la crainte signifie volonté – plus pernicieuse en ce cas qu'un désir – de s'accrocher aux rives connues par peur de l'inconnu. Le désir souhaite, au moins, l'avenir. La crainte, au contraire, repousse désespérément le futur. Elle s'accroche au présent, pour ne pas avoir à progresser. Elle refuse la vie, pour ne pas avoir à naître. Voyez, par exemple, Vera Miles dans *The Wrong Man*. Elle ne croit plus qu'au malheur... qui survient effectivement. De même Mrs. Brenner, la mère de Mitch, dans *The Birds*, le personnage le plus craintif, à ce jour, de l'œuvre d'Hitchcock. Sa hantise de perdre ses enfants, alarmée à l'excès par la venue de Mélanie, sèmera catastrophe, mort et désolation.

Quant à l'institutrice Anne Hayworth, elle préfère s'enterrer à Bodaga Bay, pour continuer à vivre dans le souvenir d'un amour mort-né. C'est pourquoi tous les films d'Hitchcock construits sur la crainte ressentie par les héros dès le début de l'œuvre sont les plus noirs, les plus occultes, et, en général, les plus difficiles (*The Wrong Man* et *Psycho*, mais aussi *Rebecca, Suspicion, Notorious, Under Capricorn, I Confess, Strangers on a Train ; The Birds* faisant la liaison avec l'autre catégorie de films : la plus vive excitation du désir trouve son répondant dans la plus insoutenable des craintes).

Conséquence directe : dans l'optique de cette morale sont formellement interdits les souvenirs, le goût du passé, les photos, les portraits, les retours en arrière, bref tout ce qui *fixe* le temps jadis et empêche l'écoulement du temps actuel (le déroulement temporel du Plan divin : cf. notre analyse ésotérique de *Vertigo*). Le souvenir, en effet, stoppe un moment du passé que l'esprit et l'imagination parent d'une grâce excessive, auprès de laquelle pâlit d'autant mieux la vie en cours que ce souvenir est évoqué pour mieux la fuir. De même que le goût des choses anciennes (les villes historiques comme Québec dans *I Confess,* ou San Francisco dans *Vertigo,* les vieilles maisons – celles de *Psycho* – ou simplement les demeures trop charmantes, familiales, liées à l'enfance comme celles de *Shadow of a Doubt* ou de *The Birds,* avec leur coin secret, leur grenier et leur cachette, etc.), le souvenir est une invite à revenir en arrière, ou, ce qui est encore plus pernicieux, il manifeste une envie de métamorphoser le présent en un passé dans lequel le héros peut se mettre à l'abri de l'existence. D'où encore le danger des photos et des portraits qui fixent un moment de la vie. Fixations toujours susceptibles de s'animer soudain, de se transformer en « flash-back » qui ravivent un passé agréable et effacent le présent (cf. le flash-back, trop sensuel pour être vraiment honnête, malgré la sincérité apparente de son aveu, que suscite Anne Baxter dans *I Confess,* et qui va l'emprisonner encore davantage). La puissance du souvenir, du passé, etc., est le gage le plus sûr de l'impuissance en face de la vie. Seules, ne doivent resurgir à la surface que les choses que la conscience refoule et enfouit au fond de l'inconscient, parce que trop pénibles, et qui occasionnent une fixation capable de perturber au plus haut point la conduite (d'où l'importance de l'*aveu*).

Quelle morale janséniste constructive, puisque rien n'y est autorisé, ressort-elle de cette peinture ? C'est encore *North by Northwest* qui nous fournira la réponse. Il faut courir, sans s'arrêter ni se fixer, et surmonter tous les suspenses qui sont comme autant d'obstacles barrant la route du grand courant sous-jacent de l'affectivité, celui qui fait surgir le désir profond et véritable de vivre, qui réconcilie, au lieu de les opposer, l'homme et le monde.

Rien ne doit détourner l'homme de l'acte créateur. Il lui faut accepter totalement sa naissance, parce que sa seule et unique mission est de donner naissance, créer à son tour.

Tout revient donc, chez Hitchcock, à l'idée de naissance. Elle rend compte de tous ces passages – qu'ils soient désirés ou craints par les héros – du monde quotidien à un monde extraordinaire. C'est pourquoi ces périples, qu'ils soient physiques ou mentaux, ne s'effectuent pas comme chez la plupart des autres conteurs fantastiques. Ils ne vont pas de la vie vers la mort, considérée comme terme ultime du voyage. Ils partent, au contraire, d'un semblant de vie (le monde quotidien), passent par un semblant de mort (le suspense), pour donner accès, lorsque le suspense est dissipé, à la vie réelle. C'est dire qu'ils décrivent toujours les trois phases successives de la naissance : le semblant de vie qu'est la gestation ; le semblant de mort, cette sorte d'arrêt organique que la naissance fait subir à l'être : enfin, le moment où le choc même de la naissance force l'être à se ressaisir, la vie à reprendre son cours.

S'explique ainsi la manière dont Hitchcock, dans tous ses purs morceaux de suspense, illustre cinématographiquement ces trois phases : d'abord un ou plusieurs glissements, soit de la caméra, soit des personnages, suivis d'un ou plusieurs arrêts de la caméra et des personnages, comme une respiration que l'on retient jusqu'à ce qu'éclate un heurt final, par lequel le suspense se résout (cf. la scène de l'avion dans le chapitre précédent sur *North by Northwest*). Cette évocation justifie le fait, très rare chez les poètes du fantastique, que jamais, au grand jamais, le héros ou l'héroïne ne meure à la fin d'un film d'Hitchcock : pas même Scottie dans *Vertigo* ; pas même Norman dans *Psycho* : et pas même Mélanie Daniels, à la fin de *The Birds*.

1. Pourtant si nous savions regarder un film et analyser nos impressions, le premier plan de la scène aurait dû nous avertir. C'est un immense plan général d'une plaine sans fin, vue de *haut*. L'intersection de deux routes droites comme des pistes d'atterrissage éveille en nous l'idée d'aérodrome. Ne nous en prenons qu'à nous-mêmes si nous rejetons aussitôt perçues, cette idée et son impression. D'emblée, Hitchcock joue le jeu honnêtement. Il n'y a de sa part aucune tricherie.

2. On peut dire que les suspenses d'Hitchcock sont des variations infinies sur un même thème : celui d'un suspense animal où un serpent avance par glissements successifs vers sa victime tandis que tournoie dans le ciel un serpentaire qui fond sur le reptile au moment précis ou il allait se jeter sur sa proie. Qu'ici, la chose qui plane dans l'air soit maléfique et que la chose qui glisse sur terre soit bénéfique ne fait que prouver une fois encore le génie d'inversion de notre cinéaste.

3. Cf. la scène précédente où dans la chambre d'hôtel de Chicago Thornhill dit à Eve (c'est-à-dire le spectateur à l'œuvre) : « Savez-vous qu'à force de mystère vous êtes capable de détruire un homme. »

4. Il est à noter que durant cette scène, Thornhill qui regarde sans être vu se comporte en spectateur de plus en plus actif.

Psycho

Le thème fondamental du retour à la mère et de la nécessité d'accepter la naissance n'a jamais été mieux exploré par Hitchcock que dans ses derniers films. *Psycho* est, de ce point de vue, exemplaire. Un jeune homme, Norman, a *bloqué* le cours de sa vie, pour s'enfermer dans le souvenir de sa mère, morte depuis dix ans (en fait assassinée par lui, ainsi que son beau-père). Non seulement il a empaillé son cadavre, non seulement il se travestit avec ses vêtements, mais il a dédoublé sa personnalité. La moitié de son esprit est lui, mais l'autre appartient à sa mère. À la fin de cette dissociation, il retrouvera une unité qui sera l'aboutissement de son dédoublement. Son esprit niera sa propre existence. Norman sera sa mère.

Il n'est point de notre ressort d'analyser cliniquement le cas de Norman (schizophrénie ; enfance caractérielle ; traumatisme aggravé par une mère autoritaire et envahissante dont le remariage est ressenti violemment comme un abandon, un second *rejet* après celui de la naissance). N'en retenons que ce qui est proprement hitchcockien : la substitution, dans ce film, d'une impression de dilatation par l'autre, et le refuge, tout aussi absolu, dans les ténèbres. Norman refuse sa naissance. Il veut revenir dans le ventre maternel, continuer d'éprouver – mais consciemment – cet état permanent où son être, à la fois absorbé et absorbant, jouissait pleinement d'une existence édénique, purement végétative, digestive, sensitive. Il pourrait, il est vrai, retrouver cette impression euphorique de dilatation grâce à la nourriture. Mais cela impliquerait, puisque Norman est l'unique propriétaire du motel que la création d'une nouvelle route a quasiment désaffecté, qu'il quitte sa maison (haut lieu du refuge maternel) pour s'installer ailleurs. En d'autres termes, qu'il lutte et travaille. Ce serait accepter de naître, renoncer à son obsession. C'est pour lui, impensable : il ne lui reste qu'à s'engloutir dans l'autre impression de dilatation, celle qui provient du suspense.

Ce qu'il fait. En arrêtant le cours de sa vie, il paralyse à jamais sa conscience et pervertit son esprit. Il se crée, par cet artifice, un état permanent d'anxiété. La dilatation de la durée n'est plus momentanée, comme dans tout suspense, phase transitoire par excellence. Elle devient quasi éternelle. Norman s'y enveloppe, s'y love, tel un fœtus qui ne cesse de croître dans le sein maternel. En se gardant ou se défendant de tout contact extérieur. Norman peut alors se nourrir uniquement de son angoisse et la nourrir. Et, afin que cette similitude avec la période de gestation soit parfaitement achevée dans l'inversion. Norman fait en sorte – puisqu'il ne peut matériellement entrer à nouveau en sa mère, malgré son immense désir qu'il transfère dans le fait de l'avoir empaillée – que sa mère, donc pénètre en lui, comme lui, jadis, était en elle, absolument, totalement. Le processus d'un retour aberrant, impossible et pourtant héroïque (cf. la Symphonie Héroïque de

110

Beethoven sur le phono de sa chambre, peuplée par ailleurs de jouets et souvenirs infantiles), à la source de l'être est ainsi accompli.

Il existe un détail qui était notre explication. Il permettra, au surplus, de saisir comment il convient de décrypter Hitchcock. Norman est, avec le père Logan dans *I Confess* et Balastrero dans *The Wrong Man*, l'un des trois seuls héros hitchcockiens à ce jour, qui ne mangent, ni ne boivent ni ne fument, tout le long du film. Qu'est-ce à dire ? La nutrition étant une fonction essentielle de l'existence matérielle, la refuser sur l'écran prend deux sens : ou bien c'est lui préférer la vie spirituelle (cas du père Logan et de Balastrero qui peuvent ainsi conserver intacte la puissance de leur esprit) : ou bien c'est refuser l'existence elle-même, et c'est le cas de Norman.

Creusons un peu plus. Toute absorption matérielle, de quelque nature qu'elle fût, introduirait en Norman un élément du monde vrai qu'il fuit et rejette radicalement. Surtout, elle réamorcerait un début de dilatation digestive, donc le mécanisme même de la vie et de la conscience. Elle détruirait immédiatement la dilatation factice du suspense dans lequel notre héros se confine volontairement. La preuve de ce que nous avançons nous est fournie par la pauvre et belle Marion. Mais revenons au début du film.

Tout de suite après le générique, la caméra pénètre à l'intérieur d'une chambre d'hôtel. Marion et son amant, qui visiblement, achèvent de faire l'amour, ont une discussion : une grave question d'argent retarde leur mariage. Ce souci provoque en la jeune femme comme une panique. De retour à son bureau, elle assiste à une transaction irrégulière de 40 000 dollars, au sujet de l'achat d'une maison qu'un père veut offrir à sa fille pour son *mariage*. Or, le patron de notre héroïne lui confie cette somme pour la porter à la banque. Ces 40 000 dollars déclenchent en elle une impulsion irrésistible : le besoin de les dérober. Le lecteur sait désormais que la cause réelle de cette impulsion provient d'une peur soudaine de la vie, d'une volonté de pénétrer à nouveau dans le sein maternel et que Marion est « agie » moins par la valeur effective de cette somme, que par son pouvoir magique d'autant plus envoûtant que cet argent est lié à l'idée de bonheur (le « home » offert aux jeunes mariés) et à celle de malhonnêteté – qui la rassure – de la transaction. Pour elle, il doit assurer à son être tranquillité d'esprit et subsistance matérielle. Désir qui, évidemment, se réalise à l'inverse de son espoir.

Nous assistons donc au processus classique du suspense hitchcockien. Marion est progressivement envahie par son impulsion. Sa conscience paralysée est incapable de trancher et de choisir. Fascinée, elle s'abandonne à ce besoin d'autant plus impérieux que l'absurdité de son acte ne lui échappe même pas : dialogue intérieur dans la voiture où son esprit lui représente que, non seulement elle n'a aucune chance de réussite, mais que son amant lui-même refusera cet argent. Son geste dément, loin de lui apporter la tranquillité, affole et inquiète à l'extrême son esprit. D'où le sens véritable de son trajet en voiture : le voyage de sa ville à celle de son amant marque son passage de la normalité à l'anormalité. Elle parcourt le même circuit mental qu'a parcouru précédemment Norman, ce double au-devant duquel inconsciemment, elle va.

Nous la voyons ainsi s'enfoncer progressivement dans l'univers dilaté du suspense. Impression, d'abord, de dilatation de la durée que nous, spectateur, ressentons pleinement. Impression plus physique, ensuite, qui pousse la jeune femme à changer subitement de voiture, se trouver à l'intérieur d'une enveloppe autre : acte gratuit, effectué d'une façon insensée (la réaction du garagiste) qui trahit une envie profonde de changer d'identité, de corps, d'être

112

(envie que son double Norman satisfera pleinement, en prenant brutalement son relais au beau milieu du film ; de même que Marion change de voiture en plein trajet. Hitchcock change de héros en plein film). Impression réalisée visuellement, lorsque, la nuit venue, elle est aveuglée par les phares des voitures ; disques lumineux formes abstraites qui se dilatent effectivement sur l'écran et forcent les pupilles de son regard à se contracter. Lorsque ainsi, égarée dans tous les sens du terme, Marion s'arrête au motel de Norman, elle a atteint un degré de névrose dont la démence de son hôte est la phase ultime. Elle a pénétré dans le domaine de la folie.

Norman, que la venue de Marion trouble au plus haut point, après l'avoir installée dans sa chambre, lui propose une collation. Marion accepte. Il monte dans la maison de sa mère pour préparer le frugal repas, ce qui nous vaut d'entendre une scène violente entre « elle » (la mère) et lui. Mais Norman, dominé par l'instinct sexuel, impose sa volonté à « sa mère ». Il revient avec un plateau. Marion l'invite à partager son dîner. Il refuse, évidemment. Et pendant qu'elle converse avec lui, tout en grignotant son sandwich, Marion reprend contact avec la vie. Elle retrouve le sens des réalités. Le discours où Norman trahit son extrême anormalité et son affreuse solitude la force à se dissocier de lui, à le juger, et, par là, la renvoie à la normalité. Sa conscience se débloque et comprend la démence de son geste. Elle prend la décision de revenir chez elle et de restituer l'argent. L'amorce de la dilatation digestive normale a chassé et dissipé la dilatation anormale du suspense.

On sait que, dans un état de grande frayeur ou d'extrême anxiété, il est impossible d'avaler quoi que ce soit. Médicalement parlant, le fait que Marion puisse manger est un indice : cela prouve que l'obligation de stopper sa fuite, de converser avec Norman, d'analyser l'impression de malaise qu'il dégage, a permis à son esprit de fonctionner normalement à nouveau. Et c'est bien ainsi que la scène se présente et s'explique apparemment. Mais c'est ignorer la rêverie poétique qui, fondamentalement, expose non le point de vue externe, médical, mais celui, interne, du patient, c'est-à-dire de l'artiste, et traduit ses sensations les plus profondes. Or, dans cet univers, tout s'inverse : l'effet y apparaît comme la cause et le moteur. Il nous faut donc dire : c'est parce que Marion mange qu'elle peut réamorcer en elle d'abord la vie physiologique, puis psychique, et enfin spirituelle et morale.

Car il nous faut pénétrer cette rêverie pour saisir que la nourriture, qui libère personnellement Marion du suspense qu'elle traversait, la condamne irrémédiablement dans l'esprit dément de Norman. Elle est, ne l'oublions pas, une proie offerte, dès qu'il la voit, à un appétit sexuel d'autant plus violent qu'il est puissamment refoulé. Or, le repas qu'il va lui préparer, et qui est le signe de l'intérêt érotique qu'il porte à sa cliente, a été, nous l'avons vu, l'objet d'un conflit aigu entre lui-même et « sa mère ». Qu'il passe outre révèle son désir soudain de *trahir son être*. Dans son contexte délirant, en effet, cet acte signifie que Norman prélève et dérobe de la substance nourricière à sa mère pour la donner à un élément extérieur à son univers fœtal. Le fait qu'elle ingère cette substance lui procure l'impression, dans sa mentalité à la fois morbide et infantile, que Marion a pénétré à son tour dans l'univers fœtal. Elle apparaît à ses yeux comme une sœur à laquelle on peut tendrement confier le désespoir de sa solitude.

Mais, très vite, cette attitude, qui justifie à ses yeux la désobéissance à « sa mère », craque. Dès que Marion a regagné sa chambre, Norman ne peut résister à l'envie de la lorgner en train de se déshabiller. Il retombe sous l'empire absolu de l'instinct sexuel, qu'il cherchait à se dissimuler.

Et cet instinct vital le pousse alors à s'arracher au giron maternel, à l'univers fœtal, à affronter l'« autre », à naître. Il se trouve plongé dans une tension telle qu'elle ne peut se résoudre que dans le sens de sa psychose. Sa « mère » l'emporte. Pour défendre son « fils » contre l'étrangère, « le » venger de sa pensée coupable et en même temps satisfaire « son » désir de viol, « elle » tue l'intruse à coups de couteau, transfert symbolique évident de l'acte sexuel.

Lorsque Norman revient dans la chambre et constate le forfait que « sa mère » a commis, il lui faut se comporter en fils d'autant plus obéissant et dévoué qu'il sait bien que c'est pour le protéger qu'« elle » a été contrainte d'agir ainsi. Il efface donc toute trace du crime. Il enferme le cadavre, les effets personnels et l'argent de la victime dans cette voiture, cercueil maintenant de Marion, après l'avoir été de son esprit. Tout l'être matériel et spirituel de la jeune femme est ainsi précipité dans les eaux noires et dormantes d'un marais. Parce qu'elle a pénétré fictivement dans l'univers fœtal de Norman, celui-ci fait en sorte qu'elle soit absorbée par ces ténèbres liquides, projection de celles qui règnent dans le sein maternel. Par un geste dément de pitié, de tendresse et d'affection, Norman réalise le but occulte du voyage qu'avait entrepris la belle Marion dans un moment d'égarement. Il a exaucé son vœu secret d'un retour total à la mère.

Mais c'est pour mieux en subir le contrecoup. Car, à son tour sera exaucée l'envie secrète de Norman : celle de quitter son univers fœtal. Envie rapidement et violemment refoulée, certes, mais qui a suffi à mettre en branle le mécanisme de l'autre univers, celui de la vie. Ce dernier extirpera finalement Norman de son monde clos, non sans une lutte farouche, livrée par la « mère » pour retenir en elle son petit. D'où la sauvagerie et la brutalité du second meurtre, celui du détective. Pour s'être introduit

115

dans la maison – c'est-à-dire selon l'esprit malade de Norman en la « mère » – ce personnage doit être puni. La « mère » le frappera mortellement à coups de couteau.

Voici le processus logique de la démence de Norman : se sentant menacé, il joue à l'enfant qui appelle sa mère : celle-ci accourt pour sauver le fils qu'on vient lui dérober. Norman se contente de cette explication qui justifie le crime à ses yeux et l'en disculpe entièrement. Elle le dispense de s'avouer ceci : l'intrusion d'un homme inconnu et hostile au cœur de la maison – pénétration à l'intérieur de la mère – est pour lui une représentation du mariage haï de sa mère avec son beau-père. C'est-à-dire l'image intolérable d'un viol commis sur sa mère. En tuant le détective, il la – sauve à son tour de son instinct sexuel, sachant qu'« elle » sera attirée par cet homme. Acte d'amour et de dévouement filial à base de haine farouche : il se venge à nouveau d'une mère qui a voulu l'exclure de son univers, au profit d'un étranger, et qui, par surcroît l'empêche d'assouvir ses désirs érotiques. C'est pourquoi cette vraie motivation, qui lui donne le mauvais rôle, lui demeure inconsciente.

Mais, plus profondément encore, c'est à l'instinct sexuel lui-même qu'il s'en prend, cet instinct qui, dans son cas, est un appel irrésistible, vers la vie, le pire des dangers, et qu'il lui faut supprimer aussi bien en « elle » qu'en lui. Les coups de couteau qui, dans le meurtre de Marion, indiquaient un désir de viol, trahissent maintenant chez lui – leur symbolisme s'inversant – la volonté de castration. Volonté triple : contre le père d'abord, contre le mâle ensuite, contre lui-même enfin, tant il est vrai que Norman sent intensément, dans sa confusion mentale, que seule cette mutilation l'attachera définitivement à sa mère.

Le meurtre accompli, il précipite sa victime dans les eaux noires du marais. Or, on sait que, pour lui, ces ténèbres liquides figurent celles, si ardemment désirées, qui règnent dans le sein maternel. Quelle raison pousse alors Norman à traiter si généreusement, de la même manière que Marion, son ennemi mort? Parce que c'est la meilleure cachette? Cette explication qui correspondrait au raisonnement d'un homme sain, paraît ici insuffisante. Norman est trop soumis au délire de l'imaginaire pour immerger par simple intérêt quelque chose ou quelqu'un dans cette étendue aqueuse qui représente pour lui le summum de ses plus secrètes aspirations. Il y a plus.

Est-ce pour réaliser le désir d'un retour à la mère qu'il prête au détective (car, à la différence de Marion, ce désir n'est nullement exprimé dans les faits par celui-ci, tout au moins à ce niveau d'explication. Cf. plus loin notre analyse sur l'esprit, l'âme et le corps)? Peut-être, en un certain sens. Car on ne peut comprendre le personnage de Norman, si on ne saisit pas et ne cesse pas l'immense pitié, née de son affreuse solitude, qu'il éprouve envers les autres (c'est pourquoi lui-même deviendra si pitoyable à la fin du film). Et cette pitié se manifeste par une grande bonté. Le moment de cruauté passé, tantôt il empaille ses victimes, tels les oiseaux qui décorent son bureau, afin de les contempler et les aimer *à loisir*, tantôt il les noie dans le marais, transférant sur eux son souhait le plus intime. Il leur accorde cette chance unique d'un vrai et total retour à la mère, qui lui est refusé (« Il faut un grand sens de l'humour noir pour apprécier *Psycho* », aime à déclarer Hitchcock.)

Mais la vraie raison semble-t-il, est d'ordre d'amour filial. Norman apparaît comme un cas limite du complexe d'Œdipe, sa mère ne pouvant être à ses yeux que vierge et sainte. Mais, en tant que femme, il faut qu'elle soit la plus belle, la plus resplendissante, celle dont le fils est fier des hommages innombrables qu'elle reçoit (il s'agit là, depuis *L'Ombre d'un doute*, d'un thème de plus en plus fréquent chez Hitchcock). Mais ces hommages doivent rester

117

purement platoniques. Parce que sa « mère » a voulu se comporter en femme. Norman a été contraint jadis de la punir, en la tuant ainsi que son beau-père. Il la punit derechef dans cette représentation de cette scène qu'est l'intrusion du détective. Mais il imagine que c'est « elle » qui s'autopunit en préférant son fils à l'homme qu'elle désire. Cette idée sublime d'amour maternel crée en Norman un sentiment de culpabilité. Il comprend la souffrance que la mère s'inflige pour lui. Il cherche alors à réparer sa faute – qui est d'exister – par un sacrifice aussi sublime que celui de sa « mère » puisque la « mère » a voulu que cet homme pénètre en « elle », il fait en sorte que l'homme pénètre totalement en « elle » non plus en amant, mais en fils.

Admirez, alors, sa grandeur d'âme ! Quel assaut dans le sublime ! Norman cède sa place d'enfant privilégié à un autre, afin de contenter cette « mère » dévorante. Après la sœur, le frère. Cette façon de se racheter résout ainsi le violent conflit qu'il vient de traverser. Après s'être émerveillé de la beauté de son geste, il pourra oublier. Car lui, qui fuit à l'extrême toute responsabilité, se donne les raisons les plus héroïques d'agir noblement (on devine, à voir la Symphonie Héroïque sur le phono de sa chambre, que Norman passe des heures à s'enivrer de cette musique). Un être qui se berce à ce point d'illusions éprouve le besoin absolu de camoufler les mobiles de ses actes hautement répréhensibles sous l'apparence du beau geste théâtral, désintéressé et sublime. Comme tout grand malade mental. Norman est acteur et spectateur de son mal, dédoublé.

On ne peut saisir, donc, son cas et son personnage sans parcourir en pensée le chemin singulier et les étranges détours qu'a suivis une mythomanie d'autant plus fondamentale qu'elle est l'unique refuge. C'est au moment où Norman aura tout perdu, qu'elle transparaîtra le plus clairement : lorsque, dans la dernière scène, enfermé dans

118

sa cellule, il laisse courir une mouche sur sa main. Il refuse de bouger, pour bien montrer aux autres, aux spectateurs imaginaires ou réels, qu'il est incapable de faire du mal, même à une mouche. Avec évidence, ici, son comportement apparaît être ce qu'il a toujours été : de pure façade.

Et c'est justement parce qu'il va être contraint de faire s'écrouler cette façade à ses propres yeux, qu'il sera psychiquement, donc physiquement, vaincu. Dès l'instant où l'univers de la vie s'attaque directement à lui, où le shérif – régent et gardien de la vie – lui téléphone, Norman sent qu'il est perdu. Il se précipite aussitôt dans la maison, pour dissimuler le cadavre de sa mère. Mais il sait qu'en agissant ainsi envers « elle », sainte, invulnérable, intouchable, conservée religieusement comme une relique sacrée (il l'a embaumée), il commet le pire de tous ses crimes : un sacrilège. D'où la véhémence de la dispute qui l'oppose à sa « mère », et qui traduit le conflit aigu qui déchire son esprit. La « mère » l'accuse d'être un mauvais fils, un ingrat. Lui ne trouve pas d'excuse : simplement, « *il le faut* ». Il le faut, car c'est « elle », mère possessive, qui s'est servie de lui, pauvre enfant craintif et obéissant, comme instrument d'actes monstrueux qu'il réprouve. « Elle » est la criminelle. Il en a maintenant honte. Et c'est cette criminelle et cette honte qu'il lui faut cacher dans l'endroit le plus bas, le plus obscur, le plus méprisable de la maison : la cave.

Mais Norman devine surtout que, poussé par une nécessité qui le dépasse et le domine, il accomplit l'irréparable. Il inverse radicalement son système de pensée. Lui, qui se réfugiait en elle, prend la responsabilité de la protéger. Lui, qui s'abritait dans sa maison, en devient, une fois la mère à la cave, le maître. Pour la première fois, il assume, bien qu'il en soit incapable, une décision d'homme. C'est toute sa mythologie, son univers, sa façon d'être, qu'il sape brutalement à la base. Il n'est plus en mesure de lutter contre la réalité qui le cerne.

Hitchcock exprime cette tragédie par un extraordinaire mouvement d'appareil. Après avoir regardé Norman monter l'escalier, la caméra s'approche de la chambre sans y pénétrer, puis s'élève le long de la porte, pendant que l'on entend la dispute entre Norman et sa mère, et enfin, après un arrêt, par une plongée qui écrase Norman sous le poids de sa culpabilité et semble précipiter sa chute prochaine, contemple l'enlèvement de sa mère. Ce mouvement reproduit le schéma cinématographique de tout suspense hitchcockien : un glissement, un arrêt et un heurt, ou choc visuel, que suscite en nous la brutalité de la plongée finale. Et c'est logique, puisque à cet instant Norman, pour se sauver, se donne l'illusion d'accepter provisoirement de naître. En réalité, loin de quitter son univers fœtal, il s'y enfonce, accentuant son désir de régression et de refoulement. On sait en effet que, dans le symbolisme freudien utilisé sciemment ici par Hitchcock, la cave est la source de la sexualité réprimée. Norman doit donc y porter la « mère » possessive, cause de son mal. Mais, par là, loin de s'en délivrer, il l'intensifie.

Le voilà seul, désormais, pour assurer sa défense. Or, survient l'attaque la plus redoutable qu'il ait à affronter : l'entrée de Sam et de Lila dans son monde. Entièrement soumis à la pure impression, Norman ressent aussitôt l'hostilité de ce couple qui lui est hostile, comme lui fut hostile, jadis, le couple maudit formé par sa mère et son beau-père. Par association d'idées, liée au sentiment de la menace, l'arrivée inopinée de Sam et de Lila correspond pour lui à la soudaine et fantomatique apparition du beau-père et de la mère, qui viennent lui demander des comptes. La présence physique de son crime provoque en lui un état de crainte, un trouble, une perturbation sans limites.

Dans cette variation sur *Hamlet* qu'est *Psycho*, Hitchcock inverse les données shakespeariennes, Shakespeare proposait des fantômes ou des fictions (la représentation théâtrale) pour matérialiser l'angoisse d'Hamlet. Hitchcock, en revanche, soumet les personnages réels du drame à l'univers schizophrénique de Norman lequel les considère alors comme des fantômes. Norman, nous l'avons vu, vit dans un suspense permanent : il a arrêté le cours du temps, l'a dilaté, pour demeurer éternellement dans le présent d'un passé fini. Tant qu'il était sous la protection fictive de sa mère, il n'avait pas à craindre l'avenir. Mais, une fois qu'il assume la responsabilité de son sort, l'avenir – qui est de l'arracher à son univers fœtal – le menace à nouveau. Seulement, et c'est là son drame, Norman ignore la notion même d'avenir : d'abord parce qu'il a toujours refusé sa naissance, ensuite parce que son esprit s'est fixé définitivement sur le souvenir du forfait qu'il a commis. Il interprète, en conséquence, tout ce qui pénètre dans son univers clos comme une surgescence du passé. Le même personnage qui, parce qu'il vient du monde de la vie, met en cause son avenir est regardé par lui, de l'intérieur de sa sphère mentale, comme venant de la mort mettre en cause son passé.

Norman, dont la personnalité est déjà dédoublée, se trouve face à ses hôtes, aux prises avec le plus insoluble problème qu'il puisse affronter : la réalité d'une dualité qu'il est dans l'impossibilité de maîtriser, parce que vivante. Cette dualité va se dissocier sous ses yeux, entraînant la dissociation de sa personnalité jusqu'à son point de rupture. Lila profite, en effet, de ce que Sam retient Norman dans son bureau pour disparaître. Pris de panique, Norman avoue sa culpabilité en assommant son interlocuteur. Il a deviné, fou d'inquiétude, que Lila a pénétré dans la maison.

Lila, donc, avance vers la demeure redoutable. Examinons, un instant, le mode cinématographique de cette avancée. C'est un suspense, donc une succession de glissements et d'arrêts, en attendant le heurt qui, dans la cave, viendra, avec une brutalité extrême, clore la séquence. Mais les glissements s'opèrent de deux façons, qui s'inversent l'un l'autre. Tantôt la caméra précède Lila, comme si elle exerçait sur elle une attirance magnétique. Tantôt elle prend la place de Lila, et fonce témérairement vers la maison, puis dans les différentes pièces. Ces deux sortes de glissements combinés unissent l'idée d'aspiration vers l'univers fœtal qu'avait ressentie, pour sa perte, Marion et l'idée de viol qu'exprimait l'intrusion du détective. Ce qui laisse supposer que Lila incarne simultanément deux tendances, et même deux êtres.

En tant que sœur de Marion, Lila assume la volonté d'exorciser l'aspiration d'un retour à la mère. Ce qui l'oblige à éprouver la fascination quasi magnétique de cette aspiration, pour mieux lui résister. C'est-à-dire qu'elle doit ressentir au plus haut point l'épouvante de cette pénétration pour démystifier l'univers fœtal et lui ôter son faux caractère de « merveilleux » auquel, pour son malheur, s'était laissée attraper Marion. Si bien que la visite des lieux, que Lila effectue sous la terreur, banalise peu à peu la *maison*, en dissipe le mystère, la renvoie à un quotidien triste, morne, laid. À la fin, elle apparaîtra sous son vrai jour : vieillotte, glacée, morte. Elle a perdu à jamais son pouvoir de séduction. Le charme est brisé.

Mais Lila n'est pas seulement la sœur de Marion. Au moment où elle avance vers la maison, elle est aussi la mère vivante de Norman. Expliquons-nous. La maison ne figure l'univers fœtal de la mère que parce qu'elle a été ressentie et conçue comme telle par l'univers mental de Norman, qu'elle constitue véritablement désormais son univers mental. On peut même dire que Norman a tué sa mère pour s'emparer de la maison, pour la posséder afin d'en être possédé. Cette dernière est, en effet, devenue à ce point le domaine mythique, affectif et psychique de Norman que c'est à un viol de sa personnalité, une exploration de son monde mental, une investigation de son esprit que se livre Lila en pénétrant à l'intérieur. Et elle s'y introduit alors non plus en tant que Lila, mais telle que se la représente l'esprit dément de Norman : elle est la mère vivante qui revient chez elle, après dix ans d'absence.

L'univers mental de Norman, comme l'univers visiblement fantastique du film, étant essentiellement un univers onirique, il ne s'agit là que de la traduction d'un rêve assez commun que chacun d'entre nous a pu faire. Pour peu qu'on ait eu un parent décédé (père, mère, familier) qui exerça une grande autorité ou une profonde influence sur notre enfance, il arrive, dans un rêve, de les voir occuper présentement leur ancienne place et vaquer à leur habituelle occupation, comme si de rien n'était. Mais leur présence, à cette place dont nous nous sommes emparés, éveille en nous un sentiment d'angoisse et de culpabilité. Nous sentons que cette présence muette, qui tente de réparer le gâchis que nous avons fait de leur œuvre et de leur héritage physique ou moral, est comme un reproche permanent.

C'est ce rêve, d'autant plus insoutenable et cauchemardesque qu'il s'effectue non à l'état de sommeil, mais de veille, que vit soudain Norman. Lila lui apparaît comme l'image même, qu'il conserve intacte au fond de lui-même, de la mère idéale. Elle est l'ordre, la clarté, la douceur, la tendresse, la pureté, l'innocence, la lumière qui entre dans le désordre, la confusion, la violence, la solitude, la turpitude, le crime et les ténèbres pour les chasser et délivrer le fils. Par un mouvement de juste retour, la mère vivante pénètre en lui, comme il avait pénétré en elle, morte. Elle reprend possession de la maison, en l'investissant de fond en comble. Ce faisant, elle « psychanalyse » pièce par pièce.

Elle entre d'abord dans le haut lieu du mystère, la chambre de la mère morte, à l'origine de tous les crimes. Tout ici porte l'empreinte de sa présence absente. Tout est « habité », hanté par son esprit despotique. Mais cet « esprit » n'existe que dans l'esprit torturé de Norman, si bien que c'est à l'intérieur de l'esprit dément de Norman que pénètre désormais Lila. Faut-il alors s'étonner que la vue de ce lit, encore creusé par la forme de la défunte, ou de ces meubles démodés, envoûtés par son signe, éveille en nous un état de terreur indicible. Nous sentons qu'un danger rôde, qui menace de fondre sur Lila à chaque instant, de n'importe où. Le point culminant de la peur sera atteint lorsque ce danger semblera prendre corps : lorsque Lila aperçoit son propre reflet dans une glace.

Pourtant Lila, comme nous, sait que la mère est morte depuis dix ans et que Norman est retenu au motel par le fiancé de Marion. Par surcroît, nous avons vu que Norman a transporté sa mère impotente à la cave. Ce danger est donc purement fictif. Mais justement, l'échec de notre esprit logique renforce nos craintes et aiguise le délire de notre imagination, sujette désormais aux croyances les plus irrationnelles. L'espace d'un instant, Lila, comme nous, prend ce reflet pour la manifestation de l'esprit de la despotique défunte. Car, si dans l'esprit dément de Norman. Lila représente le fantôme vivant et réincarné de sa mère, l'inverse est vrai. L'image de Lila dans la glace, puisque nous sommes dans cette chambre, à l'intérieur de l'esprit aliéné de Norman, est le fantôme visible de la mère morte. D'où notre immense frayeur, mais frayeur partagée par le reflet dans le miroir. Car, cinématographiquement, c'est lui qui a peur de Lila et son effroi trahit la terreur que suscite en l'esprit de Norman, et chez le pur « esprit » de la morte, la venue de notre héroïne.

En effet, dès l'instant où Lila se reconnaît et s'identifie, le dédoublement cesse. Le reflet obéit désormais à son propriétaire. Le vœu de Norman, fruit de sa crainte extrême, se réalise. Lila, parce que vivante, devient l'unique mère, révélant ainsi le caractère chimérique de l'esprit dominateur et possessif de la défunte. La chambre, soudain désenvoûtée, apparaît dans sa triste banalité, inoccupée et « inhabitée ». Ainsi Lila, mère vivante, dissipe par son intrusion, chimères, illusions et phantasmes.

Puis Lila s'introduit, après avoir grimpé quelques marches, dans la chambre du grenier que nous devinons, aussitôt, être celle de Norman. On sait que, dans l'interprétation psychanalytique, le grenier figure le développement mental conscient du malade. Le lent regard circulaire que la caméra promène sur cette chambre met en valeur l'extrême désordre qu'entretient volontairement, en son âme, notre héros : un grand désordre des choses courantes (lit qui semble n'être jamais fait, vêtements éparpillés, disque de la Symphonie Héroïque abandonné sur le phono, détails qui trahissent une volonté de négliger toute occupation quotidienne et astreignante, un désir de vacances permanentes qui autorisent à rêver sans effort une vie héroïque) s'oppose à l'ordre excessif des souvenirs d'enfance (les jouets, les photos, etc., qui marquent la volonté de fixer à jamais le présent dans le passé). Notons que l'inspection de cette pièce, bien que baignant toujours dans un certain climat de peur, dû au contexte, éveille, en nous comme en Lila, un sentiment plus proche de la pitié que de la frayeur.

Enfin, Lila redescend les escaliers et se réfugie dans la cave, au moment où Norman se précipite dans la maison, vers la chambre de la mère. Car Norman sent, Norman sait – d'où son affolement pendant l'exploration de Lila – que la mère vivante vient mettre fin à ses vacances, l'arracher non seulement d'elle-même mais de lui, bref et dans tous les sens du terme, le « déposséder ». La rencontre, la résolution du conflit, le heurt final du suspense après cette succession de glissements et d'arrêts, c'est-à-dire l'instant de la naissance, ne peut et ne doit intervenir que dans la cave qui, dans l'explication psychanalytique, représente la source même de la psychose : la répression sexuelle qui symbolise la mère morte.

Aussi Lila qui, en tant que sœur de Marion, assume la même aspiration d'un retour à la mère, mais l'exorcise parce qu'elle la contrôle, au lieu de se soumettre à son impulsion irrésistible, doit-elle constater la signification véritable de cette aspiration : elle rencontre la mort, une mort hideuse et grimaçante, qui est désespérément stérile de l'esprit, de l'âme et du corps. Par ailleurs, Lila, en tant que mère vivante, doit parvenir au terme de son exploration psychanalytique. Le cri d'horreur qu'elle pousse en découvrant l'horrible momie est en même temps un cri de délivrance : celui de la mère au moment de la naissance. Et ce cri, que redoutait par-dessus tout Norman, fœtus volontaire, le force à surgir, à naître.

Il apparaît revêtu de son travesti, le couteau à la main. Mais cet accoutrement, qu'il a été endosser dans la chambre de la mère, ne lui sert plus à rien désormais. Dès qu'il a choisi de cacher la « mère » à la cave, il a tué en son propre psychisme le mythe de la protection efficace et du pouvoir magique que lui conférait le déguisement maternel. Ce n'est qu'un geste de pur automatisme. De même, le couteau devient une arme inopérante. Son symbolisme sexuel perd toute efficacité, dès que Lila, ayant achevé la psychanalyse de Norman, a mis à jour l'origine de sa psychose. Enfin, le désir que manifeste Norman de tuer sa mère vivante pour ne point naître se révèle inutile, à partir de l'instant (le cri) où le processus de la délivrance est commencé.

Ce processus sera mené à son terme non par la mère, mais par l'homme. À lui revient l'obligation physique de forcer Norman à naître. En le maîtrisant, il lui enlève les oripeaux désormais inutiles de son univers fœtal. Dépouillé de sa perruque, de sa robe et de son couteau, privé de sa mascarade mentale, Norman n'est plus qu'un enfant perdu et inoffensif. Ainsi, pour avoir éveillé en lui le désir de quitter le sein maternel dans un moment d'excitation – d'égarement, pourrait-on dire, dans le contexte de son univers mental – Norman a provoqué la résurrection du couple maudit, revenu pour l'arracher à son monde et le livrer à celui de la vie.

Mais le mal s'est incrusté en Norman trop profondément. Son refus de naître est si incurable, il correspond désormais à un besoin si impérieux de son être que celui-ci, dans un ultime sursaut, trouve la parade. Jeté de force hors de son univers fœtal, il pénétrera à nouveau et radicalement en sa mère. Et puisque cela ne lui est plus possible matériellement, il y suppléera spirituellement. Il s'enveloppe dans cet esprit maternel qu'il a tenté, pour son malheur, de camoufler, de la même manière qu'on le voit s'envelopper frileusement et peureusement dans sa couverture. Il en fait le tout de sa personnalité. Au terme de son dédoublement – qui est une naissance en un autre être, puisqu'il lui a fallu, malgré lui, naître – Norman se sacrifie entièrement. Il y a échange complet entre lui et la mère. Il lui donne son existence, afin que son esprit continue à vivre. Il s'accepte comme fœtus inconscient, désormais pris en charge par elle, et, pour cela, prend sa place de momie. Il n'incarne plus que son propre fantôme. Il est entré définitivement dans le monde de la mort, cette mort sur laquelle son visage se fondra in extremis, et qui est la non-naissance.

Est-ce parce qu'il est ainsi chargé d'assumer, jusqu'au calvaire de la folie pure, l'obsession majeure de son créateur qu'à la fin de *Psycho* le personnage de Norman éveille en nous une pitié si vive ? Une rêverie aussi substantielle que celle du retour à la mère trahit nécessairement les hantises les plus secrètes de l'artiste. Pour cette raison, *Psycho* nous paraît être fondamental dans l'œuvre d'Hitchcock et exemplaire en tant que suspense hitchcockien.

Nombre de critiques se sont plus à évoquer le nom de Poe à propos de ce film. Comparaison flatteuse, mais superficielle, qui ne s'est attachée qu'à l'aspect terrifiant du film, proche en effet de certaines *Nouvelles Extra-ordinaires*. Mais le suspense de Poe est, en fait, très différent de celui d'Hitchcock. Le phénomène de dilatation, capital chez ce dernier, est moins mis en valeur chez l'auteur du « *Puits* » et du « *Pendule* », qui, en revanche, insiste davantage sur la dissociation. Le corps y est ressenti dans toute sa pesanteur et son inertie, tandis que la conscience, puis l'esprit, cherchent à s'en évader. Cette quête de la liberté totale mène droit au « démon de la perversité », sorte de tentation suprême qu'a l'esprit de se délivrer absolument du corps en le faisant choir, quitte à se détruire lui-même. Par contrecoup, le corps manifeste sa puissance con-traignante. Véritable prison dont les murs se resserrent, il tente de précipiter dans le sordide abîme de l'inconscient, conscience et esprit. Poe, héritier romantique du siècle de raison, demeure particulièrement fasciné par le pouvoir souverain de l'esprit étincelant. Mais ce pouvoir se paie cher. À la postulation vers le haut, répond une postulation aussi radicale vers le bas.

La démarche d'Hitchcock est inverse. C'est la postu-lation irrésistible vers le bas qui déclenche, in extremis, la postulation vers le haut. L'esprit et la conscience sont fascinés par le corps, ses instincts et ses sensations. Et plus profondément encore, par cet état fœtal d'où l'être est issu et où il se réduisait à ses seules impressions corporelles. Le processus de dissociation de l'être est donc, chez notre cinéaste, régressif. *Psycho*, pour peu que nous prenions la peine de l'examiner dans cette optique, en offre un exemple fort clair.

Scène I : la chambre d'hôtel à Phœnix. Les relations très intimes qui viennent d'unir Marion et son fiancé Sam peuvent être comprises comme celles qui lient la conscience (l'âme) à l'esprit. Oh! certes, il ne s'agit pas d'un esprit sublime qui aspire à la transcendance. L'aspect borné et fade de ce fiancé en montre assez la limite. Il ne se préoccupe que d'obstacles matériels à son mariage – traduisez : l'esprit se fixe sur son impuissance face à la vie, face à la sexualité, face à la création – qui avivent les craintes d'une conscience trop désireuse de voir réaliser, rapidement et sans effort, son rêve. L'acte d'amour qu'ils viennent (ou non?) de commettre marque ce désir de communion charnelle qui, à la fois, obsède l'esprit et inquiète l'âme. Dès le départ, l'appel du corps est là, irrésistible[1].

Scène II : égarement de la conscience. Abandonnée à elle-même, affolée et paralysée par sa prise de conscience des difficultés à surmonter, l'âme abdique son rôle de sentinelle et cède à la solution de facilité. Elle se laisse graduellement hypnotiser, posséder par l'argent, lequel, nous l'avons vu, s'impose à elle comme un moyen magique : celui de résoudre les problèmes matériels (l'impuissance de l'esprit face à la vie), celui de dissiper, en s'adonnant à la recherche de sensations nouvelles, l'obstacle charnel (l'impuissance face à la sexualité). Et ce moyen est le cadeau empoisonné qu'elle compte offrir à l'esprit, à son fiancé qu'elle court rejoindre pour le délivrer de son obsession et s'unir enfin à lui. Mais ce moyen ne vient pas d'elle. Il est un subterfuge, un charme auquel elle a succombé et qui va opérer en se retournant contre elle. Dans son égarement (la promenade en voiture), la conscience subira une double dissociation.

D'abord, en elle-même. La conscience, en effet, dans

la rêverie poétique, est toujours conçue comme une veilleuse c'est-à-dire à la fois lumière et vigilance. Que l'âme, en pleine nuit, se soit laissée aller à s'assoupir au cours de son trajet (le moment où Marion dort au bord de la route) implique un tel manque à son devoir que cette faute suscite un sursaut de ce qui reste de conscience véritable en elle-même. Son remords s'incarne dans le motard qui, en plein jour, la réveille. Il représente la raison même de l'activité de la conscience : la vigilance de tous les instants d'un agent de l'ordre tant externe qu'interne. Mais le rappel de sa mission, loin d'aider l'âme à se ressaisir, accélère sa fuite et sa propre dissociation. Cette dernière nous est rendue sensible, cinématographiquement. Il y a scission quasi insoutenable à l'intérieur de la même image : la vue du paysage qui défile s'oppose à celle du motard dans le rétroviseur. Jusqu'au moment où cette scission devient effective : le motard quitte la route. Ce qui provoque l'autre dissociation, celle de l'être.

En effet, pour échapper définitivement à la présence obsédante de la conscience vivante, l'âme éprouve le besoin de changer d'enveloppe, de corps. Marion achète une voiture d'occasion. Avec ce nouveau véhicule, l'âme espère s'abandonner sans contrainte à son impulsion irrésistible et « semer » ce qui reste en elle de conscience vivante. Mais le fait même d'émettre ce vœu fait surgir le motard qui la regarde partir : effectivement, il ne peut plus rien pour elle. Ils n'appartiennent plus au même corps. Ainsi, au moment où l'âme troque son enveloppe pour une autre, elle se coupe du secours que lui apporterait sa vraie conscience, elle précipite la dissociation de son être. Son esprit fonctionne maintenant en dehors d'elle. Il tourne dans le vide. Ce concert de voix extérieures qu'elle entend s'achève par celle du fiancé – de son propre esprit – qui condamne l'absurdité de son acte. Mais il est trop tard. L'âme n'est même plus sensible à l'évidence de ce raisonnement logique. Elle est entièrement soumise à sa pure sensation, qui la mène vers son destin tragique. Elle a perdu l'esprit.

L'âme s'enfonce alors dans les ténèbres. Et son erreur est de se croire capable encore d'assumer son rôle de conscience, c'est-à-dire de veilleuse (lumière et vigilance). Elle cherche à préserver son état de veille des phares d'auto qui l'aveuglent, car, maintenant qu'elle s'est obscurcie, toute lumière lui devient insupportable. Incapable de poursuivre une lutte qui fut sa raison d'être, épuisée, au bout de son égarement (elle s'est engagée sur une mauvaise route), il lui faut s'arrêter, alors qu'elle était presque parvenue au terme de son trajet (elle ne se trouve plus qu'à une vingtaine de kilomètres de son fiancé). Sur le chemin qui la conduisait vers l'esprit, elle ne pouvait rencontrer que le corps. Dès le départ, elle s'était livrée à son pire ennemi.

Scène III : triomphe du corps sur la conscience. En pénétrant dans le motel (que signale une enseigne lumineuse sur laquelle brille l'éclat fascinant du mot « vacancy »), l'âme entre dans le domaine de l'inconscient, des instincts et des sensations dont Norman est le régent. Par amour et dévouement pour l'esprit, elle a mené l'être jusqu'au seuil de sa postulation vers le bas. Dans l'état d'hypersensibilité maladive où elle se trouve – car la sensibilité est la seule qualité fondamentale qui lui reste de sa nature de conscience – l'âme, au contact de ce monde affreusement solitaire dont elle mesure soudain l'horreur, la misère et la désolation, l'âme, donc, se ressaisit et postule à nouveau vers le haut. Après le sinistre repas pris en compagnie de l'inquiétant et pitoyable Norman, Marion décide de revenir sur ses pas, avouer sa faute et restituer l'argent. L'âme se sent alors délivrée du poids de sa culpabilité, et aspire à reprendre son rôle de conscience, à se purifier (la douche). Mais il est trop tard. Maintenant qu'elle s'est coupée de la force de l'esprit, ainsi que de la vigilance de la conscience, elle s'offre, innocente et sans défense, au corps : elle est sous la complète dépendance des instincts et des sensations sur lesquels elle comptait pour conjurer l'impuissance de l'esprit.

Dans sa lutte éternelle contre l'esprit pour la maîtrise absolue de l'être, le corps cherche à s'approprier le meilleur auxiliaire de son ennemi : la conscience. Il vise à la faire changer de bord, à la transformer en une esclave soumise. Ici, il y parvient presque. C'est, en effet, en esclave soumise, alliée et amie, que l'âme possédée par l'argent dérobé, symbole de tout ce qui peut satisfaire les exigences matérielles du corps et ses aspirations sordides, pénètre dans l'univers de Norman. Mais, à partir du moment où l'âme reprend sa liberté, l'argent perd à ses yeux ce pouvoir magique par lequel le corps la retenait captive. Sa soudaine décision la change de nouveau en auxiliaire fidèle de l'esprit, donc en ennemie. C'est elle, désormais inaccessible, qui prend, en regard du corps, un caractère magique. Le corps se laisse hypnotiser, fasciner par un charme et une beauté qui lui sont à jamais interdits et, ne pouvant plus la posséder, détruit ce cadeau qui se donne involontairement, mais complètement, à lui. Ainsi, Norman se comporte vis-à-vis de Marion comme celle-ci l'avait fait par rapport à l'argent. À la fin de son périple, elle a pris la place de l'argent. De sujet qui s'est laissé envoûter par le pouvoir illusoire de l'objet, elle devient d'autant plus objet de convoitise que son pouvoir est vrai et qu'est illusoire le sujet qui cherche à l'anéantir pour la posséder enfin.

Chimérique, en effet, est le rêve du corps. Il entend, nous l'avons dit, conserver ce privilège de la période fœtale, où il était le tout de l'être. Il se refuse à accepter la naissance. Celle-ci exige qu'il se soumette à une conscience et à un esprit issus de lui, et qui l'entraînent vers l'avenir, la lumière, la vie. Il oppose, pour annihiler leur action, une autre conscience et un autre esprit, issus tout autant de lui, mais qu'il développe négativement, dans la direction diamétralement opposée, vers le passé, les ténèbres, la mort. Ce dédoublement de l'esprit et de la conscience prélude à celui du corps lui-même. Par une ascèse rigoureuse, mais négative, qui consiste à nier jusqu'au sacrifice les besoins vitaux du corps réel (nutrition, sexualité, affectivité), parce qu'ils sont les signes évidents de cette naissance qu'il refuse, Norman vise à n'être qu'un corps « immatériel », simple enveloppe impressionnable, véhicule des désirs, tendances, instincts et sensations. Ce corps imaginaire, cette enveloppe ténébreuse est, nous le savons, à la base de la création hitchcockienne. Il apparaît toujours sous un aspect à la fois séduisant et inquiétant (Oncle Charlie, Madeleine, Vandamm, etc.). Il est l'incarnation du reflet narcissique à la fois admiré dans le miroir, mais craint parce que soupçonné d'être animé d'une vie propre.

C'est pourquoi nous ne verrons jamais, tout au long de *Psycho*, l'image de Norman dans une glace. En perpétuelle représentation théâtrale par rapport à lui-même, il s'imagine être son propre reflet, il n'existe que derrière le miroir. Jamais, à une exception près : au moment où il apporte le repas dans la chambre de Marion. Celle-ci sort au même instant, et tous deux conversent sur le palier, entre la chambre et le bureau du motel. Pendant le temps que dure leur bref dialogue, nous apercevons le reflet de Norman, un reflet très faible d'ailleurs, dans la vitre de la fenêtre. À cet instant, en effet, il accepte la réalité de son corps : il cède à son besoin de sexualité, d'affectivité, de communication. Son dédoublement visuel correspond au conflit qui le déchire et sera cause du drame qui s'ensuit.

Quel conflit ? Quel drame ? Ceci : Norman, à partir d'un corps fictif, s'est construit un être imaginaire, à la conscience maladive, entièrement vidée de ce qui la constitue (elle s'est même privée de son dernier atout, la sensibilité), à l'esprit résolument négatif (la mère), une apparence de l'être, donc, qui s'oppose radicalement à l'être véritable, bloque son évolution, provoque l'obsession de l'esprit et la défaillance de la conscience. Pourtant, le corps imaginaire ne résiste pas au contact de cette dernière. Sa fiction s'écroule. Le corps réel se sent invinciblement attiré par le monde de la vie auquel, qu'il le veuille ou non, il appartient d'abord. Il rêve d'avoir avec la conscience la même intimité amoureuse qui existait entre elle et l'esprit, au début du film. Il ne s'agit pour lui que de rétablir l'harmonie à son profit. Sa fiction deviendrait alors réalité.

Mais la vanité et le danger de ce fallacieux espoir n'échappent pas à l'esprit négatif. Il sait bien que le corps ne peut se soumettre qu'à la conscience et à l'esprit vrais. Le corps à la fois fictif et réel (Norman) persiste toutefois dans son illusion, jusqu'au moment où il s'aperçoit qu'à son contact la conscience s'est délivrée de son emprise. Elle lui apparaît désormais, dans son innocence et sa liberté, comme inaccessible. Jamais il ne pourra la posséder, ni même s'unir à elle, sans renoncer à l'être fallacieux par lequel se manifeste la duplicité de sa nature, sans renier cette nature et accepter sa naissance, donc son esclavage. Ne parvenant pas à franchir cette étape décisive, qui exigerait de lui un effort inconcevable, le corps fait appel à l'esprit négatif – puisque seul l'esprit est apte à détruire la conscience – pour tuer l'âme. Puis, en précipitant cette dernière dans les marais fangeux de l'inconscient, le corps se persuade qu'il demeure le maître absolu de l'être (d'où le caractère de domination diabolique que revêt l'image où Norman contemple et savoure le spectacle de la voiture de Marion s'enfonçant dans les eaux noires de l'oubli).

Scène IV : triomphe du corps sur l'esprit. Mais, tant que le corps réel et l'esprit lumineux coexistent, l'être vrai ne peut disparaître. C'est pourquoi, aussitôt après que Norman eut englouti la voiture de Marion, nous retrouvons l'esprit positif : le fiancé de Marion, que vient déranger, dans sa quincaillerie, la sœur de Marion, Lila. Celle-ci, évidemment, est une nouvelle incarnation de la conscience. Après le moment de dépression où l'âme a sombré dans l'inconscient, et parce que cette âme, avant d'être détruite par le corps, s'était ressaisie, elle ne peut que resurgir. La conscience, donc, vient faire part à l'esprit de la crainte que soulève la défaillance d'une parcelle d'elle-même. L'esprit partage d'autant plus cette crainte qu'il sait que son obsession est cause du trouble profond de sa compagne disparue. Et cette crainte, ce remords se matérialisent sous les traits du détective privé qui représente la part raisonneuse, déductive, inquisitrice, policière de l'esprit. Ce que Poe appellerait l'esprit-mathématicien, par opposition à l'esprit-poète.

Or, l'esprit dépêche vers le corps cet esprit déductif, dans l'intention de couvrir sa propre faute. Il espère, par la seule force persuasive du raisonnement, empêcher la scission de l'être, dont il est à l'origine. Erreur fatale. Déjà, dans le cas de Marion, ce raisonnement logique, loin de résoudre sa crise l'a précipitée (scène des voix dans la voiture). Raison de plus de s'attendre à une réaction encore plus violente du corps. D'autant que l'esprit raisonneur ne vise à rien moins que convaincre l'esprit négatif de faire cesser le dualisme dans l'être (on se souvient que le détective pénètre dans la maison de Norman pour traiter avec la mère). Une telle méconnaissance de la violence déréglée de l'esprit néfaste mène l'esprit déductif à une impasse fatale. L'esprit négatif – car, là encore, seuls deux esprits peuvent se combattre – se précipite sur l'autre et le tue. L'être inconscient pense ainsi interdire l'accès de son domaine, celui de la folie, à toute logique. Le corps peut contempler triomphant sa victoire, en voyant

135

s'engloutir l'esprit déductif dans les ténèbres liquides.

Scène V : victoire de l'esprit et de la conscience réunis sur le corps. Après cette double postulation vers le bas qui s'est soldée par le plus violent des échecs, l'être vrai est contraint de se ressaisir pour échapper à la non-existence (car tant que l'être imaginaire parvient à maintenir sa fiction, à partir du corps réel, pour satisfaire ses tendances et ses sensations, l'esprit et l'âme de l'être vrai, quoique affaiblis, demeurent). L'être vrai ne peut toutefois se sauver qu'en avouant, pour la conscience, sa défaillance, pour l'esprit, sa faute. C'est la raison pour laquelle Lila et le fiancé confessent en pleine nuit au shérif à la fois le vol et la double disparition de Marion et du détective privé.

Que représente le shérif dans le cadre de cette interprétation ? Notons d'abord qu'il appartient à la police officielle, ce qui le différencie du détective privé. Ce dernier ne pouvait, on s'en souvient, agir ouvertement. Il devait garder secret le vol des quarante mille dollars. Il était ligoté par l'obsession d'impuissance de l'esprit positif, c'est-à-dire, en fait, sous la coupe de l'esprit négatif. En revanche, le shérif, parce qu'il ne peut agir qu'ouvertement et que sa fonction consiste à affronter la réalité tant externe qu'interne pour lui imposer l'ordre, ne connaît point l'impuissance. C'est l'esprit lumineux, sûr de sa force et de sa connaissance. Face à lui, l'esprit négatif ou ténébreux qui participe d'un être fictif n'existe pas : le shérif sait que la mère de Norman est morte depuis dix ans. De même, sûr de sa souveraineté bienveillante et éclairée, il a envers le corps qu'il ne craint pas, qui ne l'obsède en rien, sur lequel il est tout-puissant, une attitude ferme, mais paternelle (son coup de téléphone à Norman).

L'aveu de leur postulation vers le bas, que le fiancé et Lila font au shérif, ne suffit pas. Ils se doivent maintenant de postuler vers le haut, c'est-à-dire d'affronter la réalité

136

corporelle qu'ils avaient fuie. C'est là une aventure périlleuse, qui exige d'eux le maximum de vertu (l'union de l'âme et de l'esprit perd donc son caractère charnel. Elle se veut, désormais, désintéressée et noble). Nous retrouvons Lila et le fiancé, attendant en plein jour la fin de l'office religieux d'où sort le shérif. L'esprit lumineux doit leur transmettre la force spirituelle qu'il a été puiser auprès de la Lumière.

En pleine possession de leurs qualités respectives, l'esprit et la conscience entrent dans le domaine obscur et tortueux de l'inconscient. Il n'est pas utile de redécrire ici le processus de leur victoire : nous recouperions ce que nous avons dit précédemment au sujet de la psychanalyse de la maison par Lila, c'est-à-dire sa prise de conscience. Seulement quelques remarques. Il revenait nécessairement à la conscience, qui est lumière, vigilance et sensibilité, le soin d'explorer, en plein jour, le monde de l'inconscient. D'autre part, cette victoire ne peut s'obtenir que grâce à l'union idéale de l'esprit et de l'âme. Dès qu'il se trouve seul avec le corps, l'esprit encore possédé par sa fixation passée, se révèle moins prompt que le réflexe instinctif de celui-ci. De même, seule en face du corps, la conscience est sans défense. Mais son cri, cri d'alarme et cri d'appel, fait surgir aussitôt la force de l'esprit qui désarme et neutralise le corps, dans le même temps qu'il démystifie l'être fictif.

Scène VI : résurgence de l'esprit de raisonnement. La défaite du corps s'accompagne aussitôt d'un retour des facultés qu'il avait annihilées. Et d'abord, celui de l'esprit déductif. Le psychiatre qui explique le cas de Norman doit être considéré comme la résurrection du détective privé. La solution du mystère, qui avait non seulement échappé à l'esprit rationnel, mais lui avait valu la mort, parce qu'elle était le fruit d'un esprit obsédé, devient simple et claire, du moment qu'elle est voulue, d'une façon *ouverte* et

137

publique, par un esprit qui a su affronter, dominer et résoudre, par et dans l'action, cet obstacle. Le psychiatre ne fait donc qu'exposer d'une manière rationnelle le chemin tortueux parcouru par les instincts refoulés, chemin qu'avait effectivement suivi, en le désenvoûtant, Lila, c'est-à-dire la conscience. Notons que Lila, le fiancé et le shérif assistent muets à cette explication du psychiatre, et qu'il s'agit là de leur dernière apparition.

Le mystère en quoi résidait la puissance effrayante du corps est enfin dissipé au profit de cette évidence : sa puissance n'est que pure illusion de l'esprit et affolement de la conscience. Débarrassé de tous ces oripeaux chimériques et magiques, grâce auxquels il détenait son pouvoir, le corps apparaît à la lumière et aux regards de tous comme une misérable défroque en détresse. Qu'il désire se nier en tant que corps réel, pour se présenter uniquement comme fondement de l'être fictif, ne sert plus à rien désormais. Sa postulation vers le haut, qui consiste à se réfugier totalement dans l'esprit négatif, maintenant que nous connaissons les ruses vaines de ce dernier, apparaît comme l'ultime et dérisoire effort pour sauver l'inexistence de cet esprit. Car est inexistant ce qui ne peut plus avoir de prise sur la réalité. Cet esprit qui, par volonté de puissance, provoqua l'impuissance de l'être est renvoyé à ce qu'il est quand on le regarde froidement et lucidement, c'est-à-dire à sa propre impuissance, qui libère la puissance de l'être. D'objet de crainte, il devient objet de pitié. Le corps n'est que mort. Il tend nécessairement vers la mort et se confondra toujours avec elle (le fondu-enchaîné avec la tête de mort).

Scène VII : résurgence de la conscience engloutie. La fin du mystère du corps délivre la connaissance de l'inconscient. La conscience engloutie, ayant malgré tout conservé son activité obscure de conscience au sein de cette masse

138

ténébreuse, resurgit à la lumière. Elle change alors l'inconscient en conscience, pour la plus grande intégrité, plénitude et le triomphe de l'être véritable (le dernier plan du film qui montre l'extraction de la voiture de Marion des eaux noires du marais que, pour la première fois, nous voyons en plein jour). Dans cette réflexion sur la connaissance de l'être qu'est *Psycho*, Hitchcock semble ainsi affirmer que cette connaissance appartient davantage à l'artiste, qui ose tenter l'aventure de plonger dans l'inconscient, qu'au savant, qui se contente de la simple explication rationnelle. Réaffirmation d'une vérité vieille comme le monde : il faut oser se perdre pour se retrouver pleinement.

Reste toutefois à nous demander de quel droit nous baptisons les personnages : esprit, conscience et corps. Quel est cet être que nous analysons ainsi ? Il est d'abord celui du héros du film, Norman, en lequel se livre la bataille. Il est ensuite l'être même d'Hitchcock qui projette sur l'écran sa propre introspection et la réflexion qu'elle suscite en lui. Il est enfin nous, spectateur. Les notions d'esprit, de conscience, de corps que nous collons au personnage ne sont pas autre chose que les réactions que suscite en notre esprit, en notre conscience et en notre corps, le spectacle. Il suffit donc d'examiner notre réceptivité au film pour fonder notre discours.

Alléché par une publicité orchestrée par Hitchcock même, et qui nous promet de grands frissons, nous sommes, face à *Psycho*, comme Stewart dans *Rear Window*. Notre appétit de « voyeur » trouve aliment dès l'entrée, où la caméra pénètre d'une façon indiscrète dans une chambre aux stores baissés, en plein après-midi. Et, dans cette chambre, un couple sur un lit s'embrasse, s'étreint, manifeste une grande soif charnelle. Immédiatement, notre esprit est vivement intéressé par ce spectacle dont il se sent frustré. Il voudrait « en voir plus ». Si encore le torse de John Gavin peut satisfaire, à la rigueur, la moitié d'une salle, le fait que Janet Leigh (Marion) ne soit point nue est mal supporté par l'autre. Ce désir éveillé doit trouver logiquement sa conclusion à la fin de la course de Janet. Elle sera nue, totalement, en s'offrant totalement. L'acte sexuel qui s'accomplira sur elle sera, lui aussi, extrême. Donc l'idée sur laquelle se fixe notre esprit sera comblée au-delà de toute espérance.

Mais revenons à cette première scène. Notre conscience de spectateur, aiguisée par notre esprit salace, est à la fois d'envie et de mépris. Une femme qui accepte de faire l'amour dans une chambre d'hôtel borgne, en plein après-midi, dans sa propre ville de province, n'est pas digne d'estime. Nous pouvons lui prêter sans peine les tendances que nous refoulons. Par exemple, notre désir de vol. Car, revenue à son bureau, Marion assiste à une importante transaction. Le spectateur, que cette tranche de vie professionnelle commence à ennuyer, souhaite qu'il se passe quelque chose. Et justement – pourquoi pas ? – que Marion prenne l'argent pour elle (la transaction étant irrégulière, il n'y aurait pas de preuves, et le propriétaire de l'argent est véritablement odieux : de plus, son patron la charge de porter les 40 000 dollars à la banque et, comme cela se passe un vendredi après-midi, on ne pourra découvrir le vol avant le lundi suivant). De sorte que Marion ne se laisse progressivement posséder par cette somme que parce que nous l'y poussons. L'acte – « notre » acte – accompli, la voilà sur la route.

Un motard l'arrête : simple constatation d'identité. Un sentiment d'inquiétude s'empare de nous. Ce sentiment va aller s'amplifiant : le motard la suit. Que lui veut-il ? A-t-on déjà découvert le vol ? Or, nous souhaitons d'ores et déjà qu'elle réussisse. Nous sommes de tout cœur avec

140

elle. Mais cette pensée altruiste couvre notre propre crime que Marion est chargée d'assumer. Sous l'apparence de sympathie, notre conscience dissimule un désir vil. Désir qui sera comblé; le motard, qui incarne notre sentiment de culpabilité, abandonne sa filature.

En le repoussant, nous refusons la part honnête de notre conscience, afin de mieux jouir sans risque de ce vol que nous faisons commettre par Marion. Nous la contraignons ainsi à fuir le salut, et la livrons, en proie à tous les délires, des puissances nocturnes. Bien que nous sachions que ce vol est absurde, que notre héroïne sera découverte – l'audition de « ses pensées » en nous en paraît que plus convaincante – cela nous est égal. Nous la sacrifions délibérément à notre délectation. Toutefois, devant son état de fatigue qui la rend incapable de supporter l'éclat des lumières, nous souhaitons qu'elle s'arrête, maintenant que nous savons qu'elle n'est plus suivie par le motard et qu'elle est passée outre aux objurgations de son esprit. D'où notre soulagement, lorsqu'elle descend au motel. Mais le côté insolite des lieux et de l'hôte provoque en nous une sourde angoisse. Nous pressentons un danger, d'autant plus que Marion est seule dans cet endroit sinistre, seule dans sa chambre, la fenêtre grande ouverte, lorsqu'elle cherche à cacher son (« notre ») argent. Et ne trouve-t-elle rien de mieux que de le placer en évidence sur la table de nuit. Dès lors, nous avons tout à craindre. À craindre que, pendant qu'elle dînera, on ne subtilise les billets. L'inquiétude, jointe à l'ablation momentanée du sens moral, avive notre faculté d'imagination, au détriment de celle d'attention. La conversation insolite entre Marion et Norman nous semble trop longue, et commence à nous lasser. Par surcroît, le personnage de Norman (dont nous ne saisissons pas très bien l'utilité) nous apparaît de plus en plus étrange, irritant, malsain. Ce n'est encore qu'une impression. Mais, dans l'état d'atrophie où nous avons plongé notre conscience, cette dernière ne réagit qu'à la pure impression. Si bien que nous partageons le sentiment de pitié, mais surtout de répulsion, qu'éprouve l'héroïne à l'égard de son hôte.

Or, ce sentiment entraîne Marion à prendre une décision qui contrarie nos vœux. Elle décide de restituer « nos » dollars. Pourtant, à bien y regarder, elle accomplit jusqu'à son terme le premier élan de notre conscience. Elle lui donne sa conclusion logique : rendre l'argent est, pour elle, la seule façon de nous délivrer de notre crainte à son sujet : quitter ces lieux est la meilleure manière d'échapper au malaise créé par Norman, sa mère et cet étrange motel. Seulement, en renouant avec notre sens moral qui épouse ici le simple bon sens. Marion déçoit notre attente. Nous étions prêts à satisfaire par son truchement nos désirs troubles. En y renonçant, en décidant d'assumer seule son destin, Marion ne nous intéresse plus. Nous la rejetons. Elle est morte en notre esprit. Nous la sacrifions à notre appétit de voyeur.

Presque à l'instant même, cet appétit est comblé. Notre attention, de nouveau, est sollicitée. Norman, comme nous, est un voyeur. Par un trou pratiqué dans son bureau, il surveille sa cliente en train de se déshabiller. À cet instant précis, il y a transfert : c'est Norman qui devient le héros. Marion cesse de nous représenter. Sa nudité éclaire la véritable signification qu'elle a pour nous. Nous l'avions prise épisodiquement pour héroïne, afin de mieux dissimuler qu'elle n'était qu'un pur objet de convoitise. L'instinct sexuel fut seul à l'origine de l'intérêt que nous lui avons porté.

Ce transfert, qui justifie la construction même du film, nous contraint à reconsidérer sous l'angle de notre véritable motivation (la sexualité) notre attitude depuis le début du spectacle. Car, parvenus où nous sommes, le vol – nous l'avons vu – cesse de nous intriguer (à partir du moment où la voleuse s'en désintéresse). En outre, le fait que cette dernière commence à se déshabiller, lorgnée par Norman (et par nous, puisque la caméra regarde par le trou) fait naître en notre esprit l'idée de viol. Fait renaître, plus exactement. Cette idée, nous l'avions formulée à Phoenix, dans la chambre de l'hôtel borgne. Avec la caméra, nous avions pénétré dans la chambre par les volets clos. Nous y avions surpris des amants déshabillés. C'était pour constater que nous étions arrivés trop tard après l'acte. Nous nous sommes sentis frustrés, sans oser nous l'avouer, évidemment. Comme nous n'étions qu'au tout début du film, encore soumis aux préjugés et contraintes de notre mentalité quotidienne, nous avons préféré enfouir ce désir « déshonnête » – à peine avait-il effleuré notre esprit – dans les profondeurs de notre subconscient. Nous l'y avons laissé sommeiller dans un pseudo-oubli, en lui substituant une autre idée plus anodine et moins compromettante, en apparence : celle de vol.

Car cette idée de vol pouvait faire illusion : le vol, dans la vie courante et plus particulièrement dans une civilisation de consommation, n'est-il pas une tentation permanente. De plus, elle comble, pour un moment, nos désirs troubles. Elle nous permet de nous intéresser à cette femme désirable, pour un motif autre, apparemment, que sexuel. C'est pourquoi nous allons trouver les meilleures raisons pour « comprendre » son acte. Le possesseur des 40 000 dollars est odieux. Son attitude grossière et équivoque nous choque d'autant plus que son comportement est celui que nous aimerions, dans notre for intérieur, adopter à l'égard de cette femme que nous préjugeons facile parce que visiblement « paumée ». Indigné, il nous faut donc blâmer cet indélicat personnage. Par bonheur la transaction qu'il effectue est illégale. Voilà qui nous autorise à le mépriser, et excuse, à nos yeux, le geste de Marion. Son vol, auquel nous la poussons de tous nos vœux, nous procure l'agréable impression de rendre justice. Il nous donne bonne conscience.

Il couvre en fait notre duplicité. Car, reconnaissons-le, ce n'est point l'irrégularité de la transaction qui nous chiffonne. Lequel d'entre nous refuserait de la commettre, dans sa vie quotidienne, s'il en avait l'occasion. Non, ce qui est insupportable, c'est que ce balourd nous écrase de sa richesse ; qu'il nous nargue, en promenant sa liasse de billets tentateurs sous le nez de notre belle : qu'avec son argent, il est sûr d'assouvir, à notre détriment, sa concupiscence. Il est un rival dangereux qu'il nous faut éliminer. En obligeant Marion, par la force de nos désirs, à se laisser posséder par ces dollars, nous la possédons désormais. Lorsqu'elle s'empare de cette somme, elle nous appartient.

Libre à nous de donner le change : de tromper notre appétit sexuel en goûtant sans risque, mais avec délices, les émotions fortes du vol, alors qu'en réalité nous excitons cet appétit ; de nous apitoyer mélodramatiquement sur le sort de la voleuse. Bien que nous ne soyons pas dupe, il nous plaît de croire que nous sommes le vengeur d'une infortunée. C'est pour mieux, comme chez Sade, en être le bourreau. Le truchement de notre bonne conscience fait sombrer réellement notre conscience. Notre participation active au vol a vaincu les ultimes scrupules de notre mentalité conformiste. Les fausses barrières morales s'écroulent. Déjà, la voix de l'instinct sexuel que nous prétendons repousser avec horreur, résonne à nos oreilles. C'est celle de la mère qui met l'accent sur le trouble que l'arrivée nocturne de Marion, seule dans un motel avec un homme, ne peut manquer d'éveiller en l'âme de notre futur héros, c'est-à-dire en nous-même.

En effet, dès que Norman montre sa chambre à Marion,

l'idée d'un rapport coupable afflue immédiatement à notre esprit. Mais nous la rejetons. Elle est pourtant si forte qu'il faut que la mère l'exprime ouvertement. Désormais, nous ne pouvons plus l'ignorer. D'où le malaise que nous ressentons durant la conversation dans le bureau. Marion est notre « chose ». Nous ne voulons la céder à qui que ce soit (ni au possesseur des 40 000 dollars, ni au motard, ni à Norman). Or, sous la bizarrerie de son discours, nous ressentons le trouble (notre trouble) de Norman. À tout moment, nous craignons qu'il se précipite sur la jeune femme, tant son comportement est étrange, ce qui justifie la sorte de répulsion qu'il nous inspire alors. En fait, il s'agit de la répulsion envers notre propre agressivité sexuelle. Il nous faut chasser cette « mauvaise pensée ». Ce qui explique pourquoi nous feignons de nous préoccuper de notre argent, si sottement abandonné.

Mais que Marion cherche à recouvrer sa liberté, qu'elle nous renvoie par la même occasion à notre sens moral, voilà qui paraît soudain intolérable. Certes, comme nous l'avons montré précédemment, si nous étions sincères et logiques avec nos réactions apparentes de pitié, nous prendrions le parti de l'héroïne (qui resterait alors *notre* héroïne) et désirerions, en effet, qu'elle rende la somme dérobée. Mais cela irait à l'encontre de nos vrais mobiles. Nous ne nous sommes faits complices actifs d'un vol que pour mieux exiger la soumission totale de son exécutante à notre bon plaisir. Nous sommes avec elle comme le chat avec la souris. Nous la laissons libre, tant qu'elle demeure sous notre emprise. Mais, au moment où elle va nous échapper, nous sortons les griffes. La férocité de l'instinct sexuel resurgit avec une violence et une agressivité d'autant plus accrues que nous avons, d'une part, fortifié cet instinct en le refoulant, d'autre part, annihilé l'unique obstacle qui s'opposait à lui : notre conscience. Celle-ci cède brutalement
145

sous la poussée de notre impulsion irrésistible. Le « corps » (Norman) devient, à cet instant précis, notre héros, Marion (la conscience morale), comme le vol, n'en était que l'appât et l'alibi.

Notre duplicité éclate ainsi au grand jour. Nous avons sur l'écran deux héros. Ce dédoublement de notre conscience de spectateur nous est insoutenable. Les deux attitudes superposées depuis le début du film ont créé en nous un état de tension de plus en plus aigu qui doit aboutir à la rupture. Tant que les souhaits de pitié envers l'héroïne ont pu se concilier avec les exigences de nos mobiles profonds, il nous a été possible de nous jouer la comédie, bien qu'à partir de l'arrivée de Marion au motel, cet exercice d'équilibre soit devenu périlleux. Mais, dès que la voleuse renonce à son vol, qu'elle satisfait ainsi le souhait de la réaction apparente au détriment du souhait de la réaction profonde, le divorce est manifeste.

Il nous faut le résoudre, et vite. Sinon, nous serions obligés de prendre conscience de ce que nous refusons, et surtout d'admettre qu'en la personne de Marion, complice devenue témoin gênant, c'est notre propre conscience morale que nous aspirons à supprimer. Elle contrarie à ce point notre duplicité, notre refus tenace de reconnaître l'obscur mobile qui nous anime, notre envie de continuer à jouir passivement de notre situation confortable de spectateur vicieux, que nous n'imaginons qu'une seule solution : nous en débarrasser. Mais, dans notre lâcheté de consommateur et de glouton optique, nous entendons nous décharger sur un autre d'une action si téméraire. Nous poussons Norman à regarder par le trou du mur, nous lui suggérons l'idée de viol, nous lui transmettons l'envie de tuer Marion. Ayant ainsi projeté la force de notre désir sur notre nouveau héros, il nous est loisible d'escamoter notre responsabilité. Mieux : de nous réfugier dans notre « bonne conscience » en changeant, selon le phénomène classique d'inversion, notre désir en crainte. Ce tour de passe-passe accompli, nous pressentons la menace qui pèse sur Marion – puisque nous sommes à son origine. Nous nous en effrayons. Cela nous autorisera à mieux nous apitoyer sur le sort de la victime, tout en jouissant au maximum de la vue de son meurtre, forme exacerbée de l'idée de viol.

Mais qui va commettre ce meurtre, nous procurer cette divine surprise ? Norman ? Rien de plus logique. Mais nous venons d'en faire notre héros, nous nous sommes identifiés à lui. Jamais, dans notre hypocrisie fondamentale, nous n'admettrions qu'il accomplisse un forfait aussi horrible. Ce serait avouer plus que notre complicité, plus que notre participation : que nous sommes l'instigateur du crime. À ce dilemme, nous ne voyons d'issue qu'irrationnelle. Qui, à part Norman, peut commettre une si lâche action. Eh bien ! tant pis, personne. L'essentiel est que la force de notre instinct sexuel trouve un exutoire sur l'écran ; que Marion, qui s'offre à nous, sous la douche, dans la splendeur sans voile de son innocence retrouvée, ne nous échappe pas : que soit réglé une fois pour toutes le dédoublement des deux héros, source d'angoisse. Et parce que notre désir, changé en crainte, ne veut pas reconnaître la forme qui doit le réaliser, cette forme sera imprécise. Une sorte d'ombre, d'ectoplasme. Mais, exaspérés par notre attente, désir et crainte sont au summum de leur intensité. La force que nous transmettrons à cette forme imprécise sera d'une puissance terrifiante.

Aucun détail ne nous en est épargné, ni les coups de couteau démentiels, ni la panique de la victime, ni le sang qui s'écoule par le trou du bac à douche. Ainsi cet acte monstrueux, hors du sens commun, s'est-il mis de lui-même comme entre parenthèses. Issu de la bouffée soudaine d'un violent appétit sexuel, au moment où Norman et nous-même avons convoité Marion par le *trou* pratiqué dans le bureau, il s'achève sur l'absorption vampirique du *trou* par lequel s'engouffre le sang de l'infortunée que nous avons livrée en holocauste. La visée meurtrière qui devait résoudre l'angoisse de notre dédoublement débouche sur l'insondable vertige du vide par lequel s'enfuit la spirale de la vie. La parenthèse se referme avant qu'elle ne nous étouffe. Nous nous croyons délivrés de l'étreinte de l'anxiété.

Grossière erreur. La vaine dépense d'énergie forcenée transmise à la forme imprécise nous laisse épuisé, sans réaction. Vide de toute pensée comme de sensibilité, notre regard contemple hébété notre œuvre, avant de se poser sur l'œil mort de Marion. Et cet œil ouvert, qui semble conserver la trace d'une indicible terreur jointe à un immense étonnement, nous fixe comme pour nous demander pourquoi. Un soupçon de remords s'insinue alors dans notre âme troublée, une amorce d'inquiétude menace, pour notre tourment, de réenclencher le fonctionnement de notre raison défaillante. Il nous faut rapidement trouver une réponse qui explique cette abominable tuerie et nous couvre en même temps[2]. À cet instant, survient Norman, un Norman dont le comportement trahit notre propre désarroi. Il s'épouvante du spectacle étalé à ses yeux. « *Oh! Mother, Mother!* », s'écrie-t-il apeuré. Ainsi donc, il n'est pas coupable. Ainsi donc, nous ne sommes pas coupables. Quel soulagement! Nous tenons la criminelle. Nous voici hors de cause. Avec l'apparition inattendue de cette mère vengeresse – coup de théâtre in extremis que, dans notre comédie, nous nous sommes ménagés à nous-même – l'idée de viol, par conséquent de sexualité, s'évanouit. Ce crime aberrant est si inimaginable, incompréhensible, fantastique, que sa raison nous échappe. Il nous devient étranger. Nous sommes lavés, à nos propres yeux, de tout soupçon. Nous pouvons renouer, en paix, avec notre bonne conscience. Nous ignorons encore que c'est elle qui nous perdra.

Pour l'instant, nous voilà aussi innocents que Norman, qui devient définitivement notre héros, notre unique héros même. Nous reportons sur lui, si affolé par le crime de sa « mère », si désireux d'en effacer les traces, la pitié que nous prodiguions naguère à Marion. Et, pendant qu'il s'emploie aux sordides travaux de nettoyage, nous sommes de tout cœur avec lui. Nous avons simplement hâte que cette opération finisse, tant nous aspirons à retrouver notre tranquillité d'esprit et notre confort digestif de spectateur-consommateur-voyeur. Nous sommes encore à la merci d'un promeneur, témoin gênant, perdu sur cette route peu encombrée. À la merci de notre nouvel exécutant. Norman. Ayant fait une rapide inspection de la chambre, pour vérifier s'il n'a oublié aucun objet personnel de la morte, il ne voit pas *notre* argent. (Ce qui prouve que Marion lui avait trouvé la meilleure cachette. Référence à Poe ? Peut-être.)

Mais il revient sur ses pas, comme s'il avait entendu notre angoisse muette, aperçoit le paquet et le prend. Nous espérons qu'il va découvrir les dollars et les conserver. Ce serait pour nous si engagés dans cette affaire – une façon de les récupérer. Mais notre héros les jette dans la malle arrière de la voiture, avec le cadavre et les affaires de Marion. Au fond, nous préférons cette solution. Maintenant que nous avons « possédé » la fille, ces dollars nous sont devenus inutiles, nuisibles même. Il vaut mieux, malgré la peine que nous en ayons – « money is money » – supprimer un indice qui risque de troubler notre tranquillité future. Et nous acceptons que notre nouveau héros réalise ce qui nous fit condamner notre ex-héroïne, l'abandon de l'argent, Norman précipite le tout (voiture, cadavre, affaires, argent) dans les eaux visqueuses et dormantes du marais. La voiture s'enfonce à moitié. Suspense. « Pourvu qu'elle disparaisse », prions-nous. Enfin elle immerge complètement. Nous poussons un soupir de soulagement. Les ténèbres – ou notre subconscient – ont englouti, croyons-nous, à jamais notre complicité et de vol et de crime. Notre culpabilité est effacée. Nous pouvons respirer. Tout est réglé.

Admirons ce nouveau tour de passe-passe. Il a merveilleusement réussi. Si bien réussi, même, que nous allons être les premières victimes. Loin d'avoir mis fin au dédoublement dont était affligée notre personnalité, nous l'installons sur l'écran, donc en nous, d'une manière autrement grave.

Avant le crime, en effet, notre trop intense participation au spectacle a éveillé, puis activé l'obscure et redoutable puissance de nos impulsions sexuelles (le *ça*). Elle a ainsi provoqué l'affrontement de deux réalités constitutives de notre personnalité : le *ça* et le *moi*, qu'incarnent respectivement Norman et Marion. Sous la poussée de nos instincts, cette participation a favorisé l'écartèlement progressif, puis le clivage en deux de notre *moi*. Le *ça* s'est emparé graduellement de notre *faible mot*, toujours prompt à céder aux sollicitations charnelles, ainsi qu'à la douce réminiscence de la jouissance fœtale, et l'a détaché complètement de ce gardien vigilant qu'est notre conscience. Son but final – et nous avons vu comment il y parvient – est de chasser, puis d'éliminer, avec la complicité inavouée de ce qu'il y a de plus sensoriel en nous, la conscience de notre *moi*.

Après le crime, maintenant qu'il est le maître de notre personnalité, qu'il gouverne à sa guise nos réactions de spectateur, le *ça* n'entend plus être délogé (pas plus que Norman, nous l'avons vu, de sa demeure). Or, la première réaction à laquelle doit parer cette puissance occulte survient juste à la fin du meurtre, au moment où nous fixe l'œil étonné de Marion. Si nous répondions à la muette interrogation de notre conscience, le *ça* – donc Norman – perdrait prise sur nous. Il lui faut donc s'embusquer, faire semblant de disparaître en tant que réalité. Sinon, lorsque nous nous ressaisirons, après la période de trouble où le crime nous a mis, nous saurions aussitôt qui est le coupable.

Le *ça* crée alors en nous un dédoublement imaginaire. Il invente un conflit entre deux fictions. Et il nous force à y croire, comme s'il s'agissait d'un affrontement entre deux aspects réels de notre personnalité : le *moi* et le *surmoi*. Car notre farouche refus de reconnaître l'origine sexuelle de notre participation nous force à nous attacher à la seule logique des apparences, c'est-à-dire aux formes du spectacle qui nous sont proposées – que nous nous proposons en fait à nous-même, puisque Norman, visualisation sur l'écran du *ça*, tient alternativement les rôles de ces deux fictions, auxquelles il paraît conférer ainsi une existence réelle.

D'une part, notre *ça* – ou Norman – invente un bouc émissaire, la mère : une mère que nous savons être autoritaire, abusive, impossible (dès sa première manifestation « officielle », l'instinct sexuel traversit son agressivité) ; une mère, fausse image du *surmoi*, de tous les impératifs, principes et règles imposés par le monde des « autres ». La parade est admirable. En projetant sur son ennemi, le *surmoi*, le caractère tyrannique de sa propre exigence, le *ça* se rend invulnérable. Il ôte à notre *moi*, lorsque celui-ci retrouvera sa lucidité, la possibilité de découvrir le vrai coupable : l'intervention surprenante de la mère fait disparaître, en effet, l'idée même de sexualité. Le *ça* est vraiment devenu ça : une chose monstrueuse, un démon mystérieux dont mobiles et psychologie nous demeurent totalement étrangers. D'où notre croyance immédiate en la fiction de la mère, fondée sur la conviction intime que cet objet de répulsion (par opposition à l'objet

151

de convoitise que fut Marion) n'a aucun rapport avec nous, mais appartient au « monde des autres ».

D'autre part, et pour achever la supercherie, le *ça* impose une fausse image de lui-même : celle, idéale, de notre *moi* qu'il figure désormais à nos yeux sur l'écran et sous lequel il puisse se camoufler. En effet, le *ça* demeure maintenant la seule réalité psychique qui nous anime, de même que Norman reste l'unique personnage qui, après le crime, agisse sur l'écran. Il lui faut, donc, pour dissimuler son existence, prendre un masque. Il revêt celui de notre fameuse bonne conscience qui a tant servi à nous illusionner auparavant et que Norman « réalise », désormais, en lui prêtant un semblant de consistance. Ainsi notre faible *moi*, qui, dans son affolement, a besoin de se raccrocher à quelque chose, peut-il s'identifier à cet infidèle reflet qu'est ce nouvel héros qu'il s'est choisi.

Cela lui permet de s'apitoyer sur lui-même, pauvre victime d'un *surmoi* excessif, et de s'émerveiller de sa « grandeur d'âme ». Car, éprouvant le besoin de nous justifier, nous avons soif de beauté morale. Quoi de plus noble et déchirant que le cas de conscience d'un fils face à une mère criminelle ! Et comme nous approuvons qu'il sacrifie la loi des hommes à la pure raison du cœur ! Un tel dévouement filial, un pareil sacrifice, voilà qui émeut le bon public prompt à larmoyer au mélo (car c'est une grande scène de mélodrame que nous joue et se joue Norman). Voilà surtout qui masque au spectateur la véritable opération d'escamotage qui s'effectue en lui. Pendant que nous participons si intensément à l'effacement des traces du forfait, notre *ça* se lave de tout soupçon. Et, lorsque Norman, avec notre bénédiction haletante, précipite la voiture de Marion dans le marais, il engloutit, par la même occasion, la réalité de notre libido dans l'oubliette du subconscient. Désormais, tout ce qui peut révéler que

Norman incarne le *ça* a été éliminé. Notre héros nous apparaît comme la digne figure idéale de notre *moi*, tel qu'il nous plaît de le rêver.

Voilà donc l'état de dédoublement imaginaire, d'autant plus dangereux que nous le considérons comme très réel, où nous a mené notre trop vive participation au spectacle (plus exactement : dont le spectacle a révélé en nous la menace latente). Nous sommes, par notre faute, pleinement mystifiés. Fini le temps de nous jouer, comme avant le meurtre, la comédie. C'est elle, maintenant, qui nous joue. Et ce, non seulement au sens figuré, mais au sens propre, puisque Norman, qui est notre « représentation », dans le même temps qu'il est victime de sa propre comédie, nous dupe absolument. « *Chacun est pris à son propre piège* », déclarait notre futur héros à Marion, dans son bureau. Nous le premier. Le plaisir malsain que nous escomptions du spectacle de *Psycho* va se transformer en une épreuve de plus en plus pénible, jusqu'à sa résolution par et pour notre salut.

Car enfin, que signifie le *ça*, la *libido*, l'impulsion sexuelle, si on les replace dans le contexte de pur spectacle de *Psycho* ? Rien d'autre que cet appétit de voyeur, ce goût des sensations fortes, ce désir d'émotions violentes et troubles que nous connaissons au spectateur hitchcockien. Or, cet appétit, ce goût, ce désir ont été éveillés dès le moment où nous choisissons de venir voir le film, et il est dans leur logique de ne plus connaître de frein à leur satisfaction. Nous avons beau nous persuader que la représentation du meurtre de Marion les a comblé, la vérité est que cette représentation n'a fait que les exaspérer. Si nous prétendons les contrôler à nouveau, après avoir été si longtemps de mèche avec eux, ils se dissimuleront pour mieux se satisfaire, non seulement malgré nous, mais contre nous.

Une fois la voiture de Marion engloutie, nous pensons avoir donné pâture suffisante à nos bas instincts. Dans le même temps, notre *moi* se croît délivré de son secret. Nous retrouvons aussitôt la plénitude de nos facultés, c'est-à-dire conscience (Lila) et esprit (Sam, le fiancé de Marion). Mais nous nous sentons fautif à leur égard. Certes, leur inquiétude répond à la nôtre. Elle n'est pourtant pas de même nature. Eux sont intrigués par le mystère de la disparition incompréhensible de Marion : en d'autres termes, par le phénomène mystérieux et momentané de l'évanouissement de la conscience et de l'inhibition de notre *moi* qui les a exclus provisoirement : c'est-à-dire encore par ce laps de temps où, trop soumis à nos sensations et nos souhaits, nous avons été incapables de lucidité et de raisonnement. En revanche, notre *moi* est animé de la vaine curiosité d'en savoir plus : de découvrir, pour le simple plaisir, quel visage, quelle forme possède cette mère criminelle. Simultanément, un autre souci nous agite : celui de répondre a la question posée par le mouvement d'appareil qui, du regard interrogateur de Marion défunte, allait jusqu'à l'argent placé sur la table de nuit, question qui trouble notre mentalité intéressée et utilitaire, incapable de concevoir un acte gratuit, dans le bien comme dans le mal. Maintenant que nous estimons avoir satisfait le bas mobile qui nous a poussés à acheter un billet pour voir *Psycho*, notre « bonne conscience » entend reprendre une attitude morale vis-à-vis du spectacle. Nous nous posons en vengeurs de l'infortunée victime (toujours ce besoin d'être justicier que nous avons déjà décelé en nous).

En conséquence, nous faisons surgir sur l'écran un personnage à notre convenance : Arbogast, le détective privé. Mais qui : nous ? puisque nous pensons avoir établi une scission entre le *moi* et le *ça*. Arbogast est-il le produit de l'état conscient – ou que nous croyons tel – du *moi* ? Ou bien ce personnage est-il l'émanation de cette curiosité malsaine que le spectateur prétend, désormais, avoir

154

éliminée de lui ? Le lecteur, qui sait comment le *ça* gouverne, actuellement, le *moi*, connaît la réponse qu'en tant que spectateur il ignorait à cet instant. D'où la violence de notre surprise, au moment du meurtre du détective.

Apparemment, Arbogast est la projection de notre forme d'esprit déductif, raisonneur, inquisiteur, que notre *moi* estime nécessaire et suffisant pour démasquer la mère, percer les obscures raisons de son acte et confirmer ainsi son existence (en d'autres termes, prouver notre innocence dont nous sommes certains, puisqu'en évoquant le détective sur l'écran nous provoquons l'enquête). Simultanément, le détective est la projection de la forme la plus superficielle de notre *surmoi*, celle qui est liée à la morale conventionnelle de notre mentalité quotidienne. Car Arbogast, dans le même temps qu'il matérialise sur l'écran les questions que se posent maintenant le public (on retrouvera avec encore plus d'évidence cette forme du surmoi dans la scène du bar de *The Birds*, celle où les clients s'interrogent), Arbogast, donc, « représente » les intérêts lésés du possesseur de l'argent, c'est-à-dire la pure morale de la propriété, qui constitue, pour la grande majorité du public, l'unique pratique morale de la vie courante.

Mais, en réalité, Arbogast est l'agent occulte, la « chose » du *ça*. N'est-il pas justement dépêché par l'odieux propriétaire des 40 000 dollars qui, nous l'avons vu, a déclenché d'une manière active notre appétit de voyeur ? Le détective sert le *ça* pour, à la fois, assurer sa prise sur nous et assouplir notre sadisme latent. Tandis que nous nous berçons d'illusions sur les chances qu'il a de résoudre l'énigme dont il nous tarde d'avoir la clé, la réalité du *ça* agit pour son propre compte et, par l'intermédiaire de ce personnage, poursuit son but : s'emparer complètement de nos réactions de spectateur, non plus seulement à la faveur d'un état de crise (le *moi* faisant appel à l'instinct sexuel), mais jusque dans l'état de normalité apparente ou nous semblons être revenus.

Si donc la libido nous pousse à faire surgir sur l'écran ce personnage du détective privé, c'est qu'elle se méfie avec juste raison, comme le prouvera la fin du film – de nos retrouvailles avec notre conscience morale et notre esprit. Méfiance que manifeste d'ailleurs Arbogast, dès son apparition. À peine entre-t-il dans la quincaillerie, qu'il suspecte de complicité de vol et Lila et Sam. C'est que le *ça*, après avoir trouvé un bouc émissaire qui prenne sur lui le meurtre de Marion, cherche maintenant des responsables pour assumer le vol, première étape de ce meurtre. S'il y parvenait, nous rejetterions de plein gré conscience et esprit, nous la disculperions et tomberions définitivement sous sa coupe. Ce serait sa victoire absolue. Par l'intermédiaire du spectacle, il se passe actuellement en nous le même phénomène qui s'est produit effectivement en Norman. Lui y a succombé. Nous, bien que sollicités par l'artifice de la fiction, y résistons encore.

Nous savons trop bien à quoi nous en tenir sur les événements passés, pour accepter la prétendue culpabilité de Lila. En revanche, sans croire réellement à celle de Sam, nous ne lui pardonnons pas d'avoir été, par sa position à l'égard des problèmes charnels et matériels, à l'origine de la faute de Marion. En d'autres termes, nous regrettons l'attitude qui était la nôtre au moment d'entrer dans la salle de cinéma. Désireux de la condamner désormais, nous approuvons la dureté que manifeste le détective à l'encontre de Sam.

Nous ne comprenons pas qu'il s'agit là du piège le plus subtil que nous tend justement cette attitude d'esprit. Car maintenant ce n'est plus Sam, mais Arbogast, qui l'incarne. N'est-il pas à la recherche – fixation sexuelle et intéressée – de la trace de Marion, pour récupérer l'argent ? Il achève, en l'inversant, le cheminement que nous avons effectué :

par l'argent, nous possédions le corps de Marion. En prenant l'allure d'un justicier, Arbogast rassure et comble notre conscience, mais dissimule, du même coup, sa vraie nature : celle de l'esprit rivé à son obsession de jouissance[3]. Ce qui l'autorise à se livrer, aussi bien sur Sam que sur nous, à une manœuvre d'intimidation, voire de chantage. Son attitude de policier – de faux policier, puisque simple détective privé – attitude immédiatement méprisante pour le suspect (rappel de *The Wrong Man*), inhibe notre esprit par le sentiment de culpabilité qu'il éveille en lui. En sorte que, doutant de lui – et de Sam – nous repoussons l'aide de notre esprit, trop compromis à nos yeux. Nous nous déchargeons sur le détective du soin de découvrir la vérité.

Arbogast – ce personnage à « notre convenance » – gagne ainsi sur tous les tableaux. Pour notre *moi*, il est l'apparence idéale qui permet de prouver notre bonne foi et notre soif de justice. Pour le *ça*, il neutralise ses deux plus dangereux adversaires, l'esprit et la conscience, en les faisant absolument dépendre de lui. Ainsi délégué par Lila, Sam et nous-même, le détective part à la recherche de Marion. Après deux ou trois visites infructueuses dans des hôtels, il arrive au motel (en d'autres termes, il revient à la source). Il aperçoit d'abord la « mère ». Puis, il rencontre Norman et, par des questions insidieuses, le met sur le gril, Norman se trouble maladroitement, donne l'impression d'être coupable. Tout – et en particulier son refus de laisser Arbogast rencontrer sa mère – l'accuse.

À quoi rime alors cette comédie ? Pourquoi Norman laisse-t-il dénoncer ouvertement sa vraie nature par son complice, alors que nous avons vu le *ça* réussir, jusqu'ici, à se dissimuler ? C'est que notre appétit de voyeur est lié au moment, attaché à se satisfaire de l'instant. C'est aussi qu'il doit profiter de la présence d'un allié dans la place (sur l'écran) pour vaincre immédiatement ce *moi* à nouveau

157

hostile. Le *ça* décide donc de frapper un grand coup. Il prend délibérément le risque grave d'être ouvertement dénoncé, ce qui lui permet de l'emporter provisoirement. Dans la comédie du mensonge où nous nous sommes volontairement fourvoyés – puisque nous sommes venus voir un film d'Hitchcock pour qui le cinéma est l'art magique des apparences – la vérité devient le plus sûr moyen de nous duper. D'avoir fait de Norman notre héros, nous condamne à repousser la vérité à son sujet, c'est-à-dire à accepter avec d'autant plus de force la notion de la « mère criminelle ».

Sous l'angle du spectacle, le trouble de Norman est bien une comédie. Notre « héros » le simplifie car il importe, dans son plan, de jouer notre propre trouble. Face à la force d'un raisonnement (par déduction tous les indices conduisent à Norman et ne mènent qu'à lui) que nous nous obstinons à vouloir erroné, alors qu'il est vrai et il ne peut pas ne pas être vrai, puisque le détective, émanation intellectuelle de notre goût des sensations fortes, ne sait que trop bien ce qu'incarne Norman, ne connaît que trop parfaitement son maître – notre bonne conscience chancelle.

Il lui faut à tout prix se raccrocher aux apparences, se persuader qu'elles constituent l'unique réalité stable et certaine. Cédant alors au goût du faux pathétique et du mélodrame, nous participons aux affres simulées de Norman. Nous nous émouvons de son infortune, pauvre enfant contraint de paraître coupable pour couvrir une mère monstrueuse (attitude pêchée dans le sottisier de la mentalité courante : « même criminelle, une mère est toujours une mère ». Formule qui sera tournée en dérision, par inversion, à la fin de *Psycho*, lorsque Norman, devenu totalement sa mère, tentera de couvrir son fils : « même criminel, un fils est toujours un fils ». Dérision qui débouche à cet instant, sur le vrai pathétique).

Ce qui accroît notre désir que justice soit rendue – que

la mère soit démasquée mais qui, en même temps, nous rend odieux le détective. Norman n'avait point d'autres visées. On conçoit, dès lors, l'ambiguïté de son sourire de triomphe, quand il chasse du motel son trop curieux adversaire. Sourire, en apparence, de soulagement, que nous esquissons à notre tour, en voyant enfin achevée la torture morale infligée à notre « héros ». Mais, en vérité, sourire diabolique de celui qui sait qu'Arbogast n'est qu'un jouet entre ses mains, l'instrument de son plan machiavélique.

Car il entre dans le dessein du *ça* que son agent prenne maintenant contact avec notre conscience et notre esprit. Il convient que nous soyons persuadés du dévouement d'Arbogast et de son désir ardent d'éclaircir le mystère de la disparition de Marion. C'est la raison de son coup de téléphone à Lila et à Sam. On ne peut plus douter qu'il ne se mette entièrement à leur service. En sorte que lui, qui est l'émanation des régions les plus troubles de notre être, devient soudain, à nos yeux, l'envoyé du monde supérieur de l'esprit. On ne peut rêver plus parfaite mystification. Et, pour couronner l'ensemble, constatant par ce coup de téléphone combien notre héros est menacé, nous reportons sur Lila et Sam un peu de l'hostilité que nous éprouvons pour le détective. On comprend dès lors la sorte de jubilation secrète que révèle, à qui le regarde attentivement, le sourire sarcastique de Norman.

C'est que désormais tout va se dérouler selon son plan. À ce moment du spectacle, nous prenons parti pour Norman contre Arbogast. Nous avons la certitude que notre « héros » est une malheureuse victime. Notre « bonne conscience » outragée veut punir le détective de son erreur. Il faut qu'il rencontre la mère. Ainsi il aura la preuve qu'elle est la coupable, que Norman (c.a.d. nous-même) est innocent. Nous le poussons à revenir au motel, à pénétrer

159

subrepticement dans la demeure familiale, à monter vers « elle ». Mais à ses risques et périls. Puisqu'il s'est trompé, qu'il a fait souffrir notre « héros », il devra payer, par la surprise, le prix de la vérité (mais nous ignorons encore à quel prix il payera cette surprise).

Qui ne voit que, ce faisant, notre « bonne conscience » favorise une fois de plus le jeu de notre gloutonnerie optique. Que, nous ayant trompé sur la nature de son agent, notre libido peut en user maintenant à sa guise. Que nous cédons entièrement à notre curiosité malsaine, sous le couvert d'innocenter Norman, d'aider Lila et Sam, de venger Marion. Bref, que nous sacrifions délibérément le détective à notre envie irrésistible de *voir*. Et nous voici, derechef, entraînés dans le monde vertigineux des sensations fortes, dans l'univers voluptueux du suspense viscéral.

Et c'est partagés entre le désir de venger Marion et la crainte du danger qu'encourt, sans le savoir, Arbogast : entre l'envie d'innocenter Norman et la peur qu'en démasquant la criminelle nous plaignions un fils si aimant : entre la satisfaction de voir enfin la forme mystérieuse et l'effroi d'avoir à la regarder en face : c'est dans cet état de tension extrême, que nous laissons le détective gravir l'escalier.

Tension qui nous plonge au cœur de l'angoisse. Car, à la différence du meurtre de Marion où désirs et craintes du conscient et de l'inconscient concordaient, ici, ils s'inversent et s'opposent. Exemple : notre curiosité insatiable craint fondamentalement notre envie de voir la forme de la « mère » (en d'autres termes, elle se craint elle-même). La raison en est claire. Si la caméra était placée à hauteur d'homme, c'est-à-dire à la place qu'occupe Arbogast, elle filmerait de face l'arrivée de la « mère ». Sous le travesti, il ne serait pas possible de ne pas reconnaître immédiatement Norman. Du seul point de vue du spectacle – de la gloutonnerie du public hitchcockien – notre réaction, après un moment de stupeur, serait catastrophique. Les forces psychiques éveillées en nous, n'étant plus, ni maîtrisées ni apaisées par la suite du spectacle, se retourneraient avec violence contre lui (avec la violence furieuse et désordonnée des coups de couteau que porte la « mère » sur Arbogast, lequel vient de percer le secret de sa fiction). Notre curiosité s'autodétruirait elle-même dans l'Insatisfaction générale.

L'habileté d'Hitchcock est celle du sorcier qui sait manier avec art et science les forces psychiques qu'il a déchaînées, en se soumettant à leur logique interne. C'est en « plongée » qu'est filmée la scène du meurtre d'Arbogast. D'abord, parce que cette position de la caméra trahit un fort sentiment d'oppression et d'angoisse, aussi bien du personnage que du spectateur. Ensuite, qu'elle est la seule à combler la totalité des désirs et des craintes de notre conscient et ceux, contraires, de notre inconscient. L'angle de la prise de vues est ainsi déterminé par le conflit interne que notre dédoublement a instauré en nous.

Si pourtant les désirs et les craintes de notre goût des sensations fortes l'emportent sur ceux du *moi*, cela tient à ce que les désirs du *ça* sont irrésistibles par rapport à ses craintes, alors que ceux du *moi* sont dominés, inhibés, paralysés par nos peurs. Exemple : au moment précis où le détective monte les escaliers, la crainte du danger qu'il encourt est, pour notre monde conscient, plus forte que le désir de venger la mort de Marion. Mais la jouissance que notre inconscient prend, en revanche, à cette crainte – jouissance que manifeste le goût du spectateur pour le suspense purement viscéral – est plus forte que notre frayeur. Or, de cette jouissance, nous refusons de convenir.

L'ignorance où nous sommes de nos mobiles vrais rend plus douloureuse la brutale révélation des désirs et des craintes qui nous gouvernent en profondeur et qui sont à l'opposé de ceux, superficiels, de notre « bonne conscience ». Les voir soudain déferler sur l'écran nous cause un choc. Nous ne nous y attendions pas, parce que nous nous obstinions à ne pas les envisager en nous comme possibles. C'est pourquoi ce second meurtre est plus terrifiant que le premier. C'est la loi – et le lecteur-spectateur s'en souvient certainement – qui fait hurler la salle.

Le drame occulte d'Arbogast vient de ce qu'il désire échapper à son maître, Norman. D'où la surprise qui le paralyse, lorsqu'il le reconnaît sous le déguisement. C'est ici une reprise plus subtile de ce qui se passait dans *Strangers on a Train*. Guy gravissait nuitamment l'escalier pour avertir le père de Bruno de ce que tramait son fils contre lui. Et, parvenu dans la chambre du père, il tombait sur Bruno qui l'attendait, allongé sur le lit, revolver à la main. Dans un cas comme dans l'autre, il s'agit pour le criminel de rouler tous ses complices (dont nous, spectateur). À l'instant donc où, interloqué et horrifié, Arbogast dévale à reculons l'escalier sous les coups délirants de la « mère », notre curiosité malsaine semble triompher. Le double but qu'elle poursuivait, en nous forçant à faire surgir sur l'écran le personnage du détective, est atteint.

En premier lieu, après l'avoir aidé à nous appâter, ce personnage a servi d'aliment à notre sadisme. Ensuite, ce meurtre, par la peur irrationnelle qu'il instaure en nous, interdit au spectateur toute velléité non seulement de déloger hors de lui son goût des émotions violentes et troubles, mais encore d'en savoir plus. Car l'esprit et le *surmoi*, qu'est censé « représenter » Arbogast, sont anéantis par la révélation d'un mystère insondable : celui de l'existence d'un esprit supérieur, doté d'une force incommensurable contre laquelle il est fou de vouloir lutter : celui encore de la présence d'un *tabou* qui règne sur un territoire que nul n'a le droit de violer sous peine de mort,

162

et qui correspond à la forme suprême que revêt le *surmoi* irrationnel, inhumain et démoniaque (la mère) sous l'aspect duquel se travesti le *ça* (Norman). Émotionnellement et intellectuellement traumatisés, nous sommes amenés à accepter comme irrécusable l'existence de la pure fiction qu'est la mère : à céder sans résistance à toutes nos impulsions et, en particulier, à celle de fuir à jamais cette auberge si inhospitalière.

Nous cherchons refuge auprès de notre conscience et de notre esprit – de Lila et de Sam – qui réapparaissent aussitôt sur l'écran. Mais eux-mêmes sont dans un état d'incertitude et de trouble extrême. Si bien qu'en pleine nuit – cette nuit où nous les avons plongés pour leur angoisse et la nôtre – éprouvent-ils l'urgente nécessité, après la disparition également inexplicable d'Arbogast, d'agir à leur tour. Mais action irréfléchie, témérité un peu stupide de l'esprit qui, pour vaincre la panique qui l'envahit, décide de foncer littéralement dans le noir. Sam quitte donc Lila qu'il laisse à la quincaillerie dans un état d'extrême anxiété. Il arrive au motel. Nul ne lui répond, pas même la mère qu'il entrevoit à sa fenêtre. Face à lui, rien que le vide, le néant. Le mystère est devenu insoluble, son abîme insondable.

Tandis qu'au même instant, comme pour rendre encore plus vaine et dérisoire cette quête désespérée, l'inquiétante silhouette de notre « héros » se détache sur l'aube naissante. Elle contemple le spectacle de la voiture d'Arbogast qui s'engloutit lentement dans les eaux sombres du marais infernal. C'est sa victoire apparemment totale que Norman savoure ainsi. La nuit envahit le jour. Les Ténèbres s'emparent de la Lumière. Les forces occultes empiètent sur la raison. La folie s'est installée sur l'écran, comme en nous.

Paradoxalement, c'est elle qui nous sauvera. Elle sera, homéopathiquement, la source de notre guérison. Dévoré par son désir souverain de nous posséder, de plier sous sa loi aussi bien les apparences et les formes qui régissent nos réactions que ces réactions qui font naître apparences et formes, notre goût des sensations fortes n'a commis qu'une seule erreur : ne pas prévoir la réaction de crainte immense que sa domination éveille maintenant en nous.

De crainte immense et aussi de révolte. Car enfin, en tant que spectateurs, nous voilà frustrés. Notre réaction d'affolement, qui nous pousse à fuir ce motel, haut lieu de l'épouvante, sans pouvoir apporter la moindre réponse à l'énigme qui nous est proposée, va à l'encontre du motif qui nous a fait courir à *Psycho*. Loin de nous combler, la satisfaction de notre louche curiosité, qui a été notre but unique, nous laisse devant un vide et une insatisfaction absolue. Ainsi les bas instincts du public se retournent-ils contre lui[4]. Ils le privent de cette joie qu'il est venu chercher et que doit dispenser tout vrai grand spectacle, toute œuvre d'art authentique. Ils ne lui procurent que la joie malsaine qu'il se promettait. Finalement, ils menacent à la fois son existence de spectateur et celle du spectacle. À vouloir être l'unique metteur en scène de notre plaisir, notre goût des sensations troubles ne parvient qu'à anéantir l'objet même de ce plaisir.

Si bien que, s'il ne tenait qu'à nous, dans l'état de déroute tant psychique qu'intellectuelle où nous nous trouvons, le film cesserait sur l'image de Norman triomphant, face au marais. Car nous avons obtenu du spectacle de *Psycho*, et au-delà de toute espérance, cela seul que nous en escomptions. Notre trop grande réceptivité aux émotions violentes nous laisse hébétés, écœurés, comme après un acte sexuel purement bestial. Elle nous plonge dans un état d'extrême passivité. Enfoncés dans notre propre subjectivité, terrorisés par elle, nous restons cloués par la peur sur nos fauteuils. Nous sommes désormais incapables de formuler de nouveaux souhaits, donc de faire surgir sur l'écran des apparences qui obéissent à nos désirs inavoués et les assouvissent.

Puisque notre imagination trouble est *impuissante* à alimenter le spectacle, il importe que le spectacle soit relancé par une autorité supérieure, en un mot par l'auteur. Encore faut-il, pour qu'il intervienne, que nous l'appelions à l'aide. Nous pénétrons ainsi dans le monde de la prière, où les formes ne sont plus gouvernées par nos réactions, mais accordées comme une grâce selon la ferveur et la pureté qui nous animent. Cette prière est formulée, dans un ultime sursaut, par notre conscience morale que heurte le triomphe du crime, et par notre esprit qui en exige une explication logique, loin de toute curiosité malsaine.

Conscience et esprit sortent enfin de leur torpeur. Leur inhibition cesse et, bien qu'encore très faible, leur activité respective se réenclenche. Ils prennent le relais comme Norman avait pris celui de Marion. C'est pourquoi nous passons de la sinistre étendue liquide à la quincaillerie. Nous y retrouvons Sam et Lila angoissés, qui s'en viennent, en pleine nuit – notons, l'urgence de leur démarche — réveiller le shérif.

Délégué de ce qui, dans le spectacle, nous est supérieur : l'auteur : représentant, par sa fonction même, ce qui, dans notre vie courante, est au-dessus de nous : les lois, l'ordre, la société : image, enfin de ce qui, dans l'état psychique régressif d'enfant apeuré où nous nous sommes mis, procure une impression de sécurité et de force tranquille : un père sévère, mais juste, à la fois rationnel, humain et tutélaire : ce personnage figure véritablement pour nous, pour notre esprit et notre conscience, le *surmoi*. Que le *surmoi* devienne ainsi, à nos yeux, une puissance accessible et dévouée à l'individu, et non un tabou inviolable, voilà qui démystifie le surmoi tyrannique, à la fois irrationnel, inhumain et démoniaque, dont Norman, qui a grossièrement travesti

165

en une mère despotique la notion du père, a voulu nous imposer la croyance.

Pour dissiper cette croyance, et mettre fin à l'état anormal de crise où nous sommes plongés, il importe que l'impression immédiate ressentie à la vue du shérif soit la plus apaisante possible. Le personnage, accompagné de son épouse, apparaît donc dans la tenue la moins intimidante qui soit : en robe de chambre. Cette vision intime nous réintroduit, après le long voyage au bout de l'horreur que nous venons de parcourir, dans la quiétude du quotidien. Supposons qu'Hitchcock nous ait montré un shérif revêtu des insignes officiels de sa fonction. Notre complexe de culpabilité, qui a atteint son intensité maximale, supporterait mal cet étalage d'autorité publique. Notre réaction eût été psychiquement de fuite, comme fut effective celle de Marion à la vue du motard.

Or, il est nécessaire maintenant de passer aux aveux. Le créateur ne peut répondre à notre prière, le shérif aider Sam et Lila, que si nous confessons ce que nous savons de la vérité. Il faut donc avouer (mission pénible dévolue à Lila) la faute de Marion : *notre* vol. Puis la démission de notre conscience et de notre esprit au profit d'Arbogast. Devant les sarcasmes du shérif, qui sait fort bien à quoi s'en tenir sur les intentions malhonnêtes de ce personnage (s'approprier et l'argent et la fille). Lila et Sam prennent sa défense. Attitude qui les honore, mais qui trahit à quel point notre esprit et notre conscience ont été abusés. Nous persistons à croire qu'Arbogast servait fidèlement nos intérêts et la vérité. D'ailleurs rien, en dehors des propos méprisants du shérif à son égard, ne permet de déceler la véritable nature du détective privé. Hitchcock, par son délégué sur l'écran, nous en donne la clé. À nous de savoir l'utiliser. L'essentiel n'est plus que l'envoyé du créateur s'étende sur le cas d'Arbogast, mais, maintenant que le mal est fait, qu'il s'attaque directement à son maître occulte, Norman.

Il lui faut d'abord réduire à néant la fiction de la « mère » par laquelle Norman nous tient en son pouvoir. Or, nous sommes actuellement semblables à Marion, lors de son arrivée au motel : impressionnables à l'excès. C'est donc au niveau des impressions que le shérif cherche à influer sur nous. Impressions sensibles : notre esprit et notre conscience, découvrant dans le *surmoi* qu'incarne le shérif un ami, un confident, un guide, rejettent intuitivement l'image caricaturale que Norman, par le biais de la « mère », voulait nous en imposer. Impressions intellectuelles : hors de son univers dément, replacée dans un contexte rationnel et normal, la notion monstrueuse et contre nature de la « mère » s'écroule. Par la seule présence de Sam et Lila chez le shérif, cette image comme cette notion commencent à se mourir lentement en nous. Pour en accélérer l'agonie, le shérif décide de frapper un grand coup : il déclare que la mère de Norman est morte depuis dix ans. Cet élément rationnel, cette certitude – première base solide de réalité enfin posée dans le monde mouvant des apparences qu'était jusque-là le spectacle – causent en nous un trouble immense. Le mystère s'épaissit. Mais la vérité est désormais en marche. Plus rien ne peut l'arrêter.

C'est pourquoi, lorsque, sur les instances de Lila et de Sam, le shérif téléphone à Norman, ce dernier s'affole. Acculé désormais à la vérité, il se précipite dans la chambre maudite. Après une violente dispute entre « elle » et lui, il transporte la « mère » impotente à la cave.

La vision de cette dernière, apparemment vivante, paraît contredire la déclaration que vient de faire le shérif à son sujet mais répond conformément à nos vœux inavoués qui souhaitaient qu'il s'agisse là d'une erreur. Pourtant, considérée objectivement, elle rend flagrant le mensonge de Norman. Il y a, en effet, incompatibilité absolue entre la fiction de la « mère », furie déchaînée, capable d'aller de sa demeure au motel tuer Marion ou d'assassiner un homme de la carrure d'Arbogast, et l'image qu'on nous en donne maintenant : celle d'une vieille dame paralysée que son fils doit porter dans ses bras. De même, comment accepter logiquement, sachant les étranges rapports qui lient les deux êtres, que Norman puisse imposer sa volonté à une « mère » aussi despotique et, qui plus est, l'enlever contre son gré pour l'enfermer dans une cave? On se heurte, ici, à une contradiction évidente. Si nous n'avions pas épuisé notre imagination en de vaines et stériles excitations, une telle invraisemblance devrait nous aider à entrevoir la vérité.

Mais justement, cette scène apporte la preuve éclatante de l'impuissance à laquelle nous nous sommes réduits. Nous avons gaspillé notre énergie psychique. Nous l'avons projetée sur l'écran qui l'a absorbée en pure perte, de la même façon que le marais engloutissait Marion, puis Arbogast. Nous l'avons surtout transmise à Norman, notre héros, qui s'en est nourri et fortifié, vampiriquement, au point d'en capter toute la force et de prendre ainsi sur nous un ascendant absolu. Que, dans un ultime sursaut, conscience et esprit viennent à notre secours, ne suffit plus. Il faut que ce soit nous qui les appelions à l'aide. Il importe que nous nous rendions compte nous ne pouvons en aucun cas nous passer d'eux. L'importance capitale de cette scène vient de ce que Norman engage la bataille avec le shérif pour nous gagner à sa cause sur le terrain choisi par son redoutable adversaire : celui des impressions à la fois sensibles et intelligibles.

1) *Volonté de Norman de nous « posséder » au niveau de l'impression immédiate.*

Dès que le shérif raccroche le téléphone, nous nous retrouvons seuls dans l'antre du crime. L'obligation qui nous est faite de revenir en ce lieu détestable où nous avons

168

connu, au moment du meurtre d'Arbogast, notre plus grande frayeur et la plus violente de nos émotions, rend accablant notre sentiment de culpabilité. Nous cédons aussitôt à un mouvement de panique. Loin de nous rassurer, l'élément rationnel qui, grâce au shérif, est maintenant en notre possession consume notre déroute intellectuelle et avive l'état de pure émotivité où nous nous trouvons.

Pour renforcer cet état de culpabilité et le pouvoir de Norman qui en résulte, cette scène est traitée visuellement comme celle du meurtre d'Arbogast. Elle obéit au même découpage. Elle débute pareillement par une vue de l'escalier que gravit, cette fois, Norman. Nuance, toutefois, capitale : la caméra qui la regarde monter reste en bas des marches, alors qu'auparavant elle précédait, Arbogast à coups de légers travellings arrière, comme pour l'aspirer. C'est que, dans le cas du détective privé, notre désir de voyeur, on s'en souvient, l'emportait sur nos craintes. Ici, au contraire, nous sommes échaudés par l'expérience passée que la similitude de construction et de situation nous remet instinctivement en mémoire. Notre inhibition est la plus forte. La première réaction de notre *moi* est de *retenir* la caméra et la garder immobile, pour ne pas grimper à la suite du héros.

En sorte que notre curiosité, incarnée par Norman, doit nous entraîner de force. Elle le doit pour annihiler l'effet néfaste que vient de produire sur nous la déclaration du shérif. Si Norman veut conserver le contrôle absolu du spectacle, il lui faut prouver, confirmer, rendre, cette fois, indubitable l'existence si controversée de la « mère ». Or, bien qu'il nous inquiète de plus en plus – et son déhanchement équivoque dans sa façon de monter l'escalier accentue, au stade de la pure impression, cette inquiétude – il est encore notre héros. Il nous tient toujours sous son *charme*. C'est là un atout majeur qu'il doit mettre immédiatement à profit.

169

Il sait que, dans le climat d'épouvante qui règne en ces lieux, sa présence nous apporte – tout étant relatif – une note rassurante. Mais il n'ignore pas que joue à la longue contre lui la comparaison que nous ne manquons pas intuitivement de faire avec le réconfort véritable qu'apportait la présence du shérif. Il lui faut donc agir, et vite. Mais justement, n'est-il pas dans sa nature aventureuse d'amateur d'émotions violentes de risquer le tout pour le tout sur un instant ?

Il fait appel à ce qui reste en nous du voyeur, aux derniers soubresauts de nos sens exacerbés, aux ultimes ressources de frissons et d'extases masochistes que le spectacle n'a pas complètement épuisées. Puisqu'en principe Norman n'a rien à craindre de sa « mère » : puisqu'en nous précédant il semble nous protéger : puisqu'il paraît surtout vouloir nous donner, enfin, la clé de l'énigme, notre curiosité malsaine, vacillante, se ranime. Nous nous laissons entraîner par lui, mais en le suivant à distance respectueuse. Notre témérité n'est pas assez grande pour tenter de franchir le sanctuaire inviolable qu'est la chambre, pour oser forcer le barrage que nous avons dressé en nous-même.

Ayant maintenant la certitude qu'il conserve entier son pouvoir sur nous, Norman pénètre seul en ce lieu tabou. Il nous abandonne d'autant plus aisément sur le seuil qu'il escomptait cette réaction timorée qu'il a contribué lui-même à forger. Certain d'être, en cet endroit occulte, à l'abri de nos regards indiscrets, notre héros se livre tranquillement à sa mise en scène favorite : la dispute avec sa « mère ». Il s'agit pour lui de nous mettre en condition. Les violents éclats de voix qui nous parviennent entrent dans son plan. Ils participent de sa ruse.

Il faut que la véhémence de la querelle nous glace, que les propos tenus nous effrayent. Et ce, d'autant plus que nous nous sentons responsables de cette scène. N'est-ce point notre lâcheté qui a délégué Norman pour affronter la « mère » à notre place ? Il doit la convaincre, puis la forcer (sujet apparent de leur discorde) à satisfaire notre curiosité, à se montrer à nous, c'est-à-dire à *révéler sa forme* en laquelle, nous en sommes persuadés, réside le secret du film (ce qui se révélera exact, puisque ce n'est que lorsque et parce que nous aurons surpris la forme véritable de la « mère », celle d'un cadavre momifié, que le mystère se dissipera).

Or, d'entendre la colère qu'engendre chez la « mère » notre requête : de savoir que sa fureur dont nous ne connaissons que trop les terribles effets va se déchaîner contre nous ; d'attendre, en conséquence, sa fatale irruption hors de sa chambre, c'est-à-dire face à nous, si nous continuons à rester plantés là sur le seuil, provoquent le mouvement même de la caméra : mouvement instinctif de prudent repli avant la tempête, où la crainte immense de voir surgir et fondre sur nous la mégère refoule notre désir de connaître le fin mot de l'énigme.

Tel était le but, au stade de l'impression sensible, recherché par Norman. La caméra, sous l'effet de la panique qui nous envahit, glisse par un lent travelling vertical, le long de la porte, pour se réfugier au plafond dans une plongée radicale, similaire à celle qui observa le meurtre d'Arbogast. Certes, les raisons qui motivent cette position de l'appareil en sont, ici, inverses (au lieu que les désirs se heurtent aux craintes, maintenant les craintes répriment le désir). Mais là n'est point le problème. Pour Norman, seul compte ceci : que le choc de l'effet qu'il va produire sur notre sensibilité soit plus fort, donc annihile le coup de massue que nous assena la nouvelle de la mort donnée par le shérif.

Or, la position où notre crainte a mené la caméra répond exactement à sa recherche. Elle ravive le souvenir douloureux de l'angoisse éprouvée au moment de l'assassinat d'Arbogast. Elle renforce, par la même occasion, l'anxiété que suscite présentement en nous la dispute dont nous nous imaginons être la cause. Elle témoigne ainsi de notre trouble profond. L'instant est alors propice pour la grande entrée que Norman prépare fiévreusement en coulisse. D'abord il cesse la querelle, comme pour avertir de l'imminence du moment crucial. Il remplace par le silence le roulement de tambour qui, dans les cirques, annonce l'exercice périlleux. Car c'est bien un tel exercice qu'il s'agit pour le comédien, l'illusionniste, le magicien Norman, d'exécuter. Il doit jouer le jeu sans tricher. Nous venons d'apprendre que la mère est morte. Eh bien ! soit, il nous en montrera, sans truquage, la momie. D'un bond, il surgit sur le palier portant théâtralement sa « mère » dans les bras. Il l'expose ouvertement à nos regards.

Ne nous en prenons qu'à nous-même si la caméra est trop haut placée pour nous permettre de percevoir, ou même seulement de deviner, la réalité de son état. Est-ce la faute de Norman si notre émotivité nous interdit d'en discerner la forme véritable, si « elle » nous paraît indubitablement vivante, si sa fiction prend de plus en plus d'existence pour nous ? Sur la foi de nos sens abusés par une subjectivité en déroute et le passage trop rapide de Norman, force nous est d'admettre que le shérif s'est trompé. Notons simplement que la scène est traitée avec assez d'objectivité pour accorder, à qui peut et veut voir, la possibilité de démasquer le mensonge et d'éviter cette magistrale erreur.

D'où vient, dans ces conditions, que Norman ne l'emporte pas sur le shérif, que sa ruse, au moment où elle semble triompher, précipite sa chute ? De ceci : si l'effet a atteint apparemment son but, le choc qu'il produit sur notre sensibilité se révèle catastrophique. C'est que Norman se heurte au nœud de contradictions qu'implique son imposture. À vouloir les concilier toutes, il nous choque profondément et d'une façon durable. Il se passe en nous ce que nous avions constaté chez Marion, pendant le dîner dans le bureau du motel : sur la seule impression, nous nous détournons irrémédiablement de lui.

Première contradiction. Non content de gagner sur le plan des apparences qui semblent lui donner raison, Norman entend affronter le shérif sur le terrain des impressions. Car il sait que, dans l'état où nous sommes, elles restent notre seul mode valable de connaissance. S'il peut influer sur elles, c'est sa victoire absolue. Il cherche donc à effacer la trace qu'a laissée, dans notre souvenir, la sensation de douceur, d'intimité et de réconfort dispensée par la vue de l'appartement du shérif. Il veut nous prouver que son loyer aussi, malgré les apparences (alors qu'il n'a cessé de jouer sur elles), est un havre de tendresse et de paix (dévouement du fils, aspect inoffensif de la « mère ») : que la terreur que nous prêtons à ces lieux est mal fondée ; que, loin de nous alarmer, la vue de la « mère » est la plus apte à nous rassurer (c'est le propre de la mythologie universelle de la Mère idéale qu'il nous propose). Malheureusement pour lui, Norman n'a pas su ménager son effet. Il nous l'impose trop brutalement. Il nous a depuis si longtemps habitué à l'idée d'une « mère » démoniaque que, d'instinct, nous rejetons la nouvelle version qu'il en donne. Elle nous fait plus horreur encore que l'ancienne, étant donné ce dont nous avons été le témoin.

Seconde contradiction. Par la mise en scène de la dispute si soigneusement agencée, Norman nous prépare au pire. Nous attendons, dans l'angoisse, le surgissement d'un monstre, et c'est une vieille femme docile et sage comme un enfant que nous voyons apparaître. Le caractère surprenant de cette vision produit sur nous un effet des plus désagréables. Notre réaction est immédiate. Nous éprouvons un vif ressentiment contre Norman. Il a trompé notre attente. Il nous a roulé.

Car, enfin, c'est lui, alors que nous pensions notre goût des sensations fortes assouvi, qui a suscité en nous un regain de curiosité trouble. Nous nous sommes laissés prendre à la promesse fallacieuse – à savoir la clé de l'énigme – qu'impliquait sa montée de l'escalier. Et voilà que la réponse qu'il nous apporte avec cet être minable et infirme est décevante, ridicule. On ne peut se moquer plus effrontément du spectateur. En conséquence, nous cessons aussitôt de considérer Norman comme notre héros. Puisqu'il est inapte, en tant que notre délégué sur l'écran, à démêler l'intrigue et satisfaire aux questions que nous pose le spectacle, nous l'éliminons sans remords. Et par la plus admirable des ironies, nous appelons à l'aide de la curiosité déçue l'esprit critique et la conscience morale : Sam et Lila, seuls après, en dernier recours, à combler nos vœux.

2) *Volonté de Norman de nous posséder au niveau de l'impression réfléchie.*

Le coup de téléphone du shérif se révèle être un piège d'autant plus redoutable qu'il consiste à tenir compte de la tentative de Norman pour le déjouer. Plus ce dernier cherche à en parer les effets, plus les mailles du filet l'enserrent, pour le réduire finalement à l'impuissance. Car ce filet est celui de la logique. Norman, affolé, est forcé de pousser jusque dans leurs conséquences dernières toutes ses attitudes mensongères, aussi bien internes qu'externes, de les heurter aux réalités sur lesquelles il les a construites.

L'appel téléphonique du shérif, en effet, annonce à Norman qu'il est officiellement suspecté. En d'autres termes, que son pire ennemi (la réalité extérieure) le cerne, prêt à s'introduire dans son univers clos. Face à ce péril imminent qui met en cause son existence même, Norman, installé jusqu'ici dans une confortable passivité (la sienne, fœtale, et celle du spectateur hitchcockien) malgré les apparences d'activité qu'il se donne (il change les draps de

174

lit des chambres inoccupées), se voit soudain contraint d'agir vraiment. Or, la seule action qui lui soit permise est d'obéir à la logique de sa nature. Pur instinct, il est capable – et il l'a prouvé suffisamment – de ruse machiavélique, de plan d'une suprême habileté, mais uniquement à l'intérieur de sa sphère mentale, dont il est le maître absolu. En revanche, il demeure imperméable à toute réflexion qui tienne compte de la réalité des autres, puisque son but est justement de se couper de cette réalité. Notons qu'il accomplit ainsi le vœu secret du spectateur venu au spectacle s'évader du quotidien, oublier ses soucis, pour ne croire, le temps d'un film, qu'à la seule réalité de la fiction.

Toutefois, lorsque la fiction dépasse l'entendement et atteint les limites de l'irrationnel, le spectateur éprouve le besoin de réintroduire dans le spectacle des références à son monde quotidien. Le coup de téléphone – donné, ne l'oublions pas, à la requête de Sam et Lila – apporte sur l'écran une touche de réalisme. Pour fuir cette menace, pour annihiler ce début de trahison de notre part, Norman n'a d'autre issue que d'aller cacher la réalité de la fiction. En menant à la cave le corps (ou réalité) et l'esprit (ou fiction) de la « mère », c'est le spectacle lui-même – plus exactement la forme de spectacle à laquelle nous avons désiré assister – qu'il dérobe à notre nez. C'est le film qu'il entend enfouir au cœur des ténèbres. Son action repose sur un fol espoir : que la projection s'arrête et qu'ainsi la réalité de nos questions se perde dans le néant, faute de fiction pour y répondre.

Pour sauver son existence, le voilà donc amené à la sacrifier. Car la crainte qu'on pénètre en son domaine pour lui en ôter le gouvernement le pousse à vouloir la pure et simple dissolution des apparences, à préférer le suicide collectif (le sien, celui du spectacle, du spectateur) à la plus minime révélation. Attitude moins aberrante qu'il ne paraît.

En supprimant le support de la fiction, son but est de laisser vivre cette dernière en nous hors du spectacle. Ainsi continuerait-il à nous habiter. C'est sa seule chance de survie et la façon la plus subtile et la plus pernicieuse de nous posséder.

Mais, pour parvenir à ce résultat, Norman doit d'abord se plier à la logique interne de sa propre fiction. Puisque celle-ci est son refuge, il n'a de ressource que d'aller au bout de son mensonge. Or, la dernière possibilité de la comédie qu'il se joue et nous joue consiste à rétablir brutalement la vérité sur laquelle il a bâti son affabulation. Dans la clandestinité de la chambre maternelle, il se livre à une opération de substitution. Il redistribue d'autorité les rôles, il intervertit les pôles de son dédoublement. Pareil à ces comédiens à une voix qui improvisent, en coulisse, un dialogue, pendant qu'ils changent de travesti. Norman inverse ce qui constituait jusque-là, pour lui comme pour nous, les supports du conflit interne entre curiosité trouble et « bonne conscience » entre *ça* et *moi* narcissique.

Il dépossède la « mère » de ce qu'elle était censée représenter : la jouissance secrète au spectacle défendu, que notre « bonne conscience » rejette hors de nous. C'est lui qui maintenant revendique et assume ouvertement cet emploi. En revanche, il contraint la « mère » à figurer la « bonne conscience » qu'il incarnait à nos yeux. Ce faisant, il restitue la vérité. Car il est vrai qu'il a toujours été celui qui comblait notre appétit de voyeur. Et il est vrai que la « mère », couverture commode, a constamment concrétisé l'aveuglement meurtrier de notre « bonne conscience ».

Seulement, pour être valable, une telle opération aurait dû être accomplie au grand jour. À partir du moment où Norman l'effectue en cachette, qu'elle n'est connue que de lui seul, il en fausse complètement le sens. Certes, on ne voit que trop bien l'avantage qu'il espère en tirer. La vérité révélée signifie la fin de sa puissance. Comme la réalité, elle est son ennemie. Le seul moyen de la battre est de la changer en super-mensonge, de la transformer en pure affabulation.

Malheureusement, la vérité, à la différence du mensonge, ne se manigance pas. Elle est ou elle n'est pas. Et dans le cas présent, manipulée de cette façon par Norman; elle est explosive. Car il se trouve que l'affabulation, désormais, *a pris corps*. Elle a une consistance et une existence autonomes. On ne peut en bouleverser les données sans se heurter à sa réalité, sans qu'elle résiste farouchement. D'où le sens profond de la dispute : elle trahit le terrible dilemme qui crucifie Norman.

Face aux véhéments reproches que lui adresse la « mère », Norman cherche à se justifier. Il s'en tire évidemment, comme à son habitude, par une dérobade, par un conte qui prouve sa grandeur d'âme. Ne se dépouille-t-il pas, en intervertissant les rôles, de son auréole de héros pour en couronner la « mère »? Car c'est bien comme une héroïne digne d'émouvoir notre « bonne conscience » que Norman nous « la *donnera à voir*. Peut-on rêver de la part d'un cabot, plus noble sacrifice que d'offrir la tête d'affiche à un autre, afin de sauver le spectacle?

Encore faudrait-il, pour que le geste conserve sa grandeur, que cette attitude ne recèle aucun calcul. En exposant la fiction de la « mère » vivante à notre vue pour mieux en dissimuler la réalité (celle de momie), Norman sacrifie cette fiction, ce spectacle, à sa propre sauvegarde. Le *ça* cherche, une fois de plus, à se camoufler derrière la « bonne conscience » du *moi*. Pour se décharger de ses crimes, il n'hésite pas à nous « la » dénoncer comme coupable. Il se comporte envers « elle » par rapport à nous, en *donneur*. La façon qu'il a de vouloir nous apitoyer sur le cas de la « malheureuse » la condamne davantage. C'est qu'« elle »

cesse, à son tour, après Arbogast, de lui être utile. « Elle »
lui devient non seulement encombrante, mais nuisible.
En « la » portant à la cave il lui interdit, désormais, d'intervenir
dans le spectacle. Il vise à éliminer le mensonge, pour
supprimer du même coup le besoin de vérité à son sujet.

Cette ruse, avant même qu'elle ne soit formulée,
n'échappe pas – et pour cause – à la « mère », qui en est
la première victime. D'où la raison de sa véhémente
protestation pendant la dispute. Plus précisément, de sa
double protestation. C'est que la redistribution des rôles
décrétée par Norman entraîne cette conséquence : la même
voix maternelle porte à la fois la colère de la curiosité trouble
et celle de la « bonne conscience ». Norman a beau, pour
les besoins du moment, considérer son dédoublement pour
ce qu'il est vraiment, le produit d'une fiction, il n'empêche
que ce dédoublement a constitué si longtemps l'unique
réalité de son univers clos qu'il ne peut en changer les pôles
sans provoquer un drame. Projection de son conflit interne,
curiosité trouble et « bonne conscience » se sont confort-
ablement installées sur leurs supports respectifs, la « mère »
et lui-même. Les deux réalités ont donné vie aux deux
fictions. Par surcroît, fidèle reflet de leur auteur, elles
l'imitent en tout point. Elles ne veulent en rien céder une
parcelle de leur autorité. Chacune, maîtresse en son
royaume, refuse d'être délogée de son support au profit de
l'autre. Aussi, dans le même temps qu'elles invectivent
conjointement Norman, elles s'opposent violemment l'une
l'autre.

D'une part, la « mère », connaissant son « fils » comme
elle le connaît et tout aussi cabotine que lui, perce vite,
sous la générosité apparente de l'offre (la faire valoir comme
héroïne), la terrible jalousie de Norman. Il veut lui prendre
sa place. N'est- « elle » pas le personnage principal du film,
le sujet de préoccupation du spectateur, le centre du

spectacle? Mieux, *n'est-elle pas le spectacle criminel lui-même ?*
Elle se sait plus importante que le héros, lequel justement
s'impatiente de ne servir, depuis le début, qu'à la faire
valoir. L'emploi d'héroïne, c'est-à-dire de support de la
« bonne conscience » que lui impose maintenant Norman,
loin de l'honorer, constitue pour « elle » une déchéance.
Pis, il lui porte un coup fatal. Car « elle » n'ignore pas
que son emprise vient de son mystère, que plus sa forme
est dévoilée moins elle retient l'attention du spectateur. Ce
qui explique sa fureur de se voir déposséder – avec quelle
« hypocrisie ! » – par Norman (« fils ingrat »), et sa résistance
acharnée pour ne pas être exposée à notre vue dans ce
nouveau rôle qui, non seulement la déclassera, mais
marquera sa fin. (En effet, nous la reléguons, désormais,
au rang d'accessoire. Ce n'est plus la question « qui est la
mère ? » que nous nous posons, mais bien « qui est
Norman ? ».)

D'autre part, et inversement, la « bonne conscience »
ne veut pas quitter son support, Norman. Elle est horrifiée
d'être confondue avec ce que continue de symboliser pour
nous la « mère » : le spectacle défendu. Elle craint d'être
dénoncée pour ce qu'elle est réellement : la conscience
secrètement satisfaite d'un tel spectacle qu'elle a contribué
à alimenter. Démasquée, elle sait qu'elle perdra à nos yeux
la bonne réputation qu'elle avait su se faire et que ce sera
la fin de ce spectacle qui la réjouissait tant et qui était sa
raison *d'être*. N'a-t-elle pas appris, pour en avoir été
précédemment l'agent, qu'en passant contre son gré, mais
forcée par les autres, du rang de spectateur à celui d'acteur,
du rôle de sujet à celui d'objet, elle sera à son tour, comme
Arbogast, comme Marion, assassinée par nous. D'où encore
la véhémente protestation émise par la « mère » qui sent
bien que, supprimée par son « fils », elle n'a rien, non plus,
à espérer de nous.

Ces deux réalités, bien qu'en conflit ouvert, s'accordent pourtant – ce qui justifie l'unité de leur voix – pour représenter à Norman que les envoyer ainsi l'une l'autre à la mort entraîne irrémédiablement la sienne. Mais leur supplication reste sans écho. Car, justement, c'est cette mort qu'il désire.

Il faut – et il répète ce « il le faut » qui est son unique argument à plusieurs reprises pendant la dispute – qu'il aille au bout de sa fiction, pour en détruire la réalité même. Sa soif de paix intérieure est à ce prix. *Il faut* qu'il rompe avec son dédoublement. *Il faut* qu'il se débarrasse de ses crimes. *Il faut* qu'il retrouve l'unité de son être. *Il lui faut* renaître. Tant pis, si, pour cela, il doit amputer la part vitale de lui-même, tuer l'esprit même de la fiction. Ne lui est essentiel que son propre aspect physique, le corps réel de la fiction, puisqu'il demeure doté d'une apparence d'innocence. Et cette part, il veut la donner entièrement au et en spectacle. Il choisit – déjà – en se substituant à « elle » de devenir sa « mère » : une pure forme, une simple écorce qui attend des autres (de nous) qu'on lui insuffle vie et existence, qu'on l'anime de nos désirs, qu'on lui octroie finalement une nouvelle réalité, délivrée de toutes traces de l'ancienne (réalité que nous avions accordée à la « mère », que nous accorderons aux oiseaux de *The Birds*).

On aura relevé la contradiction à laquelle la logique interne de sa fiction, poussée dans ses conséquences extrêmes, conduit Norman. Sa volonté de conserver à tout prix son pouvoir sur nous aboutit au résultat inverse. Il perd ce pouvoir pour dépendre entièrement de nous. Il nous offre son apparence pour servir d'instrument à nos caprices. Il abdique son rôle de meneur de jeu, de maître, pour remplir celui que tenait la « mère » : l'esclave soumis et obéissant à nos ordres et pulsions érotiques. Il s'offre à nous comme une femme, ce qui rend maintenant sans équivoque son dandinement, lorsqu'il monte l'escalier, invite non déguisée à le suivre dans la chambre.

Nous n'osons y entrer. Et pourtant il est capital, pour que Norman continue d'exister, que nous franchissions ce pas. C'est pourquoi il se presse d'enlever la « mère » de la chambre : il faut lui « ôter » son caractère de tabou sexuel avant que nous y pénétrions. Pour nous forcer à accomplir cette action qui nous glace d'épouvante, il doit d'abord nous rendre complice. C'est la raison profonde de son entrée théâtrale avec la « mère » sur les bras. En offrant l'infortunée à notre compassion, Norman recourt au chantage suprême.

Il pousse jusqu'à son terme logique l'attitude de base qui fut nôtre quand nous sommes entrés dans la salle de cinéma. Ne sommes-nous pas venus éprouver le grand frisson, nous réjouir des forfaits qui se commettent devant nous ? Ne nous sommes-nous pas livrés en pensée, sur une fille désirable, mais en détresse – et désirable parce qu'en détresse et, parce qu'en détresse, entièrement à notre merci – à des exactions que nous n'osons accomplir dans la vie quotidienne ? Pourquoi, dès lors, nous retenir de goûter à toutes les sensations, ne pas aller au bout des perversions ?

Norman exige ainsi que nous remisions notre hypocrisie au vestiaire. Il veut nous forcer à avouer que nous avons entretenu amoureusement, dans le secret de notre être, des pensées coupables, que loin d'en avoir horreur, nous chérissons le crime. À l'idée de ce qu'implique l'offrande de la « mère » comme héroïne, nous sommes soudain saisis d'effroi. Nous voici mis au pied du mur, face à la tentation suprême : aller ré-enterrer dans les ténèbres de l'inconscient (la cave) nos pensées criminelles, enrichies et activées par leur bref passage spectaculaire sur l'écran. Désir que Norman souhaite tant que nous exprimions qu'il l'exécute, avant même que nous le formulions.

C'est nous demander de consentir à ce que le spectacle s'achève incontinent. À la connaissance de la réalité qu'entraînerait l'intrusion sur l'écran de la conscience morale et de l'esprit, Norman nous supplie de préférer le mystère de la pure fiction. Il nous invite à en raviver, dans le secret de notre imagination, la délectation morose. En d'autres termes, il nous propose d'emporter immédiatement hors de la salle un matériel fictif, un support érotique, afin de renouveler perpétuellement le film en nous-même, selon nos tendances et nos goûts.

En quoi se justifierait le suicide de Norman, en tant que héros et spectacle. Héros, il nous donne son écorce, son apparence, que nous *pénétrerions* alors, pour satisfaire fictivement, sans nous compromettre à nos yeux, les désirs les plus vils. S'étant emparé de notre esprit, il continuerait ainsi à exister. Ce serait sa victoire définitive. Ce serait aussi la façon la plus subtile pour le spectacle d'envahir le quotidien et corroder son ennemi de l'intérieur, d'échapper à la réalité en s'immisçant en son cœur même.

Ce rêve démentiel, que nous allons rejeter avec horreur, Norman le réalisera pourtant. Mais pour lui seul. Ne serait-ce que pour nous en donner la nostalgie et le regret. À la fin de *Psycho*, il nous offre dans sa cellule l'image de notre ultime reflet possible. Celui du spectateur qui s'est entièrement perdu dans les rêveries stériles du spectacle, au point de se changer lui-même en pur spectacle, un spectacle dont la logique interne est coupée de la réalité et reste sans prise sur le monde des autres : « *Ils regardent la mouche sur ma main. Je ne bougerai pas. Et ils diront : voyez, il ne ferait pas de mal à une mouche.* » Ne pouvant plus compter sur nous, Norman tente l'ultime manœuvre pour sauver son existence. Il se fait son *propre cinéma*. Mais n'ayant plus aucune réalité, ni la sienne, ni la nôtre, sur laquelle le fonder, il sombre fata-

182

lement dans la mort (le fondu-enchaîné sur la tête de mort).

Il est radicalement impossible, dans le contexte de *Psycho,* que nous cédions à une telle tentation. En quoi consistait justement le piège tendu par le shérif, qui va se refermer promptement sur Norman. Car il est à double détente. Pour esquiver *la réalité de nos questions,* transmise sur l'écran par l'appel téléphonique, Norman a été contraint d'affronter simultanément deux réalités. On a vu comment, pratiquant la politique de la terre brûlée, il a d'abord brisé la *réalité interne de sa propre fiction.* Il vient maintenant se heurter à la *réalité externe de nos réactions.* Il s'en croyait maître. Elles se dérobent, au moment précis où il en avait le besoin le plus urgent. C'est qu'à la fin de cette scène, de passifs nous devenons actifs. Et les réactions de notre passivité, comme celles de notre activité qui se met en branle, se révoltent contre sa proposition malhonnête.

Si celle-ci choque notre passivité, ce n'est certes pas à cause de notre grandeur d'âme ou d'un sursaut moral, mais par bêtise et peur. Bêtise : nous repoussons la raison d'être du spectacle que nous sommes venus voir. Cinéma de voyeur, fait pour satisfaire notre appétit érotique. *Psycho* a été conçu, en apparence, pour ressembler aux films quasi pornographiques des fêtes foraines ou aux spectacles grand-guignolesques. Or, voilà que, loin de nous contenter des images troubles, nous nous sommes laissés prendre à leur prétexte, le récit. Nous succombons au palpitant de l'action. Nous nous passionnons maintenant pour l'intrigue, qui se corse avec la mort et la résurrection de la « mère ». Pareils à un enfant gâté et tyrannique, nous ne voulons pas quitter le spectacle sans qu'on nous donne la solution. Celle que, dans ses bras, nous apporte Norman, ne nous satisfait pas, et son exigence que nous abandonnions maintenant le spectacle se heurte violemment à la curiosité qu'il a contribué lui-même à éveiller. Nous refusons d'être dérangés dans notre plaisir. Et, puisque tel est le désir de Norman, nous avons hâte de rejeter l'auteur de cette contrariété.

Peur, ensuite, de reconnaître notre responsabilité dans ce qui vient de se dérouler sous nos yeux. L'accepter, l'assumer, ce serait consentir à courir la plus terrible des aventures : celle du mal absolu. Il n'en est pas question. Nous n'avons rien d'aventuriers. Nous sommes des bourgeois, venus consommer de l'angoisse, et qui nous sentons à l'abri dans la position confortable de spectateur privilégié. On n'exige pas une telle chose d'un tel public. Quel manque de tact, d'autant moins pardonnable que ce public est atteint au point sensible : la conscience de sa couardise ! Nous faisons grief à Norman d'avoir démasqué notre lâcheté, d'avoir même joué sur elle pour nous contraindre à ce que nous ne pouvons accepter : regarder notre vérité en face. Décidément, nous ne sommes pas des héros. Et puisque Norman, dans sa farouche quête d'un absolu maléfique, devient, d'une certaine façon, héroïque, il ne concorde plus avec l'image que nous lui demandons d'incarner. Nous le répudions.

Mais de l'autre point de vue, celui du réveil de notre activité, nous nous cabrons aussi devant la proposition de Norman. Non point, là encore, à cause du fond, mais à cause de la forme, c'est-à-dire de la façon dont elle nous est faite. Norman, dans cette scène, est si pressé de nous avoir, qu'il force à tout prix nos réactions. Aussi nous devance-t-il constamment – aussi bien dans la montée de l'escalier que dans sa descente, ou pendant l'altercation qui porte témoignage du conflit aigu qui l'écartèle et annonce celui que nous allons éprouver – dans l'espoir que nous le suivrons sans rechigner. Or, dans les rapports de force qu'il a établis avec les êtres, aussi bien sur l'écran que dans la salle, il n'est pas bon d'être en détresse. Il l'apprend à ses dépens. Il nous a si longtemps dominé, qu'au moment

184

où il a besoin de notre aide, nous prenons notre revanche. Nous n'acceptons plus d'être brusqués par lui. Il n'obtient que le résultat inverse à celui qu'il escomptait. Et ce pour deux raisons.

D'abord, en tant que héros hitchcockien. Norman doit être, l'écran servant de miroir, le fidèle reflet narcissique du spectateur. Il lui faut exécuter nos pensées et désirs en même temps – ou quelquefois après – que nous les formulons. Mais jamais, au grand jamais, avant. Et nous précédant, Norman nous procure la pénible impression, courante dans les contes fantastiques, d'un décollage entre le *moi* et son reflet. C'est qu'à partir de l'instant où il décide de supprimer la « mère » qui fut son double, il la remplace comme tel auprès de nous, et donc se dédouble par rapport au public. Il n'est plus qu'une ombre qui veut nous engloutir dans son univers ténébreux : le substitut du marais qu'est l'écran. D'être ainsi forcé de consentir à une aventure si remplie de frayeur provoque en nous un grave malaise dont Norman fera les frais. Plus il se détache de nous et nous distance, pour mieux nous entraîner à sa suite, plus nous nous détachons de lui et reprenons nos distances.

Et puis, nous sommes furieux qu'il ait trompé si impudemment notre attente. Si nous avons conscience qu'il nous a « roulés », c'est que nous sentons confusément qu'il s'est approprié ce qui nous appartient autant qu'à lui : à savoir les deux réalités affectives, notre curiosité trouble et notre « bonne conscience ». À notre insu, il en a usé comme de ses choses. Or, notre curiosité, qu'il a réactivée pour nous appâter, lui dénie le pouvoir de produire le spectacle criminel qui l'excite. Et notre « bonne conscience » refuse à son tour d'être confondue avec la mère. La voix de cette dernière n'avait fait – là encore – que devancer notre réaction. Et comme nous, nous sommes bien vivants, cette réaction sera brutale. Nous n'acceptons pas d'être

185

manœuvrés de cette façon. Mieux, nous prenons soudain conscience d'avoir été constamment dominés et « menés en bateau » par Norman depuis le début. Ce qui est inadmissible pour nous. D'autant que nous ne sommes pas encore, comme lui, acculés dans nos derniers retranchements. Nous cherchons toujours à composer avec notre dédoublement. Et, par la plus admirable des ironies, nous appelons pour rendre justice à notre « bonne conscience », l'esprit critique et la conscience morale, Sam et Lila qui resurgissent sur l'écran, déjà en action, prêts à répondre à notre demande.

Inutile de continuer plus avant l'analyse du film ni de montrer pourquoi et comment nous faisons de Lila notre nouvelle héroïne, pourquoi et comment elle forcera notre curiosité trouble et notre « bonne conscience », à travers la pure impression de plus en plus chargée de terreur, à succomber en nous sous la poussée de la prière altruiste qui préfère le salut de l'héroïne, et donc notre aveu, au prolongement d'une équivoque dont nous avons pu constater les méfaits sur Norman. Ce qu'il nous importait de montrer, c'était, dans les rapports du spectateur et du film, la mission qu'Hitchcock attribue à ses « suspenses » : celle de *catharsis*. Il faut que le spectateur se « défoule » sur le plan psychanalytique, se confesse sur le plan logique, se purifie sur le plan spirituel.

---

1. D'où la parenté physique qui existe entre l'acteur John Gavin chargé d'incarner le fiancé (l'esprit) et Anthony Perkins qui joue Norman (le corps). Dans cet état de dissociation de l'être que va développer le film, l'un est le double physique de l'autre.
2. D'autant que la caméra glisse jusqu'à l'argent sur la table de nuit. Il est toujours là. Le fait que le vol ne soit pas le mobile du crime épaissit le mystère. L'appareil, comme pour répondre à cette énigme, s'avance vers la fenêtre d'où l'on aperçoit la maison.
3. Pour le sherif, la vraie nature du détective ne fera aucun doute. Il la dénoncera ouvertement, malgré les dénégations de Lila et de Sam.
4. Faut-il peut-être découvrir dans le *ça* l'origine de la tendance « artiste » que nous avons tenté de mettre en lumière à propos de *North by Northwest*. Elle apporte à la création la richesse de l'inconscient : sensations, impressions, obsessions, impulsions sexuelles.

Elle lui impose même les formes (cette fameuse marque d'un style) des forces vives qu'elle met à sa disposition. En contrepartie, elle veut conserver pour sa seule satisfaction cette fabuleuse contribution sans laquelle il n'y a ni art ni création. Or, il est dans la nature de cette « tendance artiste », attachée à l'univers des instincts, de ne jamais se contenter du « rendu » des impressions que l'auteur s'efforce de transmettre. Elle devient ainsi la cause d'une inquiétude capable de pousser l'artiste aux dernières extrémités : la destruction de l'œuvre, voire de lui-même. En forçant le spectateur à devenir créateur, Hitchcock l'oblige à partager ses affres. C'est peut-être la forme la plus subtile - ultime - de l'idée de transfert.

LE SUSPENSE
DE LA CRÉATION

Échapper à l'emprise fatale de l'impuissance – source même du suspense – exige une extrême volonté de puissance. Mais où puiser cette volonté lorsqu'il est dans la nature du héros hitchcockien de ne pouvoir s'empêcher de tendre à la vie végétative, d'aspirer au retour à la mère. C'est en dehors de lui qu'il doit chercher l'appui et le soutien d'une force qui supplée à sa volonté défaillante. Le héros recourt à la ferme autorité du père, un père tout-puissant qui pour s'opposer à la faiblesse et la lâcheté de sa nature (« tous mes héros sont des lâches ») n'accorde aucun droit, n'impose que des devoirs. Le héros, dans sa hâte de se décharger de ses responsabilités, projette son angoisse intime sur le cosmos dont Dieu – aboutissement ultime et nécessaire de l'image du père – est maître et souverain. Il remet son existence entre Ses mains et attend de Lui, son salut. Dieu, chez Hitchcock, est, au départ, une invention de l'esprit de démission.

Aussi, ce Dieu devient-il rapidement terrifiant. Loin

d'apaiser l'angoisse, il la renforce. Sa Toute-puissance dont dépend entièrement, désormais, l'existence du héros, accable. L'ordre qu'il fait régner, les impératifs qu'il ordonne, la réalité du monde qu'il impose et contraint d'affronter, bref l'exigence qu'Il met à faire payer le prix de cette existence que Lui, Dieu et Père, a octroyé, écrasent l'être. Celui-ci n'a plus qu'une envie : échapper à cette Volonté de puissance qui lui est extérieure. Mais c'est pour mieux retomber sous l'emprise fatale de l'impuissance. Ainsi ce Dieu forgé par le héros à partir de la réalité du père – qui implique, à ses yeux, la réalité de Dieu – pour le délivrer de sa faiblesse naturelle, accentue encore sa lâcheté initiale et accélère le processus de l'aspiration vers la jouissance, la mère, la mort. Sa situation est pire que précédemment. Elle est descendue d'un tour de spirale. Elle paraît insoluble et sans issue.

Pourtant c'est au moment où l'être est le plus acculé, où son existence est la plus menacée que surgit le salut. Et ce salut, il ne le trouve qu'en lui-même, dans le monde des instincts auquel il s'est entièrement abandonné, avec l'instinct le plus fondamental : celui de conservation, l'instinct de vie. À l'instant où le héros va chuter dans l'abîme, sa main se raccroche in extremis à la dernière prise que lui offre la stabilité du réel. Prenant enfin appui sur la réalité, au lieu de la fuir, il se redresse dans un effort désespéré. En s'affrontant il se vainc. C'est dans l'état de panique le plus total que naît, en l'être hitchcockien (héros, spectateur et certainement auteur), la volonté de puissance.

Surgie du tréfonds de lui-même, poussée par l'instinct vital, la volonté de puissance apparaît alors au héros comme l'ultime et la seule possibilité de fuite – une fuite en avant – qui lui soit accordée. Ce mouvement déclenché ne peut plus s'arrêter désormais qu'avec la toute puissance elle-même. Ainsi la créature court vers son Créateur, non plus

189

pour se réfugier en lui mais bien pour assumer ses responsabilités, pour prendre sa place. À la fin de l'aventure la créature se fait créateur. Il devient père et Dieu. (Le lecteur aura certainement reconnu le schème même de *North by Northwest* qui est le film d'Hitchcock le plus exemplaire sur la raison – par sa résolution – du suspense.)

Que la création ait été pour Hitchcock l'ultime planche de salut (ou s'abandonner au vertige de la démence !) suppose qu'en assumant la paternité de son œuvre, c'est-à-dire sa volonté de puissance, notre cinéaste se fasse Dieu, il comprend ainsi le pourquoi et le comment du Créateur, image idéale de lui-même enfin réalisée. Le besoin d'unité de son être le force à saisir intuitivement le Un de L'Être Suprême. Mais à travers la justification de Dieu, du cosmos et de l'homme, c'est uniquement celle de son existence qu'il recherche. Est-ce l'attitude d'un croyant ou d'un athée ? Peu importe. L'essentiel est qu'elle débouche sur une pensée du monde, une cosmogonie. C'est une spéculation métaphysique qui se fonde principalement sur la rêverie des formes et dont le discours capital pour l'entente d'Hitchcock s'inscrit noir sur blanc, ou plutôt ombre sur lumière, ou plus exactement Ténèbres contre Lumière sur l'écran. L'occulte ésotérique dans la vision hitchcockienne devient la vraie réalité puisqu'elle projette sur l'univers son conflit intime et son conflit esthétique : c'est donc lui qu'Hitchcock rend le plus apparemment, le plus immédiatement, le plus évidemment visible.

À l'origine Dieu est à la fois pure Substance, pure Idée, pure Volonté et pure Conscience. Il entend prouver, connaître et accomplir l'Existence dont Il est l'Essence. Pour se réaliser, Il *veut* le suspense (inversion radicale dans le point de vue objectif du point de vue subjectif où l'être *subit* impuissant le suspense).

Aussitôt la Monade agit en Dyade créatrice. Dès que

la Substance divine, donc l'Idée, se manifeste – et non plus se dissocie comme dans l'impression subjective de suspense. Elle est double : à la fois Lumière positive et Ténèbres négatifs qui se lancent à la conquête de l'espace infini lequel constitue l'étendue de son Esprit infini (Esprit absolu d'affirmation et de négation, de Bien et de Mal, Principe masculin et féminin, etc.). Ces deux énergies, issues chacune du Un, n'ont de cesse de se disputer pour imposer à l'autre sa volonté. La Lumière est la manifestation de l'Esprit d'Union qui contraint les Ténèbres à se lier à Elle pour générer le monde, créer l'existence et permettre à l'Un de s'épanouir dans la plénitude et la multitude de ses possibles. Les Ténèbres sont la manifestation de l'Esprit de contradiction qui s'oppose totalement à la Lumière, refuse d'être le « un plus un » qui génère l'univers mais veut être le « un moins un » qui le renvoie au néant[1].

Déchirée par le conflit incessant à l'issue constamment incertaine entre les puissances positives et négatives, la Conscience divine dilate la durée non plus pour un moment mais pour l'éternité[2]. Vaste suspense qui se déroule en trois phases. L'une procréatrice : la Conscience se charge du poids de l'angoisse, une angoisse cosmique qui épaissit la Substance divine (à la fois Conscience, Lumière, Ténèbres, formes différenciées de la Substance divine initiale). L'angoisse, se renforçant, *comprime* la Substance en un magma d'une fabuleuse concentration. La seconde créatrice : alors se produit le heurt générateur, fusion violente bien que momentanée, entre la Lumière et les Ténèbres. La troisième postcréatrice. L'univers d'une extrême densité explose dans une incessante et perpétuelle expansion. Il se *dilate*[3].

Alors est conçue la Triade. Tout ce qui était le plus chargé d'angoisse, tout ce qui atteignait la plus grande densité, est précipité au moment de l'explosion cosmique.

Une première part de la conscience, composée des franges les plus denses de Lumière et surtout de Ténèbres, est projetée jusqu'à s'abîmer dans sa propre négation (l'inconscient) qui est celle de la volonté (l'impuissance), celle de l'idée (la fixité) et donc celle de la Substance divine : la Matière dont la résistance au mouvement universel régi par la Lumière fait l'instrument et l'allié le plus sûr des Ténèbres. *Tout matérialiser devient, dans la vision hitch-cockienne, le but de ces derniers.* Une seconde part plus fluide de la Conscience, imprégnée à égalité de Lumière et de Ténèbres, eux-mêmes mouvants, donne l'Âme, enveloppe de la Matière, que les forces maléfiques cherchent à durcir, à rendre matière. Enfin une troisième part plus subtile de Conscience, porteuse certes de Ténèbres mais surtout de Lumière si immatérielle désormais qu'ils sont, par nature, insaisissables, contient l'Esprit qui par l'intermédiaire de l'Âme commande à la Matière et, de ce fait, est l'ennemi principal dont il faut à tout prix s'emparer.

Le réel est. Et tel est le réel : un suspense permanent qui se déroule aussi bien à l'intérieur de chacun des trois stades de la Conscience qu'au niveau de la réalité même. Toujours la conscience disputée est angoissée par le conflit incessant des deux énergies qui se disputent la Matière, des deux forces qui s'arrachent l'Âme, des deux puissances qui se partagent l'Esprit dans le même temps qu'elle est angoissée, en tant qu'Âme, par le violent duel entre la Matière et l'Esprit sans la Conscience duquel il n'y a pas de réalité. Cette dernière est l'œuvre par laquelle Dieu à la fin de la spirale descendante prouve son existence.

Prise ainsi entre ces deux activités contraires, la Conscience ne cherche sa négation que pour mieux s'affirmer. Passive, Elle n'intervient jamais directement – seulement par la prière et le souhait – dans le conflit Lumière-Ténèbres puisqu'Elle Veut, pour se connaître par et dans l'angoisse, qu'il se développe absolument. Ce qui fait du Dieu hitchcockien un Être d'une superbe indifférence, préoccupé uniquement de ne saisir que la seule Idée de Lui-même donc du Plan pour y parvenir ; un pur dialecticien qui n'a de cesse d'expérimenter les multiples possibles et combinaisons de son Esprit ; un parfait amoral qui essaie toutes les expériences du Mal pour mieux jouir du Bien ; bref, un grand aventurier qui se parie constamment lui-même (cf. le chef du contre-espionnage dans *North by Northwest* ou le chef d'état dans *The Man Who Knew Too Much*). Chaque nouveau film d'Hitchcock met en scène, une Idée nouvelle, un Plan inconnu, que Dieu a de se tenter. Et plus le cinéaste avance dans son œuvre, plus Dieu recule les limites de son audace. Il menace Son Existence. Il frôle sciemment, et avec délices, l'apocalypse.

Mais à quoi servirait à Dieu la preuve de Son Existence sans la connaissance qu'elle Lui apporte. Il faut que tout ce qui fut précipité se relève de la chute, remonte la spirale, rentre dans le sein divin, drainant la somme d'expériences vécues à travers les multiples suspenses par les divers niveaux de la Conscience. Il faut que dans cette remontée, au sommet de l'échelle de l'existence, se trouve un élément particulièrement apte à emmagasiner cette somme d'expérience : l'homme. Celui-ci par la place privilégiée qu'il occupe au cœur de l'univers devient pour Dieu le sujet d'expérience par excellence.

Chaque individu, étant dans le microcosme le reflet de la totalité de Dieu et dans le macrocosme une infime mais précieuse parcelle de Lui-même, engage le sort de l'Être suprême. C'est pourquoi l'épreuve du suspense imposée à chacun est toujours originale et nouvelle puisqu'il s'agit pour Dieu de ressentir les affres de chaque homme. Grâce à cette angoisse éprouvée en même temps que la créature mais aussi à la distanciation qui Le sépare d'elle, Dieu peut juger, estimer, connaître, révéler enfin son Être. Dans la vision hitchcockienne, l'homme (comme le héros ou le spectateur pour l'auteur) n'est qu'un cobaye. Sa mission est d'affronter les multiples suspenses qu'Il lui a destinés afin de prendre entièrement possession et connaissance à son échelon – d'être le dieu – du monde de la réalité (cf. encore *North by Northwest* et *The Birds*).

Mission qui, on s'en doute, ne transporte pas d'enthousiasme la créature. Et puisqu'elle se sent reflet de la totalité et parcelle de Dieu, qu'elle doit elle-même devenir dieu en son domaine, elle n'a rien de plus pressé que d'en exiger les privilèges sans en accomplir le devoir. Ce qui explique la raison ésotérique qui vaut au héros (ou l'héroïne) de subir le châtiment de suspense qui lui est destiné sur l'écran. Il est toujours dû au fait que le héros s'est emparé d'un attribut divin et qu'il a adopté une attitude (amoralisme, jouissance, indifférence, etc.) réservée exclusivement à l'Être suprême (Dieu ou Hitchcock). Au bout de son épreuve l'homme doit comprendre le sens de sa mission et l'assumer désormais.

Cette situation de la créature obligée de subir masochistement le dictat d'un Dieu sadique (autre façon – sexuelle cette fois – pour Dieu de se connaître) est à la fois effrayante et pourvue d'une forte dose d'humour hitchcockien que la créature n'apprécie guère. C'est pourquoi le film le plus humoristique d'Hitchcock à ce jour, *Trouble with Harry* qu'il ne faudrait pas traduire par « Mais qui a tué Harry ? » mais plutôt par « Trouble with I.N.R.I. » montre des personnages qui s'amusent énormément parce qu'ils se comportent comme Dieu ou l'auteur, qui, eux, dès lors, n'apprécient plus.

Totalement libres, indifférents, jouisseurs, amoraux et même quasiment éternels (cf. les paroles du petit garçon : « Aujourd'hui est demain puisque hier était aujourd'hui

194

et que demain sera hier »), ces personnages rejettent – sinon ils verraient immédiatement l'imposture et le danger de leur position qui leur seront révélés six films plus tard par *The Birds* – le risque de la prise de conscience, donc du suspense. Pour mieux éviter ce risque, ces créatures, comme le faisait remarquer Jean Domarchi « agissent comme si elles avaient subi l'ablation de la conscience ».

On se souvient de l'histoire. Un beau matin d'automne, un cadavre, Harry, gît dans une forêt du Vermont. Tous ceux qui successivement le découvrent, non seulement se félicitent de cette mort, mais en revendiquent jalousement la paternité. Retenons la clé qu'Harry est le symbole du Christ (chaque fois qu'Hitchcock aborde dans ses films le problème du Christ, il y a toujours un plan qui renvoie directement à l'iconographie classique christique : ici, au moment où tous les personnages, au crépuscule, transportent le cadavre de la colline à la maison, on songe irrésistiblement à une mise au tombeau). Puisque les personnages échappent à leur créateur, c'est Dieu et l'auteur qui courent après eux. D'où la drôlerie mais aussi l'amertume du film. Car conjointement les deux créateurs essaient de ranimer la conscience de leur créature : Dieu en dépêchant la figure du Fils mort, l'auteur en suscitant toutes les occasions possibles de suspense. Mais en vain. À peine la mort d'Harry vient-elle déclencher en chacun une amorce de suspense qu'il la désamorce en l'assumant complètement : vient-elle éveiller un soupçon d'inquiétude qu'il s'en débarrasse en revendiquant allègrement sa propre culpabilité. N'ayant plus de prises sur elles, les créateurs ne parviendront pas à déloger leurs créatures de la place qui est la leur et où elles se trouvent si bien installées. Le Christ est mort pour rien.

1. Quelques exemples - parmi les plus flagrants dans l'œuvre hitchcockienne - de la manifestation de la Dyade.

Dans *The Wrong Man*. Balastrero (Henry Fonda), en sa détresse profonde, en appelle à Dieu. On le voit égrener avec ferveur un chapelet devant l'image du Christ. Puis gros plan sur cette image même. Alors le miracle s'accomplit. Dieu répond à la supplique de notre héros. Sa Volonté, se manifestant, est aussitôt double. Dans un plan unique nous voyons, d'une part, le visage en gros plan, à la lumière, de Balastrero qui continue sa prière et, d'autre part, en surimpression, la forme d'un individu qui surgit du fond *ténébreux* de l'écran et s'avance de plus en plus vers nous jusqu'à ce que son visage vienne coïncider exactement avec celui de Balastrero. Ainsi la Lumière a contraint les Ténèbres à venir s'unir à Elle pour générer un nouvel être (en effet, nous passons immédiatement dans le plan suivant sur la forme qui a pris corps, est pourvue d'une identité, existe). Elle libère notre héros de son dédoublement et l'autorise à retrouver, dès l'instant de la fusion des deux visages, l'unité pleine et entière de son être.

Souvenons-nous encore du tout premier plan de *The Man Who knew Too Much* : deux cymbales brillent comme deux soleils avant qu'un être impassible les heurte soudain brutalement l'une contre l'autre. Nous retrouverons ces deux cymbales au moment le plus critique du suspense du Royal Albert Hall. N'oublions pas la fin de *Vertigo* : l'homme se métamorphose sous nos yeux en religieuse, laquelle sonne la cloche et appelle Dieu. Et aussi *North by Northwest* : dès que le Créateur manifeste son Plan, l'homme est double, à la fois Thornhill (dont l'existence n'est connue que de la Lumière) et Kaplan (livré aux Ténèbres pour lesquels lui seul a une existence). De même le Créateur qui se manifeste est double : à la fois Vandamm-Satan, chef des espions et Lui-même, chef du contre-espionnage (puisque l'un ne peut être sans l'autre), etc.

Inversement les forces des Ténèbres, parce qu'issues de l'Un *veulent* posséder le même pouvoir que les forces de Lumière. Rappelons *Vertigo* : Scottie-Lucifer qui, porteur de Lumière, est passé inconsciemment au service des Ténèbres, continue, mais à l'envers, à pratiquer sa mission d'Ange de Lumière. Il contraint ce qui est encore lumineux à venir s'unir à ce qui est encore ténébreux. D'abord Madeleine à Carlotta entraînant la chute de Madge, puis Judy à Madeleine. Mais tentative vaine, comme nous l'avons vu. Les Ténèbres, étant négatives, anéantissent tous les éléments positifs qu'ils absorbent.

Autre variation sur ce thème. La lumière ne force plus les Ténèbres à venir s'unir à Elle. Devant leur puissance de refus grandissante, c'est Elle qui va vers eux pour les pénétrer et générer ainsi un nouveau monde. Remettons-nous en mémoire le plan de *Psycho* qui succède au générique. Il nous montre une ville, Phœnix (le choix de cette cité au nom prédestiné n'est évidemment pas un hasard) dont nous contemplons la vaste étendue sous une *lumière* crue comme figée *éternellement*. Des sous-titres qu'accompagnent de rapides fondu-enchaînés nous indiquent l'*instant*, puis le lieu. Un lent panoramique nous avertit pourtant que sous l'apparence de l'immuable se dissimule une activité secrète. En effet, à la fin de ce panoramique la caméra se met en branle - pur mouvement - et descend en travelling avant sur une zone de ténèbres qu'elle traverse complètement (c'est-à-dire que l'écran devient pour quelques secondes complètement noir) avant de déboucher dans une chambre striée d'ombres et de raies lumineuses. Nul besoin d'être expert pour saisir le sens de cette cursive exposition. À un moment de son éternité, à un endroit de son étendue, Dieu accepte de s'engloutir dans les Ténèbres et de frôler ainsi l'apocalypse pour générer un univers inversé, un antimonde, celui du Christ Noir.

Ce n'est donc pas par hasard que ce plan de *Psycho* reprend la même idée visuelle que celui du générique de *I Confess*. Le héros de ce film, le père Logan (Montgomery Clift) est le symbole du Christ véritable. On se souvient, en effet, qu'au début de *I Confess*, la caméra avance par un lent travelling d'une zone lumineuse vers la sombre masse du château de Quebec. Mais, à la différence de *Psycho*, il ne s'agit pas pour la caméra de traverser cette masse purement matérielle qui est celle du monde de la réalité déjà généré. L'idée en est même l'inverse : l'élément le plus lumineux qui soit, le plus proche de

Dieu, vient s'enfoncer dans l'existence et en ressentir au plus haut point l'angoisse afin de rédempter l'humanité et même sauver - ou tenter de sauver - les Ténèbres.

En sorte que le dernier plan de chacun de ces deux films sera à la fois similaire et inverse. Dans *I Confess*, la mission du père Logan (du Christ) étant accomplie, nous retrouvons le premier plan, mais inversé : la caméra, par un lent travelling arrière, quitte la masse sombre du château de Québec pour s'en retourner vers les régions éthérées de la Lumière. Dans *Psycho*, après le fondu-enchaîné sur le visage de Norman qui se transforme en tête de mort, la voiture de Marion est extraite de la masse ténébreuse liquide pour resurgir à la lumière (il serait trop long d'expliquer pourquoi ce n'est pas la caméra elle-même qui accomplit, comme au premier plan de *Psycho* ou comme au dernier de *I Confess*, ce mouvement de retour : disons simplement que la caméra qui est le véhicule du créateur cinématographique doit être ici remplacée par un substitut, un autre véhicule, la voiture de Marion, puisque le marais n'appartient pas au monde de la création mais à son contraire). Ainsi, à la fin de *Psycho*, l'antimonde est retourné comme un gant pour venir enrichir malgré tout par cette expérience néfaste l'univers de la véritable existence. La mission du Christ Noir qui aboutit au néant confirme donc finalement, par la preuve négative, la nécessité de la mission du Christ véritable.

2. Dans cette optique, l'éternité serait considérée comme la dilatation maximale d'un instant.

3. Dans la vision hitchcockienne, l'univers que chaque instant menace, est un éternel suspense. Non plus un suspense fondé sur la sensation du vide mais au contraire sur la plénitude de l'existence qui, à tout moment, doit triompher de l'aspiration au non-Être. Au terme de son trajet esthétique (de sa fuite en avant) pour s'en délivrer, Hitchcock revendique l'angoisse comme source unique, irremplaçable et nécessaire de la création. Il l'entretient en lui et la chérit. Elle l'a mené par l'inversion absolue - de fils en père, d'angoissé en fabriquant d'angoisse, de créature en Créateur - à assumer et s'épanouir complètement.

Il nous faut pourtant donner quelques exemples de la façon dont notre cinéaste illustre cette genèse. L'exemple le plus évident de l'épaississement cosmique provoqué par l'angoisse se trouve dans *The Birds*. Plus l'anxiété croît, plus le ciel se couvre d'oiseaux. On pourra simplement peut-être s'étonner que nous prenions pour modèle un phénomène qui se déroule à la fin de la phase postcréatrice, au moment de l'apocalypse. Or, il est absolument logique, de la logique de l'imaginaire que la fin du monde se déroule de la même manière que son commencement. Simplement le processus s'inverse. Au lieu d'avoir un mouvement qui précipite le dehors vers le dedans, et après une période de concentration, le renvoie vers le dehors (mouvement de la génération), nous avons au contraire un mouvement qui part du contenu (l'humanité), lequel sécrète une sorte d'enveloppe extérieure de plus en plus dense (concentration progressive des oiseaux) qui se retourne alors contre le contenu, le dévore et le vide de sa substance. Loin de déboucher sur la plénitude de la naissance, le processus de la Création détourné de son objet - ou plus exactement tourné en dérision - n'engendre plus que le vide de la mort.

D'autre part, le lecteur se souvient certainement de la première partie de *Vertigo*. Nous l'avions interprété comme la représentation de la gestation cosmique. L'angoisse de Madeleine, projection de celle de Scottie, alourdit et obscurcit progressivement son environnement. Chacun - Madeleine, Scottie, Madge - se charge lentement du poids de cette angoisse et précipite sa propre chute. Toutefois, comme cette phase procréatrice est surtout considérée du point de vue des Ténèbres (plus exactement de celui du passage du porteur de Lumière dans le camp adverse), mieux vaut prendre exemple sur *The Man Who Knew Too Much* (seconde version) où le processus de la Création selon Hitchcock nous est manifesté dans toute son ampleur.

Le premier plan de ce film nous montre deux cymbales « qui brillent comme deux soleils ». Puis, pendant que se déroule le générique, la caméra s'approche d'un orchestre qui joue une symphonie. Elle s'avance lentement pour ne cadrer que le cymbaliste. Le plan s'achève au moment où ce dernier heurte violemment les deux cymbales l'une contre l'autre. Inutile d'être versé dans les sciences occultes pour saisir la signification de cette ouverture. Si le lecteur veut bien admettre que les deux cymbales symbolisent l'idée même de la Dyade, il saisit pourquoi elles possèdent un éclat identique : au regard de la Création les deux faces divines - Lumière et Ténèbres, Bien et Mal, Principes masculins et féminins, positifs et négatifs, etc. – possèdent la même valeur, sont égales. Puis nous passons au mouvement dialectique qui mène à l'existence. Dans le concert céleste auquel nous assistons maintenant (le concert céleste est le symbole théologique traditionnel de la perfection harmonieuse du Plan divin) le coup de cymbale annonce l'instant fatidique du moment même de l'acte de Création.

C'est dire que le film entend être un hymne à la Création (ce qui est en fait l'œuvre la plus solaire d'Hitchcock) sous toutes ses formes. Il possède une signification religieuse : celle du mythe marial qu'avait fort bien mis en valeur Eric Rohmer. On peut l'interpréter, encore, comme la figuration des inquiétudes, des affres et des douleurs d'une femme enceinte sur le point d'accoucher, de l'angoisse de la mère qui voudrait retenir son enfant en elle, l'heure fatidique venue. Le coup de cymbale de la scène du Royal Albert Hall exprimerait alors le moment de la délivrance, interprétation renforcée par ces deux plans où Jo Conway (Doms Day), appuyée contre le mur, semble se tordre dans les douleurs. On peut aussi considérer ce film comme l'histoire d'un couple désireux d'avoir un enfant et qui subit le drame d'une impuissance momentanée (le couple est en vacances et l'idée de vacances que nous avons étudiée précédemment signifie toujours chez Hitchcock sur le plan sexuel l'impuissance du héros) jusqu'à l'heureuse résolution de ce drame.

Le heurt des deux cymbales sera donc le point culminant de *The Man Who Knew Too Much*. Et la scène du Royal Albert Hall qui symbolise l'instant crucial de la Création se révèle comme le modèle du suspense hitchcockien. Rappelons au lecteur le mécanisme visuel. Le suspense hitchcockien est toujours constitué de un ou plusieurs glissements (qui sont généralement le fait des agents des Ténèbres) entrecoupés de un ou plusieurs arrêts (fixité des personnages ou de la caméra qui correspond à l'idée de la conscience réduite à l'attente angoissée) quelquefois suivis de petits heurts successifs jusqu'au heurt final.

Notons d'abord le caractère parfaitement sphérique de la salle du Royal Albert Hall. Nous pénétrons ici à l'intérieur d'un monde (celui du cosmos avant son explosion ou du ventre maternel ou du sexe féminin selon le point de vue) idéalement dilaté. Pour rester sur le plan de la genèse, nous constatons que nous assistons au triple mouvement de la Création. D'abord celui de la concentration : la foule qui, dans les couloirs, entre dans la salle. Ensuite, celui même du heurt générateur. Enfin, celui de l'explosion : la même foule qui, après le coup de cymbale et l'attentat manqué se précipite hors de la salle.

Mais à l'intérieur même de la salle, le drame va se jouer à deux niveaux. Au niveau supérieur du balcon et de l'estrade des musiciens, Dieu (incarné par le chef d'État, souverain indifférent et passif) est pris entre les deux forces de la Dyade. D'un côté les forces lumineuses qui exécutent le concert divin (d'où visuellement, la référence à l'iconographie classique des concerts célestes, genre Fra Angelico : cf. en particulier le rôle plastique des harpes et les robes blanches des femmes). De l'autre les forces ténébreuses qui, partition en main, suivent le déroulement du Plan, pour l'instant de création venu (le coup de cymbales qui doit couvrir le coup de feu de l'attentat) anéantir Dieu et ramener le chaos (dans le contexte du scénario : la guerre atomique). Tous les glissements qui alimentent et activent le suspense sont, ici, le fait de ces forces maléfiques, de la puissance des Ténèbres où le tueur va se réfugier (derrière le rideau de la loge) pour accomplir son forfait.

Au niveau inférieur, Jo Conway, symbolise dans cette interprétation ésotérique de la Conscience divine, présente, impuissante et paralysée, le conflit qui se prépare. C'est elle - et nous avec elle - qui vit intensément le suspense. Plus la scène dure (et elle dure à plaisir un très long moment qui nous semble une éternité), plus son attente se charge du poids de l'angoisse. Jusqu'au moment où ce trop-plein d'angoisse doit crever. Jo Conway la libère par un cri immense qui précède de peu le coup de cymbales. Elle intervient ainsi dans le processus même de la Création. Mieux, elle joue un rôle capital. Elle précipite la chute des substances ténébreuses (la chute du tueur) et provoque ainsi la naissance de l'univers. L'enfant, en effet, sera sauvé. Il faudra simplement que cette intervention passive du principe féminin de la Conscience divine soit suivie de l'intervention active de son principe masculin : que le mari de Jo Conway aille au cœur de l'ambassade (de l'autre côté des Ténèbres qui, à ce stade de la création, sont condensés à l'état de matière) pour extirper l'enfant et le mener à la conscience (cette conscience de la présence des « parents » ayant été éveillée par la chanson de la mère : « que sera, sera »).

The Birds

Mais c'est Dieu (le père de Mitch) lui-même qui est mort dans *The Birds*. D'où le caractère sans humour apparent, tragique de ce film. Le lecteur aura certainement noté que *The Birds* reprend en l'inversant radicalement la construction de *North by Northwest*. Au lieu que ce soit trois hommes (symbole de Dieu, Satan et l'Homme) qui se disputent une femme *(la femme incarnant toujours chez Hitchcock la Conscience divine à l'un de ses différents stades)* il s'agit cette fois de trois femmes – la mère, l'institutrice et Mélanie – qui cherchent à se raccrocher à l'homme (Mitch Brenner).

Les deux films ont encore en commun la similarité de leur construction. Dans l'un comme dans l'autre, on part d'une grande cité (New York à l'Est dans *North by Northwest*, San Francisco à l'Ouest dans *The Birds*) pour remonter vers le Nord dans la nature. De la même façon les formes, pendant le déroulement du film, se dilatent progressivement : de l'intérieur, comme pour donner une impression de plénitude dans *North by Northwest* (en particulier les statues du mont Rushmore) ; de l'extérieur, comme appelées par un grand vide dans *The Birds* où bientôt les oiseaux *forment* une sorte de couvercle, tendent un immense filet dans lequel se trouve prise l'humanité.

C'est dire qu'ésotériquement *The Birds* sera le contraire de *North by Northwest*. Dans ce dernier film on voyait l'homme se soumettre au Plan de Dieu, accepter la mission de devenir l'acteur qui prend possession de la scène du monde pour régir la réalité. Dans *The Birds* on voit la blonde Mélanie (du grec : la noire) s'emparer de ce que nul personnage hitchcockien n'avait à ce jour osé ou pu faire ouvertement – pas même Scottie-Lucifer dans *Vertigo* – du Plan de Dieu, c'est-à-dire de la mise en scène et transformer le monde en spectacle pour en jouir en spectatrice. Elle commet l'acte irréparable : prendre l'homme comme sujet d'expérience. En portant les « love birds » chez Mitch Brenner, elle imagine et monte une pure mise en scène. De sa barque elle guette, tout excitée, la réaction de cet homme qui lui est presque inconnu. Par ce crime occulte, elle déclenche immédiatement le drame : la première attaque d'oiseaux.

Femme hitchcockienne, Mélanie incarne plus particulièrement la Conscience divine au stade de l'âme. Héroïne, c'est-à-dire représentation exemplaire de la mentalité du public actuel façonnée par la presse à sensation (Mélanie est la fille d'un grand propriétaire de tels journaux), elle figure la conscience collective d'une humanité uniquement préoccupée d'agencer la réalité à sa convenance sans se soucier des répercussions qu'une telle attitude égoïste ne peut manquer de causer dans la Création. Mélanie est donc bien l'inverse de Thornhill. Elle n'est pas l'homme moderne. Elle est la mentalité moderne de notre civilisation. Elle ne se livre pas à de vaines agitations sous lesquelles le spectateur-consommateur du bien-être matérialiste dissimule une passivité profonde qui finalement poussait Thornhill à l'action véritable. Elle déborde au contraire – comme notre civilisation dont elle est l'âme – d'activité dans le seul but de transformer le monde de la réalité en un monde édénique de plaisirs, de vacances et de rêves sensationnels (dans le sens où les journaux à sensation vendent du rêve).

Mélanie porte, en conséquence, témoignage de la cassure qui s'est établie entre Dieu et la conscience de l'humanité. Elle récuse absolument qu'elle soit une parcelle divine pour assumer entièrement dans la plus parfaite indépendance (cette indépendance de la femme américaine que met, par ailleurs, en question le film) son caractère propre de reflet idéal de la totalité divine. Partie de Dieu elle s'en considère comme le tout (d'où l'audace qui la pousse à s'emparer du Plan). Elle se coupe ainsi de Lui. Or, Dieu ne peut vivre sans l'existence de l'image que l'humanité doit Lui renvoyer (idée métaphysique du miroir cher à notre cinéaste). On se souvient que dans la scène d'exposition – l'oisellerie à San Francisco – Mitch reproche à Mélanie d'avoir, par pur plaisir gratuit, brisé une vitrine. Mais le lecteur sait aussi combien il est nécessaire de se rapporter à ces scènes d'exposition pour saisir chez Hitchcock, le sens occulte, donc la signification véritable du film. On peut voir dans cette vitrine brisée le symbole du miroir qu'est la réalité pour Dieu (sens occulte ésotérique) : celui de l'écran pour le spectateur hitchcockien, si habitué maintenant à son cinéaste qu'il entend prendre sa place à la mise en scène pour profiter immédiatement du spectacle qu'il veut voir (sens occulte logique) : celui de tous les interdits et tabous de quelque ordre que ce soit qui entravent les instincts (sens occulte psychanalytique). Par la faute de l'*Âme de l'humanité présente*, Dieu est mort. Le film décrit les conséquences de cette mort.

D'abord l'homme, Mitch Brenner – qui est l'inverse d'Eve Kendall de *North by Northwest* laquelle figurait la créature idéale – reste le seul dieu de la création. Plus précisément à partir du moment où l'Âme de l'humanité présente se détourne de Dieu pour proclamer comme tel, l'homme – c'est-à-dire à partir du moment où Mélanie vient relancer Mitch jusque chez lui dans l'intention de l'expérimenter (dans tous les sens du terme) – l'homme devient un dieu mais à son échelon qui est d'être le maître du monde de la réalité. Et il le prouve, pendant le film, en continuant d'assurer sa mission : régir, affronter, dominer l'existence mais à son seul profit.

Inutilement toutefois. Dieu étant mort, la réalité change d'aspect et inverse brutalement ses assises. Face à elle l'homme, soudain, se retrouve impuissant. Son système de pensée, sa fameuse logique ne s'appuient, désormais, sur aucun fondement. Sa réalité quotidienne se change en fiction tandis que la Fiction est réalité. Sa célèbre efficacité technique qui l'a rendu maître du monde et justifie son orgueil de jeune dieu et les moyens qu'il imagine pour parer aux attaques incessantes de cette nouvelle réalité terrifiante, se révèlent ridicules et inefficaces. L'homme qui se croyait si fort, d'une force sereine et vaniteuse d'elle-même (cf. le physique même de l'acteur Rod Taylor et l'air avantageux qu'il prête au personnage de Mitch Brenner au début du film), lui qui se persuadait avoir chassé l'angoisse à jamais de sa vie (raison profonde de sa rupture avec Dieu ; délivré de l'anxiété, Dieu ne lui est plus nécessaire dans le même temps que la raison d'être de Dieu disparaît avec son angoisse) se voit soudain enfermé au cœur du pire des suspenses et contraint de recourir comme ses ancêtres (ne serait-ce que les héros des films précédents d'Hitchcock) à sa dernière chance de salut : la fuite. Sauf qu'ici, cette fuite semble désespérée.

Pour en saisir la raison il faut nous tourner vers la mère de Mitch, Mrs. Brenner. Son rôle occulte, en effet, est primordial. Elle est l'inverse du chef du contre-espionnage de *North by Northwest*. Il figurait le Créateur. Elle en est l'épouse. Elle représente, comme toutes les mères chez Hitchcock, la Conscience divine au stade de la Nature. Matrice et génitrice de l'univers réel de la Triade, elle est le médium – et l'étrange regard médiumnique de l'actrice choisie par Hitchcock en fonction justement de ce regard invite à cette spéculation – entre Dieu et l'homme[1].

Or, la mort du Père fait d'elle une Conscience à la dérive et l'affole en tant que Nature. Elle craint, d'une crainte infinie, la responsabilité qui lui incombe : poursuivre l'œuvre du Créateur et accomplir son dessein. Cette œuvre consiste, on s'en souvient, en l'élevage de poulets lequel symbolise, dans le contexte ésotérique, le rôle de la Nature dans la Création et son caractère cyclique. D'où le besoin de notre personnage de se raccrocher à l'Idée de l'œuvre en la respectant religieusement. Pour cela, Mrs. Brenner en fixe l'idée qui devient son idée fixe et, ce faisant, la « dénature ». Elle change en inquiétude qu'elle cristallise son désir de suivre à la lettre le Plan préétabli par le Père. Par là, elle en perd l'esprit. Son angoisse se dilate désormais sans retenue et répercute à l'échelon cosmique son souci quotidien. En tant que nature génitrice elle produit une monstruosité. Elle provoque l'inversion de l'ordre des choses.

Cela vient de ce qu'elle ne peut agir seule. Il lui faut un tuteur. Privée du soutien de la Volonté du Père elle n'a de cesse d'en chercher un substitut. Elle croit le trouver auprès de son voisin le fermier ; elle ne rencontre que l'image d'un dieu mort, assassiné et dévoré par la nature déchaînée. C'est encore la vraie raison pour laquelle elle refuse la liberté à son fils. Il était prévu dans le Plan que l'homme doit rester sous la dépendance de la Nature dont il est le plus achevé des produits. Mais peut-être, Dieu vivant, aurait-il prévu qu'au stade de son évolution actuelle l'homme puisse rompre sa dépendance envers la Nature et transformer radicalement ses rapports avec elle ? Or, conservatrice par fidélité à son mari, Mrs. Brenner, en veuve abusive, stoppe l'évolution. D'où la catastrophe.

Devant son ampleur, Mrs. Brenner qui se rend soudain compte qu'elle a failli à sa mission commet la faute occulte la moins pardonnable. Elle accuse son fils d'être incapable de remplacer le Père. Elle exige de l'homme qu'il prenne le relais de Dieu, qu'il se fasse Dieu. Nous renvoyons ici le lecteur-spectateur à l'impression ressentie lorsque Mrs. Brenner profère cette énormité (dans l'interprétation psychanalytique celle-ci se passe de commentaire), et la sorte de stupeur qui frappe alors les personnages en présence. Mrs. Brenner ne peut pas mieux trahir sa « nature » de Conscience divine et renier son rôle de Nature. Désormais, mère dénaturée, elle ira jusqu'à se désintéresser de sa propre fille que prendra en charge Mélanie pendant la violente attaque des oiseaux. Seule l'évolution des autres personnages l'amènera – in fine – à retrouver sa mission maternelle (envers Mélanie).

Si Mélanie, incarnation de la mentalité collective contemporaine qui a rompu avec la tradition, qui fait fi de l'avenir, qui, Dieu étant mort pour elle, considère le présent, voir l'instant, comme la seule éternité qui lui importe, si Mélanie, donc, a déclenché par ses actes irresponsables la catastrophe générale ; si Mrs. Brenner qui craint de ne pouvoir maintenir l'homme sous la coupe de la nature engendre effectivement cette catastrophe et l'amplifie démesurément par son anxiété croissante : Annie Hayworth, l'institutrice, l'active par ses désirs refoulés que la venue de Mélanie avive en une flambée nouvelle (se souvenir avec quelle volupté elle savoure, en imagination, yeux fermés, aspirant sensuellement la fumée de sa cigarette, le moindre mot de la conversation téléphonique entre Mélanie et Mitch Brenner). L'apparition des oiseaux est due, en effet, à l'attitude de Mélanie mais leur violence, leur acharnement et leur force sont le produit conjoint des craintes vaines de Mrs. Brenner et des désirs stériles d'Annie Hayworth. Dans le contexte ésotérique, cette dernière se révèle être la plus dangereuse pour le sort même de l'homme. C'est en ce sens que dans le rapport de symétrie entre *North by Northwest* et *The Birds* Annie Hayworth se présente comme la version positive de Vandamm.

Dans cette interprétation, en effet, l'institutrice, personnage entièrement lié au souvenir, représente l'âme de l'humanité passée, celle qui, peu à peu, a pris conscience de la valeur de l'homme et l'a posé en dieu. Mais il n'était pas encore temps. L'homme n'avait pas atteint sa maturité ni accédé à son indépendance envers la Nature. D'où la facile victoire emportée par la mère de Mitch qui sut conserver son fils et l'enlever à Annie Hayworth ainsi que la résignation de notre personnage. Résignation apparente seulement. Sous le couvert d'enseigner la connaissance et la tradition de l'humanité passée à l'humanité future, elle reste à Bodega Bay pour mieux ressasser son rêve défunt et vivre dans l'ombre de celui qu'elle continue à aimer en secret. De même que Mrs. Brenner cherche à maintenir l'homme sous la férule d'une nature conçue comme immuable, de même Annie Hayworth veut, par l'inter-médiaire de Mélanie qui revit sous ses yeux son aventure, confiner l'homme dans son passé.

Il convient, dès lors, pour ne point entraver la marche de l'évolution, qu'elle disparaisse, détruite par la force aveugle qu'elle a contribué à déchaîner. Tout mal, en son excès, porte en lui un bien. Attaquée par les oiseaux, l'institutrice retrouve in extremis sa raison d'être :

transmettre à l'humanité future la somme des expériences passées non pour enfermer l'homme dans la nostalgie du révolu mais pour l'aider à se réaliser pleinement par la conquête de l'avenir. Notre héroïne se sacrifiera donc. Elle donnera sa vie, ultime preuve d'un amour jusque-là stérile et néfaste mais soudain libérateur, pour sauver la petite sœur de celui auquel elle ne sut renoncer.

La petite sœur de Mitch qui porte en elle l'espérance du film en détient finalement la clé si cette clé réside bien, comme nous le pensons, dans les « love birds » qui sont au centre du film. N'est-ce point pour les offrir à sa sœur, en gage de joyeux anniversaire, que Mitch rencontrera Mélanie ? N'est-ce point avec eux qu'à la grande horreur de Mrs. Brenner la petite fille partira dans la voiture ? Ces oiseaux sont le symbole de ce à quoi l'homme aspire au plus secret de son être : le bonheur intime, la joie d'exister, bref la communion harmonieuse (d'où le couple) entre l'homme et la femme, l'homme et la nature, l'homme et le monde. Ils sont l'incarnation de la parcelle divine qui est en nous. Ils sont l'amour dans ce qu'il a de plus parfait et de plus éternel.

Or, l'homme, disputé par les trois femmes, ne peut espérer de salut que dans le futur d'une mentalité collective – la petite sœur représentant l'âme de l'humanité future – qui saurait redonner aux valeurs essentielles, et à l'homme par rapport à elles, leur vraie place. Dans le contexte ésotérique, c'est par une sorte de nécessité intérieure profonde que Mitch, dès l'ouverture du film, vient quérir les « love birds ». Mais il n'appartient pas à l'homme d'en prendre possession. Ce rôle est dévolu à Mélanie. Figuration de la part la plus précieuse de la Conscience divine, les « love birds » sont liés fondamentalement au monde de l'âme et par conséquent, chez Hitchcock, à celui de la femme. Ils symbolisent l'idéal le plus pur qui puisse être proposé à l'humanité et qui soit la raison, le moteur et le but de son évolution. Seule, donc, Mélanie, âme de l'humanité présente, peut les prendre en charge… avec la volonté de s'en décharger aussi vite. On sait, en effet, le peu d'empressement que notre conscience commune actuelle manifeste envers ce précieux fardeau ; comment, par exemple, elle n'entend conserver de l'idée de l'Amour uniquement que ce qui peut satisfaire ses appétits immédiats de jouissance. Or, la seule façon pour elle de s'en débarrasser est de la transmettre sans plus tarder à l'humanité future (la petite sœur de Mitch). Ce qui explique dans le contexte ésotérique la brusquerie du départ de notre héroïne pour Bodega Bay. Apparemment sa décision semble le fruit d'une lubie, d'un caprice d'enfant gâté, voir d'une impulsion sexuelle inavouée. Elle lui est dictée, en fait, par une motivation bien plus impérieuse : celle de remettre aux éléments de l'avenir le soin d'assumer sa mission (se souvenir de l'air scandalisé du passager de l'ascenseur à la vue des « love birds » ou de la façon dont ceux-ci sont ballottés de droite et de gauche, livrés au vertige de la pure sensation, dans la voiture de sport décapotable menée tombeau ouvert par Mélanie qui fonce voluptueusement vers son destin).

Évidemment son vœu sera réalisé, mais comme toujours chez Hitchcock, à l'encontre de son désir. Il est vrai qu'elle cesse selon son souhait d'être actrice pour devenir enfin spectatrice du spectacle qu'elle a mis en scène. Mais apprentie sorcière, elle ignore tout des règles fondamentales aussi bien de la magie universelle que du spectacle. Et la voici contrainte, désormais, à rester contre son gré, spectatrice du spectacle effrayant qui maintenant lui échappe. Et toujours contre son gré elle sera poussée à reprendre peu à peu son rôle d'actrice (là encore inversion par rapport à *North by Northwest* à la différence de

Thornhill, Mélanie n'agit pas librement pour reprendre en main le spectacle mais, au contraire, est constamment dominée par lui). C'est, en effet, au moment où Mélanie guidée par un sentiment (par notre sentiment) de curiosité plus fort que la peur prend la décision d'agir – au moment où, vers la fin du film, elle monte au grenier – qu'elle subira le châtiment logique de son action initiale insensée : la folie.

Car au regard des forces occultes combien est démente cette action initiale (comme d'ailleurs est démente cette action finale). De quoi s'agit-il ? D'introduire la raison la plus lumineuse dans l'irrationnel le plus obscur et le plus tumultueux pour l'y abandonner. De ramener au cœur de la Nature qui est à l'origine de la vie et la gardienne de ses secrets, l'idéal qui est le but ultime de cette vie[2]. Bref d'opérer la grande Inversion à l'opposé du Grand Œuvre.

Il y a antinomie radicale entre ces deux pôles qui se situent aux deux extrémités de l'évolution. L'un appartient à l'univers de la genèse où bouillonnent à l'état larvaire tous les germes et formes possibles de vie. L'autre est lié à un univers qui ne sera pleinement réalisé que lorsque aura été retenue, après de multiples éliminations, la forme la plus parfaite de vie. L'un est à l'origine, l'autre à l'arrivée du grand courant qui donne un sens à l'existence. Dès lors vouloir les rapprocher, les associer même, est d'une rare absurdité : ils ne peuvent que se repousser l'un l'autre et le sens qui va de l'un à l'autre s'inverser. C'est pourquoi donner comme mission à l'humanité, la tâche de traquer les secrets de la nature pour le plaisir non de savoir vraiment mais d'expérimenter, de voir ce qu'il y a à voir, dans l'intention de profiter égoïstement de cet acquis, c'est forcer les secrets à sortir de la nature. C'est chasser incontinent vers l'extérieur et d'une manière qui devient rapidement incontrôlable, l'un des possibles monstrueux que la nature contenait et jusque-là maintenant. Et ce possible aussitôt prend corps, forme un univers en lui-même parfait, qui se propose immédiatement comme nouvel idéal à l'humanité, et qui est la dérision parfaite de l'ancien idéal. Ici, finalité de l'existence signifie la fin même de cette existence. À peine, en effet, les « love birds » sont-ils abandonnés à l'intérieur de la maison maternelle, que les oiseaux commencent à envahir le ciel et couvrir l'horizon.

Par la brusque mutation d'idéal, l'espoir change de camp et avec lui, la fantastique force que draine l'espérance. Son énergie se transmet aux forces occultes qu'elle a libérées. Et sa puissance croit avec la crainte que le nouvel idéal de mort suscite. En d'autres termes, plus la cage des « love birds » reste à l'intérieur de la maison maternelle plus la force destructrice des oiseaux augmente. Dès lors on comprend pourquoi leurs attaques qui obéissent au rythme de la nature insoumise, celui de la montée par vagues successives de plus en plus rapprochées et violentes des pulsions instinctuelles, pourquoi donc leurs attaques sont principalement dirigées contre les enfants.

Pour assurer la victoire absolue de leur règne les oiseaux doivent détruire toute trace d'espérance, donc anéantir les « love birds ». Mais cela leur est impossible tant que l'humanité conserve un soupçon d'espoir. Or, par excellence, ce sont toujours les générations futures qui portent cet espoir et auxquelles on le confie. Elles deviennent les victimes privilégiées des oiseaux. Si ces derniers parvenaient à tuer les enfants et surtout la petite sœur de Mitch, les « love birds » disparaîtraient nécessairement à jamais. L'échec peut-être provisoire, peut-être définitif des oiseaux, vient de ce que devant leur menace la solidarité humaine se ressoude en vue de préserver l'espèce.

Sous cette optique s'éclaire la scène qui autrement demeure incompréhensible où la petite sœur de Mitch supplie Mélanie de rester pour son anniversaire pendant que notre héroïne joue du piano, s'octroyant l'illusion, source même de son action fatale, d'un instant de vrai repos, de quiétude familiale, de bonheur. Il s'agit pour l'humanité future de prier l'humanité présente au moment où celle-ci profite de l'abdication de sa mission et goûte à la profonde jouissance de la vie de ne point tout abandonner, de conserver sa place de maillon dans la chaîne de l'évolution. Et Mélanie ne peut qu'accepter. Par intérêt égoïste d'abord : c'est une excellente occasion de prolonger son séjour auprès de l'homme qu'elle convoite. Mais surtout pour une raison plus secrète : le fait qu'elle ait transmis la cage des « love birds » à l'humanité future implique qu'elle croit en cette humanité. Refuser la proposition de la fillette lui devient impossible. Mélanie se trouve ainsi prise au piège. Elle croyait se débarrasser de ses responsabilités en les abandonnant à l'humanité future. Mais puisqu'elle ne veut pas la mort de celle-ci, il faut qu'elle la prenne en charge. Ce qu'elle fera de plus en plus tout le long du film.

Ayant rétabli le lien qui l'unit à l'humanité future, il convient logiquement qu'elle en fasse autant avec l'humanité passée. À cette scène succède celle de Mélanie chez l'institutrice. Mais les deux femmes sont respectivement absorbées par leur problème personnel, leur fausse et trompeuse entente incite les oiseaux, après un deuxième avertissement, à passer à l'attaque. Elle a lieu dans la scène suivante, celle du goûter d'anniversaire, où elle est principalement dirigée contre les enfants. En vain, toutefois, puisque aussi bien la Nature (la mère) et l'homme (Mitch) que l'humanité passée et présente se liguent pour les protéger et les mettre à l'abri. Comme est vaine l'intrusion des petits oiseaux à l'intérieur de la maison maternelle : tant que les « love birds » s'y trouvent, la petite fille qui en est désormais la dépositaire et ceux qui l'entourent n'ont rien à craindre.

Pour parvenir à leur fin, les oiseaux changent de tactique. Ils veulent imposer leur règne : ils diviseront. Ils assassinent d'abord le fermier qui est le substitut du père, la dernière émanation de Dieu. Meurtre facilité par le fait qu'il accomplit le vœu de l'humanité présente de se débarrasser de Dieu. Ce crime offre un double avantage. Il laisse d'abord la Nature sans guide ni directive. Affolée, la mère cède au découragement. D'autre part, il attire, retient et occupe l'homme effrayé soudain par la responsabilité qu'il souhaitait secrètement et qui lui incombe désormais. Les oiseaux ont le champ libre. Ils se groupent près de l'école pour ce qu'ils espèrent être l'ultime assaut. Mais l'union conjointe, l'entente, cette fois, effective de Mélanie et de l'institutrice sauve les enfants grâce à une fuite éperdue.

Devant l'échec de cette seconde tentative, les oiseaux décident d'attaquer isolément leurs adversaires. Ils vont chercher à détruire d'abord l'humanité présente, assurés qu'ainsi, humanité future et passée périront. Face au péril, Mélanie tente, mais un peu tard, de jouer son vrai rôle qui est d'éveiller les consciences (n'est-ce pas, en effet, le vrai rôle de la presse que d'alerter les consciences et non de les alarmer, de les exciter ou les rendre incrédules à coups de bluffs sensationnels). Ce n'est donc pas gratuitement que dans le snack-bar de Bodega Bay, Mélanie téléphone la nouvelle au journal de son père à San Francisco : que les échantillons d'humanité courante qui l'entourent et l'écoutent sont typiquement ceux qui, dans n'importe quel café de commerce du monde, commentent les dernières informations ; que leur réaction devant cet événement sensationnel qui, pour une fois, est en deçà de la vérité est le modèle des réactions possibles face à un problème inimaginable et pourtant réel (problème de n'importe quel ordre : métaphysique, politico-social[3], scientifique[4], esthétique[5], sexuel[6], etc.) ; que Mélanie se heurte à

212

l'impuissance égoïste de cette humanité quotidienne aux consciences si imprégnées et faussées par la mentalité collective forgée par la presse dont elle est l'incarnation que ces êtres sont comme les reflets, à travers des miroirs déformants, d'elle-même : bref qu'elle se trouve brutalement mise en présence de l'effet néfaste qui a résulté de l'abdication de sa mission.

On est en droit de s'étonner dans ces conditions que les oiseaux ne lancent pas leur offensive au milieu de cette débâcle et qu'ils attendent le retour de Mitch de chez le fermier. Pourtant leur calcul est explicable. En tant que représentant de l'homme moderne, orgueilleux de sa supériorité, Mitch est responsable de l'humanité présente (à la fois Mélanie et les clients du bar), même si au fond de lui-même il la désavoue (ses reproches à Mélanie dans l'oisellerie) et espère en une nouvelle humanité (le fait de vouloir acheter les « love birds » pour sa sœur). Or, de même qu'en tuant le fermier, les oiseaux avaient joué sur son envie secrète de constater la mort de Dieu, de même ils spéculent maintenant sur la tentation qu'il éprouve de renier la mentalité collective moderne ainsi que l'humanité médiocre qui l'entoure. Spéculation qui n'était point sans fondement puisque après avoir arraché Mélanie de la cage de verre où elle était de toute part assaillie, le couple se trouve face aux regards hostiles de l'humanité quotidienne qui le rejette et le condamne à assumer seul cette catastrophe dont elle le rend responsable (la gifle qu'envoie la mère affolée à Mélanie en la traitant de sorcière).

Mais calcul pourtant erroné (ce qui tend à prouver la grande rigueur logique et l'honnêteté fondamentale de la construction d'Hitchcock : la lutte entre oiseaux et humanité est à égalité puisque si l'homme ne parvient pas à expliquer rationnellement la psychologie des oiseaux et à imaginer une parade efficace, les oiseaux eux, parce qu'ils obéissent

213

aux motivations les plus irrationnelles de la Nature aux lois des instincts, cherchent à assurer leur victoire en réalisant les vœux inconscients de l'homme et de l'humanité présente et passée, mais oublient par là même le facteur capital chez l'homme qu'est la raison). Car dans la tourmente qui s'abat sur le bourg, Mitch *doit* sauver Mélanie. Il *sait* que si atteinte que soit l'âme de l'humanité présente il ne peut exister sans elle, qu'ils forment un couple indissociable et que de toute façon à la pire des mentalités collectives doit en succéder nécessairement une meilleure. De même il sait que sans l'existence d'une humanité moyenne il n'est rien, que sa supériorité s'écroulerait aussitôt.

Il y a plus. Si Mitch avait succombé, comme le fait l'humanité moyenne, à la tentation d'éliminer la mentalité collective actuelle, il aurait du même coup anéanti l'âme de l'humanité future. On se souvient, en effet, que le drame qu'a vécu la petite sœur de Mitch et que découvre maintenant le couple, s'est déroulé en même temps que l'attaque sur le village. Tout laisse supposer – car n'oublions pas que nous sommes plongés dans l'univers du fantastique où toutes les actions s'interpénètrent – que pendant que Mélanie était prisonnière dans la cage vitrée du téléphone, les oiseaux commençaient à fondre sur la petite sœur de Mitch qui courait se réfugier chez l'institutrice. Et qu'au moment précis où Mitch délivrait Mélanie. Annie Hayworth sacrifiait sa vie pour sauver celle de la fillette.

Expliquons le phénomène sur le simple plan affectif. Dès que Mitch risque son existence pour libérer Mélanie, il lui donne un merveilleux gage d'attachement qui porte immédiatement un coup fatal à la petite espérance qu'entretenait secrètement l'institutrice de voir un jour récompenser la patience de son amour. Elle sait désormais que tout est fini, que disparaît à jamais sa dernière raison de vivre. Elle offre cette vie comme preuve ultime d'un amour pur et désintéressé devenu maintenant sans objet.

Sur le plan de l'interprétation ésotérique où nous nous plaçons, l'action de Mitch obéit à la raison supérieure qui commande de sauver l'âme de l'humanité présente pour permettre l'éclosion d'un avenir plein de promesse. Elle implique que l'homme reconnaît (ce que Mitch, jusque-là, refusait d'admettre) que la mentalité collective actuelle est un maillon absolument nécessaire dans la chaîne de l'évolution ; donc que l'humanité future n'a plus besoin d'aller à l'école de l'humanité passée puisqu'il accepte désormais que l'humanité présente en prenne le relais, qu'elle assume avec le présent, le passé de l'humanité. En accomplissant cette action, Mitch sacrifie délibérément l'âme de l'humanité passée qui n'a plus qu'à disparaître en manifestant le meilleur d'elle-même, en donnant la plus noble leçon d'amour à l'humanité future.

Reste à se poser la question : pourquoi les oiseaux dont toutes les attaques ne visent qu'à détruire la petite fille se détournent in extremis de celle-ci au moment où ils pouvaient remporter la victoire pour s'acharner sur l'institutrice. Or, nous l'avons vu, les oiseaux n'obéissent qu'aux lois des forces souterraines de la nature et ne connaissent de l'humain que les forces irrationnelles de l'inconscient qu'ils se chargent aussitôt de réaliser. En sorte que sur le plan affectif, lorsqu'ils foncent sur la fillette, Annie Hayworth, en se portant devant eux, forme paratonnerre : elle fait passer le désir le plus inconscient qui soit, celui de la mort, au niveau de la conscience et lui donne ainsi une force d'attraction telle que les oiseaux sont contraints de le satisfaire. Et, d'autre part, sur le plan ésotérique, la décision raisonnable de l'homme d'admettre qu'il appartient indissolublement au temps présent modifie radicalement son envie secrète de le renier. Il opère un choix conscient qui le force à accepter le monde actuel au détriment du monde passé dont il se détache désormais complètement. Il le livre ainsi à la destruction pour la sauvegarde même de l'avenir.

Les oiseaux n'ont d'autres ressources maintenant que d'attaquer directement la maison maternelle où se sont barricadés, Mrs. Brenner, Mitch, sa petite sœur, Mélanie et les « love birds ». C'est que, furieux de s'être laissés aussi stupidement floués par les forces occultes de la nature auxquelles ils sont soumis, les oiseaux tournent leur rage contre la Nature elle-même. Ils atteignent ainsi au plus haut degré de l'irrationnel qui est l'autodestruction. D'où l'attitude paniquée de Mrs. Brenner pendant l'assaut et son incapacité à être utile à quoi que ce soit sinon qu'à activer la violence des assaillants puisqu'au fond d'elle-même, elle appelle cette autodestruction pour avoir mené à la faillite l'œuvre qui lui fut confiée.

Mitch et Mélanie, en conséquence, doivent s'armer d'un immense courage pour résister à l'aspiration mortelle de celle (la Nature) dont ils sont nécessairement les hôtes forcés. Tout semble les condamner. Ne sont-ils pas les derniers défenseurs de la raison vacillante (comme vacillent et s'épuisent les rares lumières dont ils disposent encore) et de l'idéal bien faible désormais (les « love birds » dans leur cage ont été dissimulés sous un voile). Mais parce que le couple retrouve sa raison d'être – lui en luttant sur le front extérieur, elle en veillant à l'intérieur, sur la petite fille et en entretenant ainsi un soupçon d'espérance – qui est de combattre jusqu'au bout pour l'existence, ils obtiendront un répit. L'attaque cesse. Règne l'accalmie.

Étrange accalmie d'ailleurs, qui ressemble fort à un début de mort. Toutes les lumières sont éteintes. Chacun, épuisé, s'est assoupi. Comme si l'obscurité qui s'est emparée de l'univers de la raison était à l'origine de la trêve provisoire qu'accorde, assuré de sa victoire, le monde des Ténèbres, qui lui ne dort pas. Un léger bruissement d'ailes révèle sa présence inquiétante que perçoit, dans sa nuit, la conscience du monde moderne. Mélanie s'éveille. Elle se lève et imprudemment s'avance dans le noir. Elle répond à l'appel de cette bizarre musique aussi irrésistible que le chant des sirènes. Elle succombe à sa curiosité funeste d'où le mal est venu, à ce besoin gratuit de percer de sa faible lumière (la torche électrique dont elle s'est munie) les mystères insondables. Elle cède surtout à l'envie de s'abandonner à sa folie latente (inutile de rappeler – cf. *Psycho* – le sens psychanalytique du grenier), de s'offrir à l'ennemi pour ne plus avoir à lui résister, pour que cesse le combat.

Ce faisant, elle se persuade – selon le processus de la bonne conscience que nous avons déjà rencontré dans *Psycho* – que son noble sacrifice, à l'instar de celui de l'institutrice, sauvera ses compagnons, que son holocauste apaisera le courroux des oiseaux. Alors qu'en vérité son action irraisonnée est la conclusion logique de sa lâcheté fondamentale qui la pousse à abdiquer d'abord sa mission, puis, contrainte sous la pression des événements à la remplir jusqu'à épuisement des forces, d'en finir désormais avec toute sorte de lutte. D'où la sorte d'étrange séduction, d'extrême douceur que les oiseaux donnent à leur appel. Mais à peine le faisceau lumineux de la torche électrique s'est-il posé sur eux, à peine ce rayon de raison vient-il troubler leur univers, qu'il excite leur fureur. Les oiseaux se précipitent, tout bec et griffes dehors, sur Mélanie. Ils l'acculent contre la porte qu'elle referme sous son propre poids, la forcent ainsi à accomplir son vœu secret de se replier entièrement sur elle-même, Mélanie s'affaisse sous la violence des coups. Elle conserve à la main la torche qu'elle ne songe même pas à utiliser comme arme et dont la lumière ne sert plus qu'à éclairer la scène qui manifeste la déroute de la raison, la victoire quasi certaine des oiseaux. Car à l'encontre de ce que désire croire Mélanie pour justifier son acte, sa disparition loin de sauver ses compagnons ne peut que leur être fatale.

D'où l'ultime sursaut des personnages. Après de fantastiques efforts Mitch parvient, contre l'obscure volonté de Mélanie, à entrouvrir la porte et à l'arracher, une fois encore, de sa propre cage. Mais c'est une démente maintenant qu'il récupère. Ainsi, bien qu'ayant obéi à la raison supérieure qui lui commande de sauver l'âme de l'humanité présente, il voit à son tour exaucé son vœu secret de l'éliminer au profit d'une nouvelle mentalité collective plus conforme à sa conception du monde. Mais élimination qui le contraint à la prendre entièrement sous sa responsabilité et donc à la guérir pour que puisse s'épanouir cette humanité dont il rêve.

En effet, le rôle de Mitch dans le film nous donne la morale de la fable. Imbu de sa supériorité, assuré que tout lui est possible puisque désormais il est dieu, tout entier absorbé par la conquête de l'univers, le héros moderne n'a que mépris pour le vulgum pecum. Tel Moïse il monte orgueilleux et solitaire sur le Sinaï non pour recevoir les tables de la loi d'un Dieu maintenant mort, mais pour découvrir les lois de la nature afin de lui imposer finalement la loi de son esprit (n'oublions pas que Mitch est avocat : un homme qui connaît le maniement des lois). Mais au pied de la montagne le peuple s'adonne à l'ivresse de la fabuleuse liberté dont il dispose désormais et cherche à ne satisfaire que ses aspirations les plus basses. Il se forge une mentalité collective qui, dans son appétit de jouissance, n'hésite pas à pénétrer dans le domaine de la nature où se trouve le héros et à enfreindre, en toute méconnaissance, ses lois les plus secrètes. Dans l'obligation de maîtriser la catastrophe qu'inévitablement cette action insensée engendre, le héros doit apprendre à ses dépens qu'il est vain de rêver à une humanité qui soit parente de son esprit (la petite sœur) s'il ne cherche d'abord à connaître, à comprendre, à profondément s'attacher enfin à cette étrangère qu'était pour lui l'humanité présente et qu'il condamnait au départ (évocation du bris de vitrine dans la scène de l'oisellerie). Il apprend par la souffrance à s'humaniser c'est-à-dire à savoir qu'il est solidaire de l'humanité actuelle et que son aventure loin de déboucher dans le futur sur une humanité meilleure risque dans le présent son anéantissement, si, en même temps qu'il tente de percer les lois de la nature, il n'enseigne pas – car c'est à lui et non à l'histoire et au passé de le faire – la grande loi du règne humain : que l'amour, la liberté, l'espérance (forme supérieure et suprême des désirs et des craintes), constituent une force fabuleuse qu'il faut maintenir par la sagesse, la connaissance et le contrôle de soi dans sa cage dorée. Malheur à qui, imprudemment, comme le fit Mélanie dans l'oisellerie, entrouvre la porte de la cage.

Il importe donc, qu'avant toute chose, tous les personnages quittent maintenant la maison maternelle, abandonnent cet univers fœtal qui est à l'origine de toute vie, mais lui est dès lors interdit, de fuir ce lieu de convergence de toutes les forces occultes de la nature. Il leur faut naître à nouveau, affronter un monde sans cesse hostile, noir de menaces et le parcourir sans la possibilité ni d'un abri, ni d'un repos. Cette aspiration au bonheur est proposée par l'idéal – et comme on sait que le propre de l'idéal est d'être projeté constamment devant soi, qu'un idéal atteint n'est plus un idéal, la course sera sans fin – que la mentalité collective se doit de porter sans défaillance.

Après que Mélanie ait été forcée par Mrs. Brenner et par Mitch à re-naître (la façon dont ils l'entraînent hors de la maison) et à surmonter sa légitime terreur devant l'effrayant spectacle de la réalité : après que Mrs. Brenner, enfin apaisée, éprouve un sentiment maternel envers la malheureuse et la prend en charge : après que la petite sœur malgré le refus paniqué de Mrs. Brenner retourne chercher, avec l'accord de son frère, les « love birds », les personnages s'installent dans l'auto. Mrs Brenner et Mélanie à l'arrière, Mitch, sa sœur et les « love birds » à l'avant, Mitch reprend au volant de la voiture la lente et périlleuse marche de l'homme vers sa destinée.

1. Dans cette optique on conçoit pourquoi Jo Conway représente dans *The Man Who Knew Too Much* le mythe marial. Elle est la seule héroïne d'Hitchcock qui soit à la fois mère et femme. Elle est la parfaite médiatrice entre les puissances supérieures (qui sont au-dessus d'elle dans la scène du Royal Albert Hall) et le monde humain. Par son cri qui sacrifie son fils au salut de Dieu, elle sauve l'humanité. Elle accomplit idéalement ce que Dieu attend de la créature humaine.

2. Voyons comment on peut appliquer cette explication généralisée au symbolisme restreint, celui de la bombe atomique auquel chacun a songé au moment de la sortie du film. À partir du moment où l'humanité actuelle cherche à percer les secrets les plus redoutables de la nature, non pour servir à sa propre évolution mais pour assurer sa puissance - car en portant la cage, Mélanie cherche surtout à s'approprier Mitch, elle court fatalement à la catastrophe. De tels secrets l'obligent plus que jamais à reconsidérer sa propre fin. N'envisager comme idéal que la seule connaissance des secrets de l'univers pour n'en tirer qu'un profit matériel mène nécessairement à la ruine. C'est abdiquer le véritable idéal. *The Birds* aborde, ainsi, entre autres le grand problème moral qui se pose à la science moderne.

3. Le film qui décrit un processus de révolte peut très bien évoquer le problème des noirs dont la menace s'est fait déjà vivement sentir aux U.S.A. en 1962.

4. Le film évoque le danger du progrès scientifique atomique, biologique, etc. lorsqu'il ne sert pas l'humanisme.

5. À preuve la réaction hostile qu'ont eue les critiques et le public devant le film.

6. Le lecteur-spectateur aura évidemment ressenti au plus profond de lui-même que le film fait éprouver intensément l'aventure d'un viol. Tout y est : depuis le caractère lourd de l'attente qui avive l'excitation au début du film jusqu'aux spasmes convulsifs de plus en plus violents que sont les attaques. De même le lecteur-spectateur à fort bien compris que *The Birds* relate l'histoire d'une femme frigide, d'une allumeuse qui éveille chez les mâles les désirs les plus sadiques dont on sait bien que les enfants (fillettes ou garçonnets) sont les victimes de prédilection.

Le symbolisme hitchcockien

Au terme de cette étude – terme que nous fixons arbitrairement – force est de constater que nous sommes loin d'avoir épuisé son objet : le suspense hitchcockien. Mais là n'était point notre but. Notre seule ambition fut de projeter par à-coups des faisceaux lumineux (que nous espérons tels !) sur les zones cachées d'une œuvre si dense qu'il est inconcevable de songer à la saisir dans sa totalité. Au lecteur, à partir des éclairages que nous lui proposons, le soin de conduire son imagination dans les labyrinthes infinis où l'invite à venir se perdre notre cinéaste, et de franchir les multiples grilles qui peuplent son domaine. C'est pourquoi, en guise de conclusion, nous désirons esquisser un aperçu de la symbolique hitchcockienne.

Une fois admis que tout ce que dévore la caméra de notre auteur cesse d'être objectif pour participer à sa vision subjective, angoissée, magique du monde, il suffit de connaître le principe qui transforme chaque élément que nous voyons apparaître sur l'écran en signe chargé d'une multitude de sens. Ce principe est simple : c'est une peur constante, maladive, exacerbée de la *matière*. Principe qui s'explique déjà aisément au niveau des trois interprétations occultes que nous avons examinées précédemment. La matière, pour Hitchcock, dont l'œuvre montre à quel point il garde la nostalgie de la mère ainsi que la marque d'une éducation catholique puritaine, est liée à l'idée de la chair, de l'acte sexuel, de l'acceptation de la naissance. Elle n'est donc rejetée avec une telle répulsion que parce qu'elle est ardemment, voluptueusement, rêveusement désirée. Elle devient la base même de son suspense dans l'ordre occulte psychanalytique.

Dans l'ordre occulte logique la matière est celle même de la réalité que la caméra doit filmer. Elle est l'ennemi d'un artiste qui aime à concevoir entièrement ses films sur le papier, à imaginer le jeu des formes pour elles-mêmes, à ne filmer que l'idée. D'où le suspense esthétique qui s'établit dans le style d'Hitchcock entre la volonté de respecter apparemment l'aspect documentaire et objectif de la matière et la tendance constamment manifestée à employer le truquage et la technique du cinéma d'animation qui nie la réalité de la chose filmée pour n'en donner que l'idée. (On pourrait pousser plus avant sur la crainte esthétique de notre auteur envers la matière rétive. Il suffirait d'analyser comment Hitchcock se différencie par exemple d'un Lang qui partant d'une angoisse similaire à la sienne aboutit à un style radicalement opposé. C'est que l'univers de Lang obéit avant tout aux lois mécaniques de la physique et donne ainsi aux objets, et aux êtres, une densité, une pesanteur, une existence extrême. À l'inverse d'Hitchcock dont l'univers n'obéit qu'aux lois du monde mental.)

Comme nous l'avons vu, la Matière, dans l'explication ésotérique, est la précipitation, la concrétisation de l'essence divine dans l'existence. Elle est le négatif (dans le sens photographique) de Dieu, son inverse. C'est dire qu'elle n'agit pas mais est agie : qu'elle contient, mais seulement virtuellement, l'infini de tous les possibles : qu'elle est l'objet même, puisque existence, de la lutte éternelle que se livre la Dyade. Or, dans ce combat, elle se révèle, pour Hitchcock, la plus sûre alliée des Ténèbres. D'abord parce qu'elles ont les mêmes qualités négatives : inconscience, impuissance, fixité par rapport à la Conscience, la Puissance, l'Idée. Ensuite parce que grâce à l'opacité même de sa consistance, la Matière fait écran à la Lumière qu'elle projette alors sous forme d'ombres de plus en plus obscures qui deviennent le refuge des Ténèbres. Ceux-ci n'ont en conséquence qu'une idée fixe : ramener toute forme de vie issue de la matière, et en particulier l'homme qui en est le produit le plus évolué, à cet état premier qui assurerait leur triomphe[1]. Il nous faut donc répéter la phrase clé qui permet de pénétrer dans la symbolique hitchcockienne : *tout matérialiser est l'unique effort des Ténèbres*. Ce qui nous amène, en premier lieu, à aborder le rôle de ces derniers.

1) Tous les personnages situés sur l'écran dans des zones obscures subissent, dans un film d'Hitchcock, l'influence maligne. Ils sont lentement séduits et envahis par les Ténèbres. C'est une règle, comme toutes celles qui vont suivre, qui ne souffrent aucune exception. Ainsi dans *Shadow of a Doubt*, Charlie (Theresa Wright) a deviné qu'Oncle Charlie (Joseph Cotten) est un criminel. Au cours d'une discussion qui a lieu la nuit sur le palier de sa maison, elle cherche à le persuader de partir, Charlie se trouve dans le faisceau lumineux qui vient du couloir : Oncle Charlie est dans la partie sombre. Comme Oncle Charlie refuse d'obtempérer à sa demande, Charlie s'avance vers lui dans un mouvement de colère. Elle entre dans l'ombre au moment où elle dit : « *Je voudrais te tuer.* » Dans *I Confess*, le père Logan (Montgomery Clift) surprend de la chambre de son

presbytère quelqu'un qui pénètre, la nuit, dans l'église. Il descend, entre à son tour dans l'église par la porte de la sacristie, se trouve être éclairé par les lumières du chœur et là, scrute la masse obscure de la nef où se cache l'inconnu que nous savons être un meurtrier. Une voix l'appelle alors par son nom. Le père Logan s'enfonce à ce moment dans le noir de la nef pour son angoisse et son calvaire, etc.

2) La tombée progressive de l'obscurité implique l'emprise croissante des Ténèbres. *The Rope* est entièrement construit sur cette idée. C'est même elle qui justifie la promesse technique du film : tourné en un seul plan continu, comme si rien, pas même la césure du montage ne pouvait arrêter cette lente descente de l'Ombre, cette sûre montée de la puissance maléfique. On retrouve la même idée dans *Vertigo*. Pendant que le libraire, spécialiste de la petite histoire de San Francisco, conte à Scottie (James Stewart) la triste et captivante histoire de Carlotta, le jour tombe lentement dans la boutique. L'Ombre s'insinue dans l'esprit de Scottie.

3) La nuit marque, évidemment, autant d'étapes victorieuses dans le subtil cheminement des Ténèbres, substance à la fois absorbée et absorbante. Véritable menace cosmique, toujours lourde et angoissante, elle provoque panique et effroi. Elle pénètre les êtres, les livrant à tous les affolements, à toutes les déraisons. Surtout elle offre sa complicité aux actes criminels qu'elle couvre, dont elle est en réalité l'instigatrice. Il serait trop long de citer toutes les nuits qui hantent l'univers hitchcockien puisque chaque film en comporte aisément deux ou trois. Nous préférons renvoyer le lecteur-spectateur à *Psycho*, où sa puissance se manifeste dans toute son ampleur.

Il y a plus. Non contente de pénétrer l'âme des personnages, de les soumettre à une errance fatale, la nuit engloutit la création. Elle devient le signe évident de la volonté satanique d'absorber la Lumière par le biais de la lumière, qui en tant que telle, est une forme particulière de la matière. En sorte qu'à la limite de cette action, elle abandonne son masque de nuit, elle prend l'apparence du jour, elle se fait jour. Un jour, certes, glauque, opaque où la lumière devient purement matérielle et constitue une sorte de chappe qui enserre le monde et les êtres. Un jour plus impénétrable et terrifiant que la nuit (cf. *Lifeboat*, *Shadow of a Doubt*, *I Confess*, *Vertigo*, *North by Northwest*, *Psycho*, la fin de *The Birds* et celle de *Marnie*).

4) L'ombre, respectant en cela la grande loi du genre fantastique, sera dotée d'un pouvoir encore plus évident. Elle porte la marque de la volonté délibérée des Ténèbres d'utiliser la matière pour faire écran à la lumière. Elle est la forme pure de la force pure du Mal. Elle n'est même plus absorbable puisque projection de la substance ténébreuse déjà absorbée. Elle est l'agent idéal des puissances destructrices. Mais elle-même passe par trois phases de plus en plus redoutables.

a) D'abord le *reflet*. Dès qu'un personnage hitchcockien se reflète dans un miroir, une vitre, un objet, une surface, etc., ce reflet qui est son ombre singulière, visible et identifiable, l'agit. Il est sa véritable réalité. Le personnage croit voir sa projection alors que c'est lui qui est devenu la projection matérialisée de cet agent des Ténèbres. Le reflet est signe que le personnage est déjà suffisamment imbibé de Ténèbres pour être désormais manœuvré par elles. Là encore trop d'exemples pullulent dans l'œuvre de notre cinéaste. Simplement que le lecteur-spectateur se souvienne qu'en règle absolue, dans n'importe quel film d'Hitchcock, chaque fois qu'il verra l'image d'un personnage dans un miroir ou son reflet dans une vitre, ce personnage n'est plus libre. Il est dominé et agit par son double ténébreux.

b) Vient ensuite la *masse d'ombre*. C'est de la matière

non éclairée qui se découpe sur une surface légèrement lumineuse. Elle est immédiatement ressentie, dans sa plénitude angoissante, comme une présence hostile et écrasante. Que ce soit la masse noire du paquebot allemand qui fonce vers la fragile embarcation des naufragés à la fin de *Lifeboat*, ou celle imposante du château de Québec, que nous avons déjà mentionnée, au début et à la fin de *I Confess*, ou celle de l'assassin à la fin de *Rear Window*, ou celle de la maison maternelle de Norman dans *Psycho*, etc., cette masse d'ombre de matière ténébreuse constitue comme autant de réservoirs de puissances sataniques.

c) Enfin l'*ombre elle-même*. Projection de la matière, elle n'en conserve que la forme mais en exprime la force maléfique latente. Pure, son action n'en est que plus efficace. Est-il utile de citer toutes ces ombres, si nombreuses, soit d'un nuage, soit d'un objet, soit d'un individu qui passent et recouvrent un personnage (la plus exemplaire étant celle du métro aérien dans *The Wrong Man*) ? Nous préférons rappeler celles des personnages maléfiques, assassins pour la plupart, qui envahissent soudain l'écran : celle d'Oncle Charlie dans *Shadow of a Doubt*, de Keller (Otto Hasse) au début de *I Confess*, celles qui dans la nuit cernent Robbie the Cat (Cary Grant) pour le tuer dans *To Catch a Thief*, celle de Judy (Kim Novak) qui apparaît sur le fond verdâtre de l'enseigne lumineuse de son hôtel dans la troisième partie de *Vertigo*, etc. N'omettons pas le premier meurtre de *Psycho* où l'ombre, forme indistincte derrière le rideau de douche, est dotée d'une force extrême. Mais jamais peut-être cette imagination de l'ombre ne s'est développée avec autant d'ampleur que dans *Strangers on a Train*. Bruno (Robert Walker), on s'en souvient, veut tuer la femme de Guy (Farley Granger). Il la suit dans un lunapark et monte derrière elle dans une barque. Il s'engage à son tour dans le tunnel d'amour. Son ombre, soudain, avance et recouvre celle de la fille. Ils accostent enfin dans une île où Bruno va l'étrangler. En se débattant, la jeune femme perd ses lunettes. Le meurtre est alors filmé dans le *reflet* des verres. Nous assistons au combat monstrueux de deux ombres qui trahissent, en cet instant, la vraie nature des personnages. Ils n'étaient que des projections matérialisées et sont renvoyés soudain dans leur domaine, le royaume des Ténèbres où le sombre est absorbé par le plus sombre qui renforce ainsi sa propre noirceur.

5) Le noir sera l'état ultime que cherchent à créer les Ténèbres. Aussi, se dissimuler dans le noir, y trouver refuge, c'est se vouer définitivement aux forces maléfiques, être à jamais opaque à toute Lumière. Dans *Rear Window*, au moment de la découverte du petit chien tué, tous les locataires sont à leur fenêtre, sauf un, le criminel, dont l'appartement reste obstinément dans l'obscurité totale et qui signale pourtant sa présence par la lueur de sa cigarette. Dans *Strangers on a Train*, Bruno, qui a pris la place de son père dans la chambre de ce dernier, attend, dans le noir, l'arrivée de Guy. De même Keller dans la scène de l'église déjà citée de *I Confess* ou la façon dont le tueur de *The Man Who Knew Too Much* se glisse derrière la tenture dans la scène du Royal Albert Hall. Mais, là encore, il nous faudrait énumérer tous les films. Ce qu'il importe surtout de saisir est que quiconque se cache dans le noir devient nécessairement porteur et agent des Ténèbres. Il n'est plus lui mais l'exécutant de la force occulte négative. Que nos lecteurs se souviennent de Scottie-Lucifer dans *Vertigo*.

Sombrer dans l'obscurité comme les occupants de la maison maternelle après la grande attaque des oiseaux dans *The Birds*, ou dans le noir total comme la voiture et le corps de Marion qui s'engloutissent dans la mare couleur d'encre de *Psycho*, ou dans le blanc laiteux comme Scottie au moment de son cauchemar dans *Vertigo*, est la pire chose

227

qui puisse arriver aux personnages. Cela signifie leur anéantissement, leur fin cinématographique puisque le noir – ou le blanc – absolu est la négation même du cinéma, leur retour à un univers fœtal qui les prive à jamais de vie et qui implique sur le plan sexuel leur impuissance à transmettre cette vie. But final des Ténèbres, le noir (ou le blanc qui marque l'absorption définitive de la lumière par les Ténèbres. Rappelons que les oiseaux de *The Birds* sont noirs ou blancs tandis que les « love birds » resplendissent des plus jolies couleurs) est rêvé par Hitchcock dans sa toute-puissance. Il n'est pas jusqu'au procédé technique du « fondu au noir » qui ne participe à cette rêverie. Pour notre auteur, tout « fondu au noir » devient un acte de vampirisme, l'appel fatal de la mort, le signe d'une irrémédiable descente dans la matière (cf. en particulier *The Wrong Man*).

Toutefois, comme la symbolique d'Hitchcock n'est nullement figée mais obéit au mouvement de son imagination, il importe de l'interpréter selon le contexte. Lorsque la caméra s'enfonce vers le noir dans le premier plan de *I Confess*, ou Balastrero (Henry Fonda) dans l'obscurité de la bouche de métro dans *The Wrong Man*, ou le train qui emmène le couple Thornhill (Cary Grant) et Eve Kandall (Eva Marie Saint) dans le tunnel à la fin de *North by Northwest*, il est évident que si le noir conserve le sens que nous venons de lui voir, l'action de le pénétrer cesse, en revanche, d'être néfaste. Elle est le fait, dans ces cas précis, soit d'êtres lumineux (le père Logan, Balastrero), soit d'êtres qui par l'apprentissage de la lutte sont aptes désormais à remplir leur mission (le couple Thornhill-Kendall). Il importe, en effet, pour lutter contre l'invasion des Ténèbres que les agents de Lumière entrent dans la nuit afin de les dissiper de l'intérieur. Entreprise qui présente des risques immenses et qui exige une croyance inébranlable en Dieu. Sans cette foi, user de la lumière, se retourne contre son porteur : on l'a vu avec Scottie qui de Lucifer se change en agent démoniaque, ou avec Mélanie qui provoque avec sa torche électrique la fureur des oiseaux.

La grande idée qui préside, à la rêverie hitchcockienne, est celle de l'absorption. Elle consiste à imaginer les Ténèbres comme une puissance qui cherche à dévorer totalement l'autre puissance, la Lumière. Le seul moyen pour eux d'y parvenir est d'emprisonner l'esprit dans la matière. Et puisque chaque âme participe des deux, de diluer, d'émietter la conscience dans son enveloppe charnelle, la faire sombrer dans sa propre nuit. Le processus de l'action ténébreuse consistera à s'emparer d'une âme, de l'enfermer si étroitement dans son corps qu'elle devienne finalement matière. Car, tant qu'une âme conserve la moindre lueur, les Ténèbres perdent toute espérance de vaincre.

La matière se révèle ainsi l'arme efficace par excellence de l'action criminelle. Grâce à sa puissance coercitive, elle servira d'instrument de pression idéal aux Ténèbres par le biais du *secret*, du *chantage*, du *mystère*. Posséder un *secret*, c'est enfermer dans les limites mêmes de son corps, une parcelle de connaissance que l'on refuse de révéler aux autres. C'est se cacher, travestir sa pensée, camoufler et dissimuler ses actes, tromper. Mais surtout, dans l'optique de la rêverie hitchcockienne, c'est créer en soi une zone d'ombre, vouloir conserver une certaine opacité, refuser que la lumière soit faite et par conséquent la Lumière elle-même. C'est absorber un fragment de Ténèbres qui mine l'âme, ronge l'esprit de l'intérieur. C'est finalement se placer sous leur terrible dépendance (cf. en particulier *I Confess* où le secret même de la confession met le père Logan sous la coupe des forces criminelles).

Et comme rien de ce qui est obscur n'a de secret pour l'Ombre, elle dépêche aussitôt un de ses agents pour exercer un *chantage*. Ce dernier n'est-il pas, en effet, le moyen de pression idéal pour s'emparer d'une conscience que l'on possède matériellement et soumettre l'âme à la pure contrainte physique. Car plus le chantage se fait pressant, voir oppressant, plus la conscience devient prisonnière du corps (corps physique et social). Plus elle se mure dans son secret, et plus les Ténèbres auront d'emprise sur l'âme qui lentement et inexorablement s'obscurcit. Le lecteur aura certainement reconnu dans ce processus la trame de tous les films d'Hitchcock – dont chacun apparaît comme une variante parmi les multiples formes que revêt cette action conjuguée des Ténèbres et de la matière – jusqu'à *The Wrong Man* inclus.

À partir de ce film, comme nous l'avons déjà signalé, l'œuvre de notre cinéaste prend un nouveau virage. Le héros, loin de posséder un secret, donc de céder au chantage, est intrigué par un *mystère* qu'il cherchera à percer. Dans son inconscience des forces occultes, il entend dévoiler le secret de l'obscur. Tantôt la matière résistante et coercitive semble avoir disparu. Ne reste qu'un monde de formes mouvantes et insaisissables dans lequel l'âme qui s'engage ne rencontre que davantage de mystères et de Ténèbres (*Vertigo, North by Northwest, Psycho*). Tantôt poussant l'inconscience de son audace à l'extrême, le héros va, ou cherche à aller, d'emblée au cœur du mystère. Il y rencontre sa réalité (*The Birds, Marnie*).

Une telle entreprise n'est-elle pas la meilleure manière de se livrer corps, âme et esprit à l'ombre, de s'absorber en elle et ce d'une façon d'autant plus irrémédiable que la force de curiosité (donc d'esprit) attise et amplifie la puissance des Ténèbres. *Vertigo, North by Northwest, Psycho, The Birds, Marnie*, autant de variations sur le thème du mystère. Notons toutefois que le passage dans l'œuvre d'une époque à l'autre ne s'est point accompli brutalement. Il

230

y eut une période transitoire qui débute avec *To Catch a Thief* (Robbie the Cat cherche à découvrir la bande qui emploie ses méthodes) et comprend tous les films suivants : *Rear Window, Trouble with Harry, The Man Who Knew Too Much* et *The Wrong Man*. Ces œuvres allient le secret-chantage auquel est soumis le héros ou l'héroïne à la quête du mystère qui les environne.

---

1. Les rapports de l'homme et de la matière sont tellement au centre de l'œuvre hitchcockienne qu'à partir de *Psycho* et avec *The Birds* et *Marnie*, ils deviennent le vrai sujet de notre cinéaste. Puisque au terme de sa propre évolution qui implique à la fois un total affranchissement vis-à-vis de son angoisse et un souci de plus en plus exigeant d'accéder à la réalité (la sienne et celle du monde), Hitchcock constate et accepte la mort de Dieu, il lui faut du même coup refuser ces a priori que sont la Lumière et les Ténèbres en tant que substances éthérées et forces agissantes de l'extérieur pour le salut ou la damnation de l'homme et du monde. Mais ces forces n'ont pas disparu pour autant. Elles restent contenues dans la matière. Désormais seul face à face avec elle, l'homme tente d'en pénétrer les secrets, d'en capter les énergies. Mais dans son désir de la violer pour en profiter sans prendre en considération l'évolution de la vie, il libère un continent de puissances maléfiques. Celles-ci n'étant plus désormais combattues par les puissances bénéfiques d'un Dieu tutélaire ont toutes chances de l'emporter (c'est le côté pessimiste qui se manifeste sans ambiguïté à la fin de *Marnie*, à la fin de *The Birds* dont nous avons montré précédemment la face optimiste). Il semble qu'Hitchcock dise maintenant : Dieu est mort, soit. Pourquoi pas ? Mais aussi, pourquoi faire ? Car loin de délivrer l'homme de ses devoirs et de ses responsabilités, cette mort ne fait que les aggraver.

Le regard

Il est un domaine particulier où ce que nous venons d'écrire sur la façon cinématographique qu'ont les Ténèbres de manifester leur emprise se révèle avec le plus d'exemplarité : celui du regard. On peut même affirmer que l'essentiel de l'art d'Hitchcock réside dans cette manière purement personnelle qu'il a de capter en chacun de ses personnages la lente modification de son regard. L'œil et le regard sont au centre de son cinéma (notons qu'à la différence de Lang, l'œuvre de notre cinéaste compte peu d'aveugles. Le plus célèbre se trouve dans *Sabotage*. Or, c'est un aveugle qui en sait plus que les voyants. Il possède la vision intérieure. Il est pour Hitchcock l'incarnation la plus parfaite qu'il ait donnée de l'idée de Dieu).

Hitchcock part du postulat suivant : le regard est lié directement à la Lumière. Il rend visible, à partir de la matière que sont les globes oculaires, la part cachée du divin en l'homme : à la fois l'âme et l'esprit. D'où son importance capitale pour les Ténèbres qui veulent à tout prix se l'approprier. Car ils n'ont de pire ennemi qu'un regard qui conserve intacte l'espérance. Que le lecteur-spectateur se remémore l'extraordinaire croisement de regards, l'un des plus beaux de l'histoire du cinéma, qui a lieu entre le père Logan et Keller dans *I Confess*. Keller, le meurtrier, qui vient de servir la messe du père Logan, suit ce dernier dans le couloir qui relie la sacristie au presbytère en essayant de le tenter : de lui faire perdre espoir. Le père Logan se retourne alors brusquement et le foudroie d'un regard tel que l'autre se sent aussitôt dominé et vaincu. Il est d'ailleurs intéressant de constater que pour interpréter les trois seuls héros lumineux à ce jour de son œuvre, Hitchcock a fait appel à trois vedettes, qu'il n'ait utilisé qu'une seule fois chacun. Or, il les a choisies en fonction justement du regard qui les a rendues célèbres : intelligent et fort pour Montgomery Clift qui joue le père Logan dans *I Confess* : honnête et droit pour Henry Fonda, le Balastrero de *The Wrong Man* : clair et inébranlablement optimiste pour Doris Day, la Jo Conway de *The Man Who Knew Too Much*.

Pour parvenir à leur fin qui est de prendre totalement possession du regard des personnages, les Ténèbres visent avant tout à s'emparer d'un seul regard pour le rendre porteur de l'*esprit* du mal (ce rôle est dévolu très souvent au double ou reflet matérialisé du héros ou de l'héroïne). Il aura d'abord pour mission de séduire – d'où la sorte de charme de tous les criminels hitchcockiens – l'esprit du héros ou l'âme de l'héroïne puis de les fasciner à un point tel qu'il assure sa domination sur eux et leur transmet cette parcelle d'Ombre qui doit, à travers les affres de l'angoisse, mener le héros à l'esprit de la révolte ou l'héroïne à la mélancolie. Ainsi sera éteinte toute trace de lueur dans le regard des personnages. En dernier ressort, c'est à sa vie même que les Ténèbres s'attaqueront. Ils le réduiront à l'état de matière organique (tous les yeux qui, chez Hitchcock, servent de miroir pour réfléchir les êtres ou les objets : l'œil mort de Marion (Janet Leigh) dans *Psycho* ; les yeux du fermier dévorés par les oiseaux dans *The Birds*, lesquels semblent toujours viser les yeux).

C'est dans *Vertigo* que le processus de la manœuvre des Ténèbres est le plus explicite. Au commencement, ils proposent au regard de Scottie (James Stewart) un objet de séduction, une femme, Madeleine (Kim Novak) dont le regard vide de toute expression contient un air si étrange de mélancolie qu'il fascine littéralement notre héros. Il importe, en effet, aux puissances ténébreuses que le regard de notre héros soit progressivement envahi par la force obsessionnelle de son désir, qu'il succombe – but final recherché – à la fixité. Un regard fixe cesse de posséder une vie libre. C'est un regard mort (au point que dans *Psycho* le regard de Marion est d'une fixité extrême puisque l'œil est mort). Il ne voit plus mais projette uniquement sur les autres l'univers de sa folie. Sous l'entière dépendance de l'Obscur, il n'agit plus mais est agi. Un tel regard porte en lui le signe du crime auquel son détenteur est irrésistiblement poussé et par surcroît les stigmates désormais indélébiles d'un immense désespoir.

Lorsque, après avoir traversé cette période de prostration, Scottie sort de la clinique, il est devenu l'agent de l'esprit du mal. Il commence par séduire Judy (Kim Novak) mais par le plus dangereux des charmes : celui du désespoir qu'elle lit dans ses yeux. Puis, ayant assuré sa domination sur elle, Scottie amènera progressivement Judy à prendre ce regard mélancolique qui seyait tant à Madeleine avant de s'apercevoir que ce regard, expression la plus émouvante du vide, couvrait et le crime et le néant. Son propre regard contemple alors le gouffre au bord duquel l'a mené le démon de la perversité.

234

Tout le travail de notre cinéaste sur le regard consiste à nous rendre sensible l'affolement qui peu à peu gagne le regard de son héros ou de son héroïne en fonction, soit de la fixité du regard des autres (les Joan Fontaine de *Rebecca* et de *Suspicion*, les Ingrid Bergman de *Notorious* et de *Under Capricorn*, etc.), soit de la fixité à laquelle tend invinciblement son propre regard (Vera Miles dans *The Wrong Man* ou Janet Leigh conduisant sa voiture dans *Psycho*, etc.). Cette inquiétude constante et croissante qu'on lit dans le regard des personnages est la manière cinématographique qu'a Hitchcock de transmettre cette obsession panique de la mort toujours présente qui rôde en permanence dans son œuvre et guette sans relâche ses victimes.

D'où aussi le conflit nécessaire qu'Hitchcock instaure entre le regard du spectateur et celui de la caméra. Celle-ci est, en effet, conçue par notre cinéaste qui ne peut résister à son goût de la perversité comme maléfique. N'absorbe-t-elle pas la lumière et le jour sur un négatif et, par un jeu d'inversion totale, ne la met-elle pas, à partir d'un positif, au service de l'obscur ? Elle est donc soumise à la grande loi des forces ténébreuses. À travers ses glissements incessants et ses multiples changements d'angle, elle ne vise qu'à obtenir la satisfaction de sa passivité initiale : son propre repos mécanique. Elle tend au plan fixe qui, simple photographie, est la négation même du cinéma, au retour dans le sein maternel de la lanterne magique. Hitchcock, obéissant en cela à la logique de l'esthétique, se devait d'introduire le suspense jusqu'au cœur de son art, jusque dans la machine. C'est pourquoi les plans fixes provoquent toujours dans les films de notre auteur une impression de malaise. Dans la mécanique même de son suspense, leur arrêt s'insère entre le ou les glissements et le heurt final et correspond à la sensation insoutenable de l'attente. (Quelques exemples entre mille : la scène de l'avion dans

North by Northwest : le long plan fixe sur Phœnix au début de *Psycho* ; celui qui domine de très haut Bodega Bay au moment où les oiseaux s'assemblent avant de foncer sur la bourgade, etc.)

Le spectateur, pour échapper à cet état insupportable d'attente et à la fixité où la caméra veut confiner son regard et qui serait la fin du spectacle cinématographique, profite de la tendance à l'inertie de l'appareil. Il se sert de sa passivité pour, en lui transmettant le flux de son espoir sur la bonne fin du spectacle, lui insuffler son dynamisme et le contraindre au mouvement incessant. Un échange, ainsi, s'établit entre le regard de la caméra et celui du spectateur. La caméra impose d'abord son regard et soumet celui du public au sien. Mais au moment fatal où les deux risquent de sombrer ensemble, le regard du spectateur sort de sa torpeur et se libère de sa propre fixité hypnotique. Pour vaincre cette attente, trop longue à son gré, qui lui est infligée par la caméra, il prend en charge son regard et, devançant en esprit le spectacle, le contraint à réaliser jusqu'à la fin ses intentions.

La matière

Complice et instrument des desseins ténébreux, la matière apparaît chez Hitchcock comme la menace immédiate et tangible. Perpétuellement ressentie dans sa toute-puissance contraignante, elle est source incessante d'angoisse. Elle est, en effet, l'état le plus bas de la création par lequel celle-ci doit nécessairement passer pour exister. Dans son premier état (état brut, informe, inerte), elle fait écran, par sa consistance, à la lumière et fonde ainsi l'existence de l'ombre, de la nuit, des ténèbres et par conséquent celle de l'Esprit de négation absolue qui se nourrit et se fortifie sans cesse de cet afflux de non-lumière qu'elle projette sans cesse. Remontant alors des abîmes, l'Esprit maléfique veut confirmer son existence. Il cherche à pénétrer la matière, à capter l'énergie destructrice qu'elle recèle, à l'habiter. De même que le Verbe s'est fait chair, les Ténèbres se font matière. Dans ce dernier état de ténèbres matérialisées dont l'ultime phase est la masse d'ombre que nous avons déjà décrite, la matière de passive devient agissante. Et son action va se développer simultanément sur trois plans.

1. L'emprise de la matière, dominée par la volonté de possession, s'effectue d'abord de l'extérieur. Emprise qui obéira à un double mouvement : *a)* faire pression de l'extérieur sur le corps pour enserrer, comme dans un étau, l'âme et l'esprit ; *b)* pousser l'intérieur vers l'extérieur pour réduire l'âme et l'esprit à leur enveloppe charnelle, à la seule apparence. On aura reconnu s'exerçant d'une manière physique le processus moral du *chantage*. Comme la matière semble être la seule réalité objective, les Ténèbres useront de cette illusion pour contraindre l'âme et l'esprit par l'objet afin de les muer finalement eux-mêmes en objet.

Les illustrations du pouvoir maléfique de l'objet ne manquent pas chez notre cinéaste. À commencer par celui qu'il attribue aux bijoux, reprenant, en cela, un thème cher aux auteurs fantastiques. Si le collier, le bracelet, la bague, etc., sont dans le domaine sexuel, des objets par lesquels leur détenteur cherche à appâter, à attirer et à s'attacher les autres, en revanche et inversement, ils figurent dans l'ordre ésotérique l'emprise de la matière sur cet être. Ils l'enchaînent aussi sûrement que des menottes auxquelles par leur forme et débarrassées de toute valeur, soit de prix, soit sentimentale, ils se réduisent finalement (les menottes des *Thirty Nine Steps*, celles de *The Wrong Man*, etc.). Les bijoux apparaissent, au premier chef, comme l'instrument idéal de chantage. Inutile d'évoquer le bracelet de diamants de la journaliste (Tallulah Bankhead) dans *Lifeboat* au symbolisme trop voyant. Plus subtil est l'emploi de la bague qu'offre dans la cuisine Oncle Charlie à Charlie, et qui fait d'elle, sans qu'elle le veuille, sa complice et son obligée *(Shadow of a Doubt)*. Plus complexe encore la donation du collier de rubis à Lady Harietta (Ingrid Bergman) par son mari, Sam Flusky (Joseph Cotten), dans

Under Capricorn. Son refus de le mettre, sous le conseil de l'envoyé céleste, son cousin, Charles Adare (Michael Wilding) déclenchera la jalousie du mari, attisée par l'envoyée démoniaque, la gouvernante Milly, et sera cause de sa rechute. Passons rapidement sur Robbie the Cat (Cary Grant), ex-rat d'hôtel, dont le passé de voleur de bijoux remontera à la surface pour mieux l'encercler *(To Catch a Thief)* ou sur l'alliance dérobée à l'assassin par Grace Kelly et qui trahira James Stewart *(Rear Window)*. Et rappelons le célèbre collier de rubis sur le portrait de Carlotta dans *Vertigo* qui resurgira en vrai sur le cou de Judy pour sa perte. En règle générale, tout bijou dans un film d'Hitchcock porté par un personnage l'entraîne sous son poids vers les Ténèbres. Quelquefois l'imagination du cinéaste ne conserve que l'idée du bijou : il suffit d'un liséré qui s'enroule comme un serpent autour de la collerette d'Anne Baxter pendant son récit-confession (*I Confess*) pour suggérer l'emprise fatale et son chantage imminent.

Ce qui est vrai pour les bijoux le demeure pour les autres objets[1]. Que ce soit, entre autres, car les énumérer tous serait fastidieux, la clé de *Notorious*, le briquet de *Strangers on a Train*, le sac à main de *Marnie*, ces objets d'usage courant ont une action quotidienne qu'Hitchcock a tôt fait de rêver et d'intégrer, selon le contexte du film, dans le sens de l'action générale de la matière. Une clé, par exemple, est un objet matériel qui permet d'enfermer de la matière, donc de posséder et en même temps de cacher. Elle devient, dans cette rêverie, l'instrument complice idéal des Ténèbres. La dérober, ouvrir la porte qu'elle verrouille, c'est vouloir surprendre le secret des Ténèbres qui est, ne l'oublions pas, dans *Notorious*, de la matière radioactive avec laquelle les agents nazis comptent désintégrer le monde. C'est s'exposer par un juste retour des choses à tomber sous son pouvoir, à devenir soi-même un objet si précieux – puisque au courant du complot redoutable – qu'il faille l'enfermer à clé, abandonné sans défense aux forces maléfiques.

De même, le trousseau de clés dans *Under Capricorn* est signe de pouvoir absolu. Qui le détient règne en maître sur la maison. Il sera l'enjeu du conflit que se livrent Lady Harietta (Ingrid Bergman) et la gouvernante Milly (Judith Anderson). Pour Lady Harietta le trousseau permet de ranger chaque chose à sa place et par conséquent d'imposer l'ordre. Pour la gouvernante, en revanche, qui laisse tout ouvert et, en particulier, la réserve d'alcool dont abuse sa maîtresse, le trousseau qu'elle porte orgueilleusement à la ceinture comme signe visible de sa puissance ne vise qu'à installer le désordre afin de mieux dominer. Finalement il lui sert à boucler Lady Harietta. Mais là encore, par un juste retour des choses, il suffit que Lady Harietta libère le secret de sa faute originelle qu'elle cachait au plus profond d'elle-même, pour reprendre possession du trousseau et régner à nouveau sur la maison et dans le cœur de son mari.

Il est bien évident, par ailleurs, que la cage des « love birds », dans *The Birds*, participe d'une symbolique similaire. À la différence d'Alicia (Ingrid Bergman) qui, dans *Notorious*, avait reçu l'ordre des puissances lumineuses de découvrir par quel principe de la matière l'organisation démoniaque cherchait à détruire la vie. Mélanie (Tippi Hedren), véritable tête de linotte, n'obéit qu'à son caprice lorsqu'elle ouvre la porte de la cage dans l'oisellerie de San Francisco. Or, on ne touche pas au principe de la vie que symbolisent ces oiseaux. On doit le laisser précautionneusement, raisonnablement, sagement, enfermé dans sa cage si l'on veut que soit maintenu l'ordre dans l'homme, la nature et l'univers.

Autre variation sur une même pensée : les sacs de *Marnie* (Tippi Hedren). On connaît le goût qu'ont les femmes de varier constamment leur parure dont le sac à main est l'élément essentiel. Hitchcock va donc l'intégrer à sa rêverie. Il montre avec quel méticuleux et bien féminin souci d'ordre notre héroïne prend soin de ranger les parures qu'elle utilise pour chacune de ses escroqueries afin de s'en débarrasser. C'est que ses vols sont eux-mêmes le produit d'une motivation occulte que notre héroïne se refuse avec acharnement à connaître. L'efficacité rationnelle qu'elle déploie pour changer à chaque larcin de sac manifeste sa volonté inconsciente de rejeter le pénible secret qu'elle enferme en elle. Son désir d'ordre ne prend une place si prépondérante dans sa vie que pour mieux cacher, couvrir et entretenir le désordre souverain qui agite obscurément son être.

Deux autres exemples encore : le briquet de *Strangers on a Train*, la corde de *The Rope*. Un briquet sert à donner du feu. Il est un objet matériel apte à produire une flamme. Laissons vagabonder notre imagination et nous pouvons concevoir qu'inversement cet objet de matière retient prisonnière la flamme, laquelle dans le langage poétique est synonyme de l'esprit. En prenant possession du briquet de Guy (Farley Granger), ce qui l'autorise à effectuer son chantage, Bruno (Robert Walker) s'est approprié l'esprit de Guy pour le forcer au crime. L'usage d'une corde est uniquement d'enserrer la matière. N'ayant pas l'ambivalence d'une clé (qui ferme mais qui ouvre), d'une cage (qui contient une merveille de la vie), d'un briquet (matière et esprit), elle ne peut être rêvée que pour son pouvoir maléfique. Ayant servi à étrangler un être humain, il est logique qu'elle soit utilisée ensuite pour enserrer ostensiblement des livres, pour étrangler l'esprit de l'humanité lorsqu'il alimente la perversité d'une fausse culture humaniste.

Il ne faut point, dès lors, s'étonner qu'Hitchcock affectionne le procédé, somme toute assez grossier, qui consiste à imposer brutalement des gros plans d'objets, tels

241

ceux que nous venons de citer. De la nécessité de souligner et répéter qui est la règle d'or du conte ou de la construction dramatique, un véritable créateur sait faire une vertu. Il l'intègre si bien à son art qu'elle en devient l'un des atouts majeurs. Que chez Hitchcock, l'usage banal des objets les plus quotidiens se mue progressivement sous nos yeux en une source immense d'inquiétude montre bien que ces objets participent de la démarche de notre cinéaste : ils passent insensiblement de l'univers objectif qui est le leur à un monde purement subjectif. Ils concrétisent, ils *objectivent* le sentiment de culpabilité du héros ou de l'héroïne. Ils grossissent avec lui. Si bien que la disproportion, lorsqu'ils envahissent l'écran en gros plan, entre leur petitesse originelle et leur gigantisme soudain qui accentue la petitesse de l'homme par rapport à eux ainsi que le sentiment de menace et de domination qu'ils éveillent par rapport à lui cesse d'être une grossièreté pour devenir non seulement légitime mais absolument et vraiment nécessaire, de cette nécessité qu'implique la logique interne du cauchemar. D'où encore l'obligation de les restituer dans leur contexte quand on veut saisir leur signification symbolique, c'est-à-dire de les relier à la faute originelle du héros ou de l'héroïne.

Mais objets ils sont, objets ils restent. Si l'impression que les personnages et nous-même en avons est vécue mentalement d'une façon subjective, il n'empêche que dans la manière réaliste dont ils sont filmés, ils appartiennent au monde objectif du récit cinématographique. Et l'on sait que chez Hitchcock, cet univers obéit aux forces occultes ésotériques, projections cosmiques des affres intérieures. C'est l'aspect purement matériel de la forme de ces objets que la caméra de notre auteur mettra particulièrement en valeur. Il faut rendre évident que l'action usuelle des objets n'accomplit, en fait, que l'action pernicieuse des

Ténèbres. Les saisir en gros plan c'est manifester l'omnipotence de ces dernières. Lourds de menace imminente les objets semblent, dès lors, posséder toute la pesanteur de la matière pour mieux entraîner et précipiter dans l'abîme ceux qui s'y attachent et cèdent au chantage de leur omniprésence.

L'objet, toutefois, le plus redoutable, le plus apte à imposer à l'âme le maximum de contraintes et à l'esprit le plus haut degré de perversité, est le corps humain. En vérité le corps chez Hitchcock n'est pas, en soi, un objet. Il a même pour mission d'être le signe évident de la plénitude de l'être, l'épanouissement visible de sa personnalité. Mais comme il est avant tout constitué par la matière, il offre la meilleure prise aux Ténèbres qui s'efforcent, par tous les moyens, de le ravaler au rang d'objet.

Considérée selon cette optique, la première partie de *The Wrong Man*, celle où l'on assiste à l'arrestation de Balastrero (Henry Fonda) accusé d'un vol qu'il n'a pas commis, prend tout son sens. Exposé aux yeux de tous, mesuré, ballotté, étiqueté, catalogué, Balastrero se voit peu à peu dépossédé de sa dignité d'homme. Il n'est plus qu'un objet vivant que l'on examine, promène, exhibe à sa guise : un paquet de chair dont on prend livraison : une chose traitée comme telle.

De même Scottie (James Stewart), dans *Vertigo*, se révélera être un agent actif des puissances maléfiques lorsque dans la dernière partie, il prendra possession du corps de Judy (Kim Novak) pour le façonner, le modeler, le transformer en un objet de pur désir. De même Thornhill (Cary Grant), dans *North by Northwest*, se verra forcer de prêter son corps à un individu, Kaplan, qui n'existe pas, et de devenir, grâce à cette opération Garap, un objet publicitaire à la célébrité mondiale de si mauvais aloi qu'elle soumet son corps à tous les périls comme à toutes les attaques.

243

De même, et d'une façon encore plus exemplaire, la mort de Marion, dans *Psycho*, réduit son corps à être traité comme un objet parmi d'autres. La manière purement documentaire dont Hitchcock amasse sous l'œil de la caméra les objets avec lesquels est en prise Norman (Anthony Perkins) pour effacer le crime de la « mère », renforce encore cette idée. De même, le fait que, dans *The Birds*, Mélanie (Tippi Hedren) considère la cage qui contient les « love birds » comme un objet sans valeur dont elle entend disposer selon son caprice entraîne la proposition inverse qui veut que les oiseaux considèrent le corps des humains comme des objets sans valeur, de simples cibles mouvantes. C'est pourquoi dans ce film les chairs seront meurtries, les corps déchirés, lacérés, bafoués.

De même, mais en plus subtil, le cas de *Marnie* (Tippi Hedren). Dans ce film, comme dans *The Birds*, Dieu est mort[2]. L'homme, Mark (Sean Connery), est le seul maître (le patron) de l'univers. Mais dans la vanité de son orgueil, il ne sait pas, ne veut pas savoir, où en lui se trouve la force lumineuse du bien et où est la force ténébreuse du mal. Pour sauver Marnie par amour (ou ce qu'il croit tel) il prendra possession de son esprit et de son âme conscients. Seul le corps lui résiste. Il faudra que l'homme extirpe par la force l'univers inconscient qui gouverne le corps pour que celui-ci cède, qu'il devienne l'objet consentant de son désir. Croyant servir la lumière l'homme aura fait triompher les ténèbres (puisque *Marnie* reprend le scénario de *Notorious*, que le lecteur s'amuse à comparer les deux films et à constater les inversions dont la principale est celle-ci : dans *Notorious*, Cary Grant contraignait par chantage Alicia à épouser l'agent des Ténèbres, Claude Rains : ici, Mark, qui correspond à Grant, force Marnie à l'épouser par chantage).

La tentative maléfique de réduire âme et esprit à leur enveloppe charnelle et cette dernière à un simple objet explique aussi le discrédit que porte Hitchcock sur la photographie et le portrait. Dans sa logique, la rêverie hitchcockienne parcourt le même chemin que certaines religions qui interdisent la reproduction de la figure humaine. C'est que photos et portraits captent le double d'un être à un moment de son passé pour le *fixer* sur de la matière dans un présent éternel. Ils sont l'état final, inerte, mort du *reflet* de cet être conservé comme un objet. C'est pourquoi l'esprit du mal a tôt fait d'habiter cette apparence vide de tout contenu. Il met à profit toutes les formes d'attrait et de séduction que cette image exerce sur ceux qui s'en souviennent.

Photos et portraits diffèrent toutefois. Ils n'ont pas le même pouvoir maléfique. La photo, qu'elle soit photographique ou cinématographique, fixe certes l'apparence physique d'un individu sur de la matière gélatineuse. Mais elle n'y parvient que grâce à la sensibilité de la pellicule à la lumière. La photo, en soi, sera ambivalente, pernicieuse ou bénéfique selon l'intention qui préside à sa prise. Conserver l'apparence d'un être, mortifier un instant de sa vie (photo) ou saisir le déroulement d'un moment de cette vie (cinéma) dans le seul but d'en faire un objet de curiosité, de souvenir ou même de pitié et d'amour (le flash-back d'Anne Baxter dans *I Confess* ou celui de Marnie) livre l'esprit vivant de cet être à l'influence maligne de son reflet photographique. Ainsi, par exemple, le fait que dans *Dial M. for Murder*, l'escroc se trouve sur la même photo de collègue que le diabolique mari (Ray Milland) le met déjà sous la dépendance complète et le chantage de ce dernier. De même lorsque, dans *Vertigo*, Judy (Kim Novak) montre à Scottie, devenu agent des Ténèbres, ses photos de jeunesse avec sa mère et son père pour se justifier, elle ignore que dans l'ordre occulte elle vient de s'enchaîner irrémédiablement à la mort. On conçoit dès lors l'horreur

245

que manifeste Oncle Charlie dans *Shadow of a Doubt* pour tout appareil photographique ou l'extrême imprudence du reporter-photographe (James Stewart) dans *Rear Window* à vouloir fixer sur pellicule les agissements criminels de son ténébreux vis-à-vis, etc. Remarquons toutefois que lorsque les photos perdent leur caractère de souvenir, toute trace de passé défini, elles cessent aussitôt d'être maléfiques. Ainsi les photos de motards qui décorent les murs du bureau de police à la fin de *Psycho* pendant l'explication rationnelle du cas de Norman (Anthony Perkins) : elles sont ici le signe intemporel des forces de l'ordre en action, le constat de la vigilance nécessaire de la raison.

En revanche, le portrait, dans l'univers hitchcockien, est, par sa nature même, d'essence démoniaque. Ne cherche-t-il pas à capter le tout d'un être par un apport de matière colorée sur un support matériel et rendre ainsi sensible par l'effigie son âme et son esprit ? Ne vise-t-il pas surtout à être un objet d'art et à séduire comme tel, donc à sacrifier le modèle à l'œuvre, le sujet peint à l'objet même de la recherche esthétique ? Cela est patent dans *Trouble with Harry*. Le jeune peintre abstrait profite du cadavre d'Harry dont il ne veut même point connaître la personnalité (il s'abstrait de son modèle) pour lui croquer les traits. Il n'empêche que malgré son auteur, le portrait constituera un souvenir qui dénoncera le jeune homme aux yeux du shérif. De même, bien qu'inversement, Bruno (Robert Walker), dans *Strangers on a Train*, nie la nature du portrait grimaçant, dit de saint François, que peint sa mère et projette sur lui l'obsession de la haine qu'il voue à son père. Plus ouvertement objets d'art sont les portraits de Rebecca et de Carlotta. Celui de Rebecca dans le film du même nom trône à la place d'honneur de la vaste demeure seigneuriale hantée par son souvenir que fixe le tableau pour le malheur de la seconde Mrs de Winter. Mais c'est au musée lui-même que se trouve celui de Carlotta dans *Vertigo*. Son pouvoir de séduction n'en sera que plus grand sur l'imagination de Scottie qui se plaît à forger de toute pièce un souvenir dont l'effigie de Carlotta est le centre moteur.

Photos et portraits constituent une étape dans le chemin qui, à partir du reflet, permet aux Ténèbres de s'approprier les apparences de l'être afin de forger son double ou de susciter le dédoublement de sa personnalité. C'est pourquoi le double comme l'être dédoublé s'opposeront toujours à l'envoyé céleste (le policier de *Shadow of a Doubt*, Cary Grant dans *Notorious*, Ingrid Bergman dans *Spellbound*, Michael Wilding dans *Under Capricorn*, Grace Kelly dans *To Catch a Thief* et *Rear Window*, Barbara Bel Geddès dans *Vertigo*, etc.). Cet envoyé ne cherche qu'à unifier le héros, à lui restituer son identité mais conserve, quant à lui, sa propre personnalité. Il viendra en aide aux âmes menacées d'écartèlement par le suspense qu'il aura, quelquefois, lui-même suscité pour les mettre à l'épreuve mais jamais ne sera leur reproduction.

Les doubles, en revanche, sont les *reflets matérialisés* du héros ou de l'héroïne. Reflets, ces doubles nous seront toujours montrés, d'une façon ou d'une autre, inversés par rapport au héros qu'ils invitent à se conformer à l'image criminelle qu'ils proposent de lui. Et comme ils sont matérialisés – donc entièrement manœuvrés par les Ténèbres – et ont une prise directe sur la réalité qui rend leur pouvoir maléfique particulièrement efficace, les doubles exécutent le vœu secret du héros qu'ils tiennent ainsi à leur merci par le chantage[3].

Très souvent, d'ailleurs, ces doubles sont eux-mêmes dédoublés : la mère de Claude Rains dans *Notorious*, le couple de tueurs dans *The Rope*, Charles Vanel par rapport à Brigitte Aubert dans *To Catch a Thief*, etc. C'est qu'un double peut avoir une sorte de faiblesse humaine, conserver

247

un certain attachement narcissique envers son modèle. Il doit, donc, être lui-même doublé, dominé par un esprit du mal qui le force à agir sans défaillance. Inversement, quand le double est foncièrement dominé par l'esprit du mal, nous le voyons se dédoubler dans des doubles moins maléfiques dont il se sert puis supprime, afin de renforcer son emprise sur le héros : ainsi Bruno (Robert Walker) qui tue la femme de Guy (Farley Granger) dans *Strangers on a Train*, Keller (Otto Hasse) qui assassine le maître chanteur dans *I Confess*, le mari (Ray Milland) qui utilise son ex-camarade de collège dans *Dial M. for Murder*, etc.

Depuis quelques films déjà, Hitchcock abandonne les doubles pour ne s'intéresser qu'au seul dédoublement du héros. Ce dernier n'est plus contraint par une volonté extérieure à la sienne de venir coller à l'image criminelle que le double propose de lui. C'est lui-même, succombant à l'attrait irrésistible du mystère, qui se change en son propre reflet. C'est la raison pour laquelle, comme nous l'avons déjà dit, avant *The Man Who Knew Too Much*, le double ou son action maléfique (le chat noir rythmant les vols de bijoux durant l'ouverture de *To Catch a Thief*) nous étaient montrés *avant* le héros, puisque chez Hitchcock le reflet gouverne l'être. Mais à partir de ce film, le héros apparaîtra toujours sur l'écran le premier et nous assisterons alors à son dédoublement.

Si *The Wrong Man* est scindé en deux parties égales mais distinctes, cela tient, croyons-nous, à ce que la première est consacrée aux malheurs de Balastrero (Henry Fonda) dédoublé, malgré lui, en un autre et la seconde à ceux de sa femme (Vera Miles) qui, prenant son relais, le dédouble et réalise effectivement son aspiration au désespoir. De même, dans la première partie de *Vertigo*, la tendance schizo-phrénique de Scottie (James Stewart) au dédoublement est proposée en spectacle à son imagination par le biais de celui de Madeleine (Kim Novak) dominée par l'esprit maléfique de Carlotta; puis dans la dernière partie, Scottie accomplit ce dédoublement en forçant Judy (Kim Novak) à devenir Madeleine. Inutile de revenir, par ailleurs, sur le dédoublement de Thornhill (Cary Grant) en Kaplan dans *North by Northwest* qui est le sujet même du film.

Plus exemplaire est le cas de *Psycho*. Nous y assistons au processus complet que nous venons de décrire. Nous passons du reflet de Marion (Janet Leigh) dans la glace des lavabos du garage qui s'empare d'elle et la mène à son double matérialisé, Norman (Anthony Perkins). En tant que double, il est lui-même dédoublé puisque gouverné par l'esprit maléfique de la « mère ». Jusqu'au moment où de double, Norman se transforme en héros qu'une force interne irrésistible pousse à venir se conformer à l'image même de sa « mère », ce qui met un point final et mortel à son propre dédoublement.

Avec *The Birds*, Hitchcock franchit une nouvelle étape dans l'imagination du doublé et du dédoublement. Ici, le dédoublement donne effectivement naissance au double. Phénomène rendu possible pour la raison que ce n'est plus le dédoublement particulier de Mélanie qui nous est décrit dans ce film, mais bien celui de ce qu'elle représente : l'humanité actuelle ou pour être plus précis, la mentalité moderne de la société américaine qui cherche à s'imposer à l'humanité tout entière. Il est donc logique que ce dédoublement crée un double, les oiseaux, qui soit le reflet matérialisé – donc réel, efficace et contraignant – de cette mentalité.

Ne pouvant désormais semble-t-il, progresser plus avant dans cette voie, Hitchcock aborde une nouvelle possibilité dans *Marnie*. Il revient au rôle de l'envoyé céleste. Dès le départ, Marnie (Tippi Hedren) nous est montrée comme dédoublée (nous n'employons pas ce terme dans son sens clinique mais simplement dans sa manifestation cinématographique puisque, après chacun de ses vols, Marnie change complètement d'apparence). Dédoublement rendu patent par la partition en deux parts égales que Marnie fait de l'argent dérobé : l'une pour son cheval et ses vacances dorées, l'autre pour sa mère. L'homme (Mark, Sean Connery) pour la sauver, par ce qu'il croit être l'amour et qui n'est qu'un puissant désir, va paraphraser la pensée pascalienne : qui veut faire l'envoyé céleste fait le double. S'il cherche bien à restituer son identité à Marnie, à la réunifier, il usera pour ce faire des méthodes du double qu'en réalité il est effectivement (d'où l'étrange attractionrépulsion de ces deux êtres vis-à-vis l'un de l'autre). Il parviendra, par le chantage, à son but qui ne sera que la caricature, la dérision de l'action de l'envoyé céleste. Marnie, certes, résoudra son conflit, retrouvera son unité. Mais cette unité, loin de déboucher sur la plénitude et l'épanouissement de sa personnalité, entraînera la réduction de son être au corps, la privant désormais du droit le plus élémentaire à l'existence vraie. À la fin du film, Marnie ne sera plus un sujet. Elle est objet.

2) Une autre forme de l'emprise de la matière, dominée cette fois par la volonté de destruction, sera celle qu'elle effectue de l'intérieur. Le processus de l'absorption est si important chez Hitchcock, comme nous avons essayé de le montrer en maints endroits de cette étude, que notre auteur ne pouvait échapper à son illustration physique. Ce n'est pas gratuitement que l'œuvre de cinéaste, dont les préoccupations digestives se manifestent avec évidence dans la rondeur bonhomme de sa propre personne, est celle où le manger, le boire et le fumer tiennent une place capitale qu'aucune autre œuvre cinématographique, pas même celle de Renoir, autre gourmet célèbre, ne peut lui disputer. Il n'existe pas d'ailleurs un seul film d'Hitchcock d'où la nutrition soit absente.

Une telle insistance à ne jamais nous épargner la vue de la satisfaction d'un besoin, certes, naturel, mais sans grand intérêt en soi, nous invite à penser qu'elle répond, dans cette œuvre où tout hasard est banni, à une exigence impérieuse. Montrer sans répit le manger, le boire et le fumer qui sont trois modes d'absorption de trois états différents de la matière (solide, liquide et gazeux) laisse supposer qu'Hitchcock les intègre dans sa grande rêverie.

Envisagée sous l'angle sexuel, l'absorption est toujours liée dans cette œuvre à la sensation de volupté et de plaisir qu'elle procure. Elle entretient, prolonge, exacerbe par l'imagination le désir érotique des personnages. Manger signifiera prendre un remontant, boire, un aphrodisiaque, fumer, un excitant pour vaincre, par la matière absorbée, l'impuissance à accomplir l'acte sexuel, à saisir la réalité matérielle de l'autre. Considérée selon le point de vue esthétique, l'absorption révèle le souci, voire une certaine difficulté qu'a Hitchcock de nourrir, d'alimenter ses personnages pour leur donner poids, consistance et réalité, bref pour les faire vivre. Enfin, vu d'une manière ésotérique, l'absorption trahit la volonté néfaste des Ténèbres d'user de la matière pour ronger, miner de l'intérieur le personnage qu'elle veut prendre. L'absorption physique ne nous est montrée que pour visualiser l'absorption morale du *secret*.

Avant donc d'analyser les trois modes d'absorption hitchcockiens, examinons les trois cas à ce jour où le héros ne mange, ni ne boit, ni ne fume tout au long du film. D'abord, le père Logan (Montgomery Clift) dans *I Confess*. Ce personnage, nous le savons, est le symbole du Christ, celui qui *veut* l'impuissance (donc, entre autres, la chasteté) et rejette hors de lui tout désir de puissance qu'incarne son double, Keller (Otto Hasse). Or, notons que durant le film, on ne cessera de lui proposer de manger, de boire, de fumer, mais que jamais nous le verrons commettre un de ces actes.

La visualisation de l'absorption lui est triplement interdite : sur le plan sexuel, puisque c'est le principe même de sa chasteté qui est en cause et qu'il ne veut en aucun cas – d'où les multiples tentations dont le flash-back d'Anne Baxter n'est pas la moindre qui lui sont offertes – déroger à ce principe : sur le plan esthétique, puisque sa volonté qui ne faillira pas un seul instant, en fait un personnage entier possédant d'emblée une existence pleine et totale : sur le plan ésotérique, puisque voué par essence à la vie spirituelle, il ne peut ingérer de la matière qui l'entraînerait vers les Ténèbres et qu'ayant pris en charge, volontairement, par le secret de la confession, la culpabilité de l'autre, il doit en assumer seul la responsabilité, donc refuser toute forme de complicité.

Ensuite, Balastrero (Henry Fonda) dans *The Wrong Man*. Ce personnage est le symbole de Job, l'homme qui connaît tous les malheurs, qui supporte toutes les épreuves et vicissitudes matérielles qui lui sont imposées parce qu'il est soutenu par une foi absolue en son Créateur. Il refuse la vie pour uniquement remettre son existence dans les mains de Dieu. L'absorption à lui aussi sera formellement interdite : *a)* sexuellement : le couple formé par Balastrero et sa femme traverse une période d'impuissance (impuissance momentanée puisque le couple a déjà deux enfants). Balastrero qui, par peur de la vie, s'accuse au fond de lui-même de cette incapacité, refuse jusqu'aux moyens les plus naturels d'érotisme, celui de la table, et ne compte que sur Dieu pour lui restituer ses facultés procréatrices. Sa femme, qui se croit responsable de cet échec sexuel, usera en revanche de procédés artificiels (la boîte de pilules qui se trouve sur sa table de nuit). Ils mèneront le couple au bord de la faillite sexuelle. Que l'on compare ce couple à celui de *The Man Who Knew Too Much*. Jo Conway (Doris Day) et son mari (James Stewart) souffrent eux aussi d'une impuissance momentanée mais cherchent à résoudre par eux-mêmes ce problème sexuel. Ils aiment la vie et ne repoussent pas la bonne chair (le repas à Marrakech). Mais, en revanche, Jo Conway se révoltera violemment quand son mari veut lui faire prendre les pilules. Elle ne compte que sur le respect de la nature pour vaincre leur déficience. On voit, par cet exemple, que le problème de l'absorption chez Hitchcock est complexe. Son refus, s'il est légitime et même nécessaire dans le cas du père Logan, devient condamnable quand il conduit un couple, au nom de la religion, à répugner d'accomplir sa mission humaine : *b)* esthétiquement, Balastrero n'aura pas d'existence puisqu'il n'en veut pas : il sera donc entièrement regardé de l'extérieur comme un objet de documentaire. Inutile de le nourrir puisqu'il renonce d'emblée au désir, c'est-à-dire, pour Hitchcock, à la vie personnelle. C'est un personnage sans caractère, comme est sans caractère propre le double de notre héros – l'unique sosie de toute l'œuvre américaine d'Hitchcock – qui est traité lui aussi comme une pure effigie : *c)* ésotériquement, puisque le seul aliment dont se nourrit Balastrero est sa foi indéfectible envers le Christ, il ne peut rien absorber, pas même le secret, étant donné qu'il est apparemment innocent. Dans son immense humilité qui s'apparente à un orgueil immense, la foi insensée de Balastrero sollicite et obtient le miracle qui le délivrera de la ruse des Ténèbres. La moindre absorption le rendrait, dans son cas, complice de la toute-puissance coercitive de la matière qui pèse sur lui et précipiterait sa chute. Comme le prouve fort bien l'exemple de sa femme qui, avalant ses pilules, sombrera dans la nuit de l'esprit, enfermée non dans une prison par erreur mais dans un asile par nécessité.

Enfin Norman (Anthony Perkins) dans *Psycho*. Ce personnage qui symbolise le Christ noir sera à la fois semblable au père Logan dans *I Confess* et son inverse.

Norman, comme le père Logan, *veut* l'impuissance. Mais il sacrifie délibérément son existence, ce n'est pas pour apporter la vie aux autres mais bien pour la leur retirer. Niant l'évolution, il ne prend sur lui la culpabilité de l'humanité que pour la ramener à l'état fœtal. D'où ses meurtres qui le héroïsent. Sa mission occulte rend impossible la moindre absorption. D'abord pour une raison sexuelle que nous avons déjà analysée et sur laquelle il ne nous semble pas utile de revenir. Pour une raison ensuite esthétique : Norman est un cas clinique. Il sera donc traité par Hitchcock comme exemple d'une démonstration psychiatrique. L'individu est nié. N'intéresse la caméra que le mouvement même de sa maladie mentale. D'autant que le personnage lui-même détruit en lui toute trace de sa propre personnalité afin d'être uniquement habité par celle de sa « mère ». Impossible, donc, de le nourrir de traits particuliers qui le singulariseraient puisque son cas est d'emblée singulier. En revanche, en vrai vampire, Norman procède, vis-à-vis de sa future victime Marion (Janet Leigh), comme Hitchcock avec ses personnages. Il apportera à celle-ci le frugal repas qui lui fera reprendre contact avec la vie, cette vie qui lui échappe et qu'il pourra vider alors de son contenu (le sang qui s'engouffre dans le vidangeur de la douche). Enfin, pour une raison ésotérique, Norman ne peut rien absorber sur l'écran. Pour être diabolique son ascèse n'en est pas moins d'une pureté parfaite. Il se veut être le serviteur et l'instrument idéal de l'esprit du mal. Toute ingestion de matière le détournerait dans son cas de sa mission. Pis, elle l'humaniserait. Elle réenclencherait en lui qui est la Mort (par opposition au Christ qui est la Vie) le processus de vie qui aussitôt le détruirait. C'est impensable. Et, comme par ailleurs, Norman est au cœur du secret que seul il détient puisqu'il l'a volontairement fabriqué sans la moindre complicité, nul ne peut venir l'alimenter. Il se contentera, en revanche, d'apporter un repas à Marion, première étape de sa descente vers la mort, la matière (le corps réduit au rang d'objet), les ténèbres (le liquide noirâtre du marais).

Cette triple exception permet de confirmer la règle d'absorption chez Hitchcock et nous rend plus facile l'analyse des trois modes qu'elle revêt. En premier chef, le *manger*. La rêverie qu'Hitchcock opérera sur lui sera double : d'une part générale, liée à l'activité interne que l'on retrouvera dans le boire et le fumer de la chose absorbée ; de l'autre particulière, attachée à l'idée purement impressive du *corps* qui s'emplit de matière *solide*, donc à la fois s'alourdit et se solidifie.

Point de vue général : en bonne fourchette, notre cinéaste sait combien le manger est indispensable à la vie et à la reconstitution des forces (dont les sexuelles ne sont pas les moindres). Mais il sait aussi que le mécanisme de la nutrition implique la décomposition, la putréfaction, la mort. Il y a là de quoi inquiéter un vrai gourmand qui subit l'activité interne de la digestion et ressent au plus profond de lui-même le travail entre ferments de vie et de mort aussitôt imaginé comme un duel, un suspense qui avise la jouissance. Cela explique peut-être la sorte d'aversion que manifeste notre auteur envers le seul aliment qu'il privilégie plusieurs fois d'un gros plan : l'œuf (*Blackmail, Under Capricorn, Rear Window, To Catch a Thief*, etc.). C'est que l'œuf symbolise parfaitement le cycle fatal qui veut qu'une vie soit tuée et mangée pour entretenir une autre vie qui elle-même court vers sa mort. Nous avons vu que dans *The Birds,* Hitchcock amplifiant avec la taille de l'œuf son propos fait le tour complet de sa rêverie alimentaire. Par ailleurs, le sentiment de crainte qu'Hitchcock manifeste envers les pilules (*The Man Who Knew Too Much, The Wrong Man*) s'explique par le fait que ces petits corps solides qui ne se mangent pas mais s'avalent comme une boisson ne cherchent qu'à activer le pouvoir interne des éléments ténébreux (tranquillisants ou somnifères, elles visent à faire sombrer l'être dans la nuit de l'esprit : stimulants, elles donnent l'illusion de vaincre momentanément l'impuissance mais l'aggravent en fait). D'où l'horreur de Jo Conway (Doris Day) quand son mari veut la forcer à prendre les pilules et les conséquences fatales qu'elles auront sur l'esprit de la femme de Balastrero (Vera Miles).

Point de vue particulier : la pensée qui relie, d'une part, le poids du secret à celui de la nourriture ingérée et, d'autre part, l'anxiété viscérale provoquée par ce secret à l'idée de solidification interne unit en une seule deux impressions d'angoisse, l'une morale, l'autre physique, et accentue son caractère de solitude. Il ne faut pas donc point s'étonner si, chez Hitchcock, c'est toujours à l'occasion d'un repas que le héros surprend, à la dérobée, le secret ténébreux[4]. Dans le même temps que la matière alimentaire pénètre dans le héros, lui-même entre dans le secret de l'autre, ce qui implique que ce secret s'insinue en lui. La pensée de ce mouvement dialectique ne serait pas achevée si elle n'était développée jusqu'au bout d'elle-même, si elle ne bouclait pas la boucle. Elle conduit irrésistiblement à partir de la sensation d'alourdissement à la notion de chute et à partir de la sensation de solidification interne à celle de tombeau.

Chute physiquement, dans un film d'Hitchcock, celui qui ayant absorbé un secret refuse de s'en libérer par un aveu volontaire, librement consenti. C'est pourquoi tous les criminels hitchcockiens que nous voyons chuter préfèrent mourir plutôt que de délivrer leur secret (que l'on songe au défi de Charles Laughton suspendu au mât du navire dans *Jamaïca Inn,* à celui d'Oncle Charlie avant qu'il aille s'écraser sous le train de *Shadow of a Doubt,* au briquet que serre dans sa main Bruno après la chute du manège dans *Strangers on a Train*, à la mort de Keller à la fin de *I Confess*, etc.). Toute nourriture que prend celui qui garde en lui un secret criminel vient alimenter son secret et aggrave par là sa pesanteur. Arrive le moment où, celle-ci étant trop forte, le corps cède à son attraction (ce qui explique la fascination qu'exerce le vertige sur les personnages hitchcockiens) et tombe, matière venant s'écraser sur la matière ou écrasée par elle. Prenons, par exemple, le cas de Judy dans *Vertigo*. Demeurée seule dans sa chambre d'hôtel après qu'elle ait cherché à repousser Scottie, elle se décide à confesser par lettre le crime dont elle fut complice. Puis se ravisant, elle déchire ses aveux. Aussitôt après cette scène, nous la retrouvons chez Ernie's, dînant en tête à tête avec Scottie. Tout se passe comme si la nourriture qu'elle prend, à cet instant, vient murer son lourd secret dans le même temps que ce dernier se nourrit du secret de Scottie qu'elle saisit dans son regard fixé sur une cliente qui s'avance habillée, coiffée, décolorée comme Madeleine. Cette nourriture accentue, en conséquence, le poids de son angoisse. Dès ce moment, Judy est irrémédiablement condamnée à la chute fatale puisque l'aveu de son crime lui sera extorqué par la violence. Autre cas : *Rear Window*. Le reporter-photographe (James Stewart), véritable glouton optique qui se repaît de la vie intime des autres, est obligé, faute de preuves convaincantes, d'abandonner son enquête. Il s'en console par un dîner en tête à tête avec sa fiancée. Mais ces aliments matériels qu'il introduit en lui réamorcent son appétit de voyeur, son goût de pénétrer et partager le secret des autres, lequel aussitôt, se manifeste avec une présence plus forte qu'auparavant (les cris de la dame au petit chien). Ce qui mènera notre héros à une chute non mortelle puisqu'il ne fut criminel qu'en pensée et non en acte, etc. (nous laissons, par exemple, le soin aux lecteurs-spectateurs de s'amuser à découvrir entre autres pourquoi Robbie the Cat dans *To Catch a Thief* ou Thornhill et Eve dans *North by Northwest* seront au bord du précipice mais ne choiront pas).

La notion de tombeau liée à la sensation de solidification développe ce schème de pensée : absorber un secret, c'est vouloir l'enfermer en soi comme dans un tombeau, c'est imposer des entraves à ses sentiments, à ses pensées et à ses actes, c'est donc se constituer soi-même en prison. Toute nourriture absorbée est comme autant de pierre qui vient consolider la tombe jusqu'à ce que le corps lui-même soit complètement solidifié, d'une fixité rigide, mort. Conservant le secret déposé en lui, il devient à son tour et dans sa totalité un secret. Et matière solide, il sera absorbé, enfoui au creux d'une matière encore plus solide, placé dans le secret du tombeau. Souvenons-nous par exemple du jeune homme assassiné (il aura, avant sa mort, non pas mangé mais bu avec ses camarades) dans *The Rope*. Son cadavre deviendra le secret qu'on enferme dans le coffre (idée de cercueil) sur lequel ses tueurs dresseront, en guise de catafalque, le buffet. Dans *Trouble with Harry,* le cadavre d'Harry sera enterré puis déterré par chacun des personnages selon qu'ils croient que sa mort est ou non leur secret. *Psycho :* le cadavre de Marion, dont la mort devient le secret qui désormais nous intrigue, est enfourné dans la malle arrière de la voiture avant que celle-ci soit à son tour engloutie dans le marais.

Plus important, pourtant, que le manger sera dans l'imagination hitchcockienne, le *boire*. Cela tient à l'idée purement impressive de l'effet que la matière *liquide* cause sur la conscience ou *âme*. Or, l'âme étant au centre du suspense, il est normal que la boisson qui se trouve par la volonté du cinéaste liée à elle occupe sur l'écran une place privilégiée. C'est que pour Hitchcock le boire prend presque toujours un caractère d'agrément. Il n'a pas cet aspect de nécessité vitale que revêt le manger. Il s'y mêle un élément de jouissance pure qu'accentue la hiérarchie dans l'ordre maléfique (ou aphrodisiaque) des liquides absorbés qui vont de l'aqua simplex au lait, au café, au thé, jusqu'aux alcools.

D'autre part, l'idée même de liquide introduit dans les états successifs de la matière la notion d'un degré plus grand de subtilité, donc de malignité supérieure. C'est que l'activité interne du boire, dont l'effet se fait sentir d'une manière plus immédiate que celui du manger, attaque directement la conscience. Elle l'obscurcit, l'embrume et finalement la noie. Tel un liquide corrosif, elle dilue l'âme. Le lien de cette action avec celle qu'exerce le secret sur la conscience devient, par ce biais, évident.

Ce lien va se révéler plus étroit encore. Puisque dans le suspense, l'âme qui assiste impuissante au conflit entre les deux éléments actifs de l'être que sont le corps et l'esprit, reste passive, nous retrouverons ce caractère de passivité dans la représentation visuelle du boire. Rares, très rares, seront les cas d'un personnage qui se sert une boisson et l'absorbe solitairement. Cela ne peut être que le fait d'un personnage entièrement ténébreux. Au contraire, la règle générale veut que dans les films d'Hitchcock un personnage offre un verre (ou une tasse) à un autre personnage. À ce moment il transmet, échange ou partage un secret avec lui. L'acte de boire introduit la notion de *complicité* et par là trahit un degré supérieur de perversité par rapport au manger. Il risque d'entraîner celui qui l'accomplit à perdre l'âme.

Dans l'impossibilité d'énumérer tous les cas de boissons qui se présentent dans l'œuvre d'Hitchcock, nous préférons examiner quelques exemples parmi les différents liquides absorbés. D'abord l'*eau*. Sa limpidité et le fait qu'elle répond à un besoin vital paraissent l'écarter de toute malignité. Il n'en est rien : elle est malgré tout de la matière. Exemple :

I Confess. Après son récit-confession, Anne Baxter réclame un verre d'eau pour épancher la soif qu'a occasionnée son pénible aveu. Or, il se trouve qu'au moment où elle boit cette eau qu'on lui offre en échange de son secret, celui-ci vient d'apporter au policier et au procureur le mobile qui manquait pour inculper le père Logan. Voir encore, selon cette optique, le verre d'eau sur le front du procureur durant la party. Toutefois, de tous les liquides, l'eau absorbée sera celle qui aura le moins d'influence néfaste.

Le *lait*, quant à lui, n'a peut-être pas l'innocence qu'on aime à lui prêter d'ordinaire. L'opacité de sa blancheur possède ce quelque chose d'inquiétant que renforce encore sa viscosité. Indéniablement, il correspond dans le domaine des liquides à ce qu'est l'œuf dans celui de la nourriture. Source de vie, certes, mais plus sûrement promesse de mort. Car l'on sait combien, chez Hitchcock, les Ténèbres affectionnent se changer en une blancheur immaculée. On ne s'étonnera donc pas, si dans *Suspicion*, Joan Fontaine se persuade que le verre de lait que vient de lui monter son mari, Cary Grant, est empoisonné. À ses yeux, il détient le redoutable secret de son mari – son désir de la supprimer – et, autant pour en avoir le cœur net que par fascination morbide, elle le boit. Voir encore, le biberon flottant sur la mer que, dans *Lifeboat*, John Hodiak brise ou le verre de lait que boit Gregory Peck dans *Spellbound*.

Par son apparence même ténébreuse, le *café* possède d'emblée un pouvoir maléfique. Car ici prédomine l'idée d'introduire le noir à l'intérieur de soi. Par surcroît, le caractère d'excitant du café rend encore plus redoutable l'activité interne de cette mixture à l'aspect si manifestement mortel. Dans *Shadow of a Doubt*, Hume Cronyn explique à Henry Travers que le café qu'il vient de boire aurait pu être empoisonné. Dans *Notorious*, le café effectivement empoisonné doit être la dernière boisson, après la longue kyrielle des multiples alcools qu'elle a absorbés, que prend Alicia. Inutile de préciser ce que prend Alicia. Inutile de préciser que si la caméra valorise à ce point la tasse mortelle c'est qu'elle contient le secret de tous les secrets qu'Alicia se devait de connaître.

Plus subtile sera l'action du *thé,* eau colorée, mais excitant tout aussi fort que le café. Souvenons-nous de son effet dans *The Birds,* lorsque Mrs. Brenner, bouleversée par la mort du fermier Fawcett, se repose sur son lit et s'ouvre enfin à Mélanie (Tippi Hedren). En tant qu'eau, le thé que lui apporte Mélanie permet à Mrs. Brenner de reprendre contact avec la vie, de se confesser, de s'humaniser. Mais en tant qu'excitant, son action influe sur la conscience de la vieille femme pour lui faire prendre conscience de sa défaite, de la qualité insurpassable de son mari défunt, de sa lassitude face à la vie. Elle excite donc sa conscience à aspirer au repos (à la satisfaction de son inconscient) et avive en conséquence la puissance occulte des oiseaux. Dans le même ordre d'idée et par extension, rappelons-nous les tasses brisées dans le même film. Comme si les forces ténébreuses, passant maintenant à l'action directe, dédaignaient ces instruments complices. Sûres de leur victoire elles profitent de leurs attaques pour les casser.

Enfin les *alcools.* Vins, champagne, whiskies ont en commun ce pouvoir de produire griserie et ivresse mais par là même d'assoupir la conscience et lui faire perdre sa vigilance. Ils sont par excellence les alliés des Ténèbres. Ils résument parfaitement le processus de l'absorption : la jouissance, d'autant plus vive qu'elle est momentanée, de la vie qu'ils provoquent mène rapidement à l'inconscience et à la mort. Prenons par exemple le cas de Miss Lonelyheart dans *Rear Window.* Nous la voyons dans son studio préparer deux couverts sur la table mais elle est seule. Elle s'installe, semble tenir une conversation amoureuse avec un partenaire imaginaire, lui verse du vin et s'en verse, lève son verre pour trinquer, puis éclate en sanglot. Elle vient de livrer au reporter-photographe ainsi qu'à nous son pauvre secret de vieille fille solitaire. L'intérêt dans l'optique de ce qui nous occupe actuellement de ce personnage émouvant est dû au fait que, sans être un personnage ténébreux, il se verse à lui-même à boire mais en prenant bien soin d'offrir à boire à un personnage malheureusement fictif. Un vide corporel répond à son vide affectif. Pour combler cette absence qui lui pèse nous la retrouvons plus tard ramenant chez elle un ami de rencontre qui cherche aussitôt à abuser d'elle, alors qu'elle ne rêve que d'un amour romantique. Elle se défend. L'homme furieux s'en va. Restée seule, Miss Lonelyheart absorbe, pour se suicider, une forte dose de somnifères (cf. pilules). Ainsi cette action d'apparence bénigne qui consiste à se verser du vin la condamne irrémédiablement dans l'ordre occulte à la mort. Mais comme cette action nous a rendu complice d'un secret qui n'est en rien criminel, bien au contraire, cette complicité jouera en sa faveur et nous la sauverons in extremis par l'intermédiaire du reporter-photographe.

Autre exemple qui sera double puisqu'il nous permet de comparer le début de *Strangers on a Train* à celui de *Dial M. for Murder*. Dans ce dernier film, le mari (Ray Milland) qui attend son ancien compagnon de collège prépare le whisky qu'il s'empresse de lui offrir dès que celui-ci est arrivé. Car il s'agit de forcer l'autre à entrer comme exécutant dans le complot criminel que le séduisant mari prépare contre sa femme. À partir du moment où nous les voyons l'un et l'autre boire en discutant du projet, nous *devons savoir* que le camarade de promotion non seulement sera contraint d'accepter d'être complice mais surtout que *c'est lui* qui périra. (Notons, en passant, qu'à la fin du film, Ray Milland, démasqué, se verse à boire et offre à boire à l'inspecteur.) Dans le wagon-salon de *Strangers on a Train* nous assistons à une scène similaire. Bruno (Robert Walker) qui est l'un des grands criminels hitchcockiens – il use donc simultanément des trois modes d'absorption (le manger, le boire, le fumer) – invite Guy (Farley Granger) à trinquer avec lui pour lui proposer son étrange marché. Au niveau de la conscience Guy repousse ce plan. Mieux, ne le prend pas au sérieux. Mais le fait qu'il boive avec son convive prouve qu'au niveau de l'inconscient, il accepte le pacte. Nous devons donc savoir qu'à partir de ce moment l'existence de Guy sera de plus en plus menacée, mais non détruite, par ce secret inavoué, cette intention cachée et refoulée jusqu'à ce qu'il s'en délivre publiquement. De même voyons-nous la famille du sénateur, dès l'annonce de la mort de la femme de Guy, devenir complice de ce dernier en acceptant les verres de whisky que leur apporte la jeune sœur, laquelle sera punie de sa témérité en se sentant assassinée fictivement par Bruno pendant la réception.

Reprenons aussi le repas de *To Catch a Thief* entre Robbie the Cat (Cary Grant) et l'inspecteur d'assurances. C'est par le vin que va s'établir leur complicité. Celle-ci n'étant point créée en vue d'un but criminel mais au contraire pour démasquer le complot ténébreux n'entraînera pas finalement de catastrophes pour eux. Il leur faudra pourtant se déguiser, tout de noir vêtus, en ombres et en doubles et ce au péril de leur vie pour, de l'intérieur, forcer les agents ténébreux à révéler à la lumière leur visage.

Enfin, dernier exemple, *Vertigo*. Madge (Barbara Bel Geddès) par deux fois offre un verre de whisky à Scottie. Nous savons que par rapport à lui, elle est l'envoyée céleste, l'ange tutélaire, la maîtresse aimante et fidèle. Une telle initiative – à la différence de Cary Grant, dans *Notorious,* qui entraîne à boire Alicia (Ingrid Bergman) parce que sur ordre des instances supérieures il doit satisfaire son penchant pour la boisson afin de s'en servir comme pion dans la lutte contre les puissances ténébreuses – mènera Madge au désastre. Sur le plan sexuel, en effet, ce recours à l'aphrodisiaque, loin de lui ramener Scottie, fortifie son délire érotique, renforce sa trouble attirance vers Carlotta-Madeleine. Sur le plan de la logique interne, le désir que manifeste le geste de Madge loin de rappeler Scottie à la réalité, de le forcer à quitter les régions éthérées du rêve, jouera contre elle. Sa propre réalité ne supporte pas, justement, la comparaison avec le rêve de Scottie. Enfin, sur le plan occulte où par cette pauvre ruse elle cherche à user des mêmes armes que ses adversaires ténébreux, à acheter la complicité de Scottie pour le retenir dans les voies du bien, à échanger le secret des autres contre le sien (cf. le tableau que Scottie regarde son verre à la main et qu'il repose en quittant à jamais l'appartement de Madge) son action se retourne contre elle. À tous les niveaux, l'acte hospitalier d'offrir du whisky condamne Madge. Il conduit Scottie à sa perte et Madge à sa propre chute.

De la même façon que pour le manger, la rêverie poétique sur l'activité interne du boire doit se poursuivre et passer du subjectif à l'objectif, du monde des sensations au cosmique. L'âme qui a bu sera bue à son tour, son être englouti et dilué dans la grande masse aqueuse. L'eau qui, absorbée, semblait le moins dangereux des liquides se révèle alors comme le plus redoutable. La noyade devient le terme ultime des âmes désemparées et mélancoliques, l'engloutissement celui des êtres qui se sont enfoncés avec volupté dans les Ténèbres. Dans le premier cas nous trouvons entre autres la jeune mère et l'amputé de *Lifeboat,* la Madeleine de *Vertigo,* Marion dans *Psycho* lorsque sa voiture est noyée par la pluie. Marnie dans la piscine, etc. Dans le second, les paquebots ainsi que le commandant nazi de *Lifeboat,* Harry noyé dans sa baignoire dans *Trouble with Harry,* Marion et Arbogast dans *Psycho,* etc.

Troisième et dernier mode d'absorption, le *fumer.* Il diffère d'emblée du boire et du manger par le fait qu'il est une pure jouissance et n'est en rien nécessaire au processus vital. Cela suffirait pour le ranger comme le plus maléfique des trois modes. Il a pourtant d'autres motifs d'être honoré à ce titre. D'abord il est le moins matériel des trois états de la matière. Gazeux, il possède une subtilité qu'aucun des deux autres ne prétend lui disputer. Fumer c'est absorber de la matière réduite à l'état d'ombre. Par ailleurs, la sensation voluptueuse que procure la fumée s'amplifie par l'effet d'excitant qu'il a sur l'*esprit.* Son activité interne enclenche celle de la faculté supérieure de l'être. On ne peut rêver mode d'absorption plus démoniaque. Il sera le fait de ceux qui gardent et chérissent en eux un secret criminel. Il est, par excellence, un plaisir solitaire. C'est la raison pour laquelle son traitement visuel sera beaucoup plus restreint que ceux du boire et du manger. Il prête moins à développement.

Que le fumer accompagne par ailleurs l'ombre, la tombée nocturne ou le noir, va de soi. Il suffit de se rappeler Oncle Charlie (Joseph Cotten) fumant sur son lit dans sa chambre d'hôtel au volet clos *(Shadow of a Doubt) ;* de l'acteur John Dall jouissant de sa sinistre mise en scène en aspirant sa cigarette *(The Rope)* pendant que tombe le jour ; de Bruno (Robert Walker) qui se dissimule toujours dans l'ombre, une cigarette aux lèvres *(Strangers on a Train) ;* de l'assassin de *Rear Window* qui trahit sa présence dans le noir de son appartement par le bout incandescent de sa cigarette, etc. À partir de *The Wrong Man,* le secret étant remplacé par le mystère, fumer sera le fait de ceux qui renforcent, accroissent ce mystère. Ainsi le libraire dans *Vertigo* fume pendant qu'il évoque le souvenir maléfique de Carlotta et que tombe la nuit dans la boutique : ou encore dans *North by Northwest*, l'un des assistants du comité réuni par le chef du contre-espionnage fume pendant que le chef expose le plan qui, transformant Thornhill en Kaplan, plonge ce dernier en plein mystère : rappelons-nous aussi la façon dont l'institutrice dans *The Birds* savoure sa cigarette alors que Mitch téléphone à Mélanie : ou encore la cigarette que fume Mélanie attendant la fin de la classe tandis que grossit derrière elle le rassemblement des oiseaux : ou encore dans le snack-bar la sorte de Mr. Homais femelle, fumeuse invétérée à qui le mystère paraît complètement absurde alors qu'il se prépare à fondre sur la bourgade, etc.

À ces trois modes d'absorption, menaces de mort qui s'attaquent respectivement au corps, l'âme et l'esprit, correspondent logiquement les trois modes de crimes qui se commettent dans les films d'Hitchcock : le poignardage (intrusion brutale et inopportune d'un corps dans le corps humain), l'étranglement (manière rapide de couper le souffle – l'anima des latins – et de faire rendre l'âme) et l'asphyxie par gaz toxique. La chute ou le poison ne sont pas, en effet, des crimes hitchcockiens. Ils restent toujours au niveau de la tentative de meurtre mais ne réussissent jamais. Le seul crime apparent par chute que nous voyons sur l'écran est celui de la femme de Galvin Elster dans *Vertigo*. Or, nous apprendrons par les aveux de Judy que le mari avait eu soin d'étrangler préalablement sa victime avant de la précipiter dans le vide. Répétons-le : seul se tue, en chutant, chez Hitchcock, le criminel. Et ce sans le secours d'aucune main étrangère, entraîné qu'il est par le poids de sa propre culpabilité.

Reste le problème des armes à feu. Elles ne servent efficacement qu'aux seules forces de l'ordre. La raison en est simple. Sexuellement le symbolisme de l'arme et du coup de feu étant clair, comment un criminel hitchcockien qui appartient au monde de l'impuissance serait-il apte à employer utilement cet instrument ? Il rate nécessairement son coup. Esthétiquement, la rapidité même de l'action de l'arme à feu élimine le suspense. C'est un procédé qui manque d'élégance comme ne manque pas de le reprocher Vandamm au professeur à la fin de *North by Northwest*. Ésotériquement, enfin, l'arme à feu est rêvée par Hitchcock d'une façon mythique. C'est la foudre de Zeus, la manifestation de la puissance du Créateur. Si les criminels s'en emparent ce n'est point pour détruire l'homme – tout au plus le menacer – mais pour la retourner contre Dieu, attenter à Son existence. En vain, évidemment. Leur balle rate toujours leur cible et va se perdre dans la nature ou se loger dans quelques innocents qui, de toute façon et d'une manière ou d'une autre, appartiennent à leur camp.

Le lecteur en sait désormais suffisamment sur l'importance de la loi d'absorption chez Hitchcock pour développer par lui-même les innombrables aspects qu'elle revêt. Inutile, en conséquence, de nous étendre sur les lieux où se pratique l'absorption. Par exemple, si nous sommes dans le vrai, la cuisine qui est l'endroit où se prépare activement la nourriture, doit être un haut lieu maléfique. Or, il se trouve que, sans exception, les cuisines aperçues dans les films d'Hitchcock prouvent cette règle. C'est dans la cuisine qu'Oncle Charlie donne la bague d'une veuve joyeuse à Charlie *(Shadow of a Doubt)* ; à l'office, régentée par la gouvernante Milly, que règne un climat démoniaque *(Under Capricorn)* ; à la cuisine que l'on range et l'on vient chercher la corde meurtrière *(The Rope)* ; à la cuisine du presbytère que vit Keller et dans la cuisine d'un grand hôtel que des marmitons sont atteints par les balles de ce dernier *(I Confess)* ; à la cuisine que l'assassin de *Rear Window* dépèce sa femme ; à la cuisine d'un restaurant que travaillent les criminels de *To Catch a Thief*, etc.

267

Nous pourrions aussi évoquer les restaurants, les bars-fumoirs, les cabarets, les dancings, etc., et leur rapport avec le monde maléfique. Mieux vaut constater que le décor d'intérieur chez Hitchcock doit procurer une impression agréable de confort, le décor extérieur une sensation d'étrangeté, d'inquiétude, de malaise. C'est que le décor, aussi bien externe qu'interne, est traité par Hitchcock d'une manière purement fantastique. Il est un piège qui met les personnages en situations dramatiques. Plus les personnages cherchent à s'y réfugier plus il tend à les absorber. Le décor n'est utilisé qu'à une seule fin dramatique : forcer les personnages à en être expulsés, à en sortir, à le fuir. Jonas dans le ventre de la baleine...

3) La troisième et dernière forme de l'emprise de la matière, dominée par l'idée d'entraînement fatal, est celle qu'elle effectue par le mouvement. Ou, si l'on préfère, par la sorte de fascination qu'elle exerce sur ceux qu'elle veut perdre et qui succombant à son *appel* franchissent la *distance* qui les sépare de la chose convoitée (ou crainte). Il y a là un phénomène d'hypnotisme qui annihile conscience et esprit pour les soumettre à la matière. Elle visualise la mise en mouvement de forces inconnues qui poussent l'être, attiré irrésistiblement, vers le *mystère*.

L'aspect le plus immédiatement sensible que revêt cette troisième forme dans l'œuvre de notre cinéaste est celui des véhicules. Ils ont pour eux de rendre évident l'idée à la fois d'entraînement irrésistible et de passage d'un univers à un autre. Trains, voitures, bateaux, etc., trahissent ainsi dans l'ordre occulte psychanalytique la poussée des motivations inconscientes ainsi qu'un voluptueux emportement, au niveau des sensations pures, vers le mystère sexuel ; dans l'ordre occulte logique ou esthétique ils accompagnent insensiblement et indiquent le départ du monde quotidien vers les rives mystérieuses de l'univers fantastique : enfin, dans l'ordre occulte ésotérique, ils procurent le sentiment d'une avancée, d'une progression vers le mystère mortel des Ténèbres. Les véhicules, chez Hitchcock, sentent toujours le soufre. Les envoyés célestes ne les utilisent pour ainsi dire jamais. Le jeune policier de *Shadow of a Doubt* surveille Oncle Charlie dans une ville de l'est américain puis nous le retrouvons dans la petite ville provinciale où habite Charlie dans l'Ouest américain sans qu'il nous soit donné de le voir voyager. De même le chef du contre-espionnage de *North by Northwest* nous est montré successivement et comme par magie à New York, puis à Chicago et enfin aux pieds des monts Rushmore. C'est que les véhicules sont étroitement liés à l'imagination des Ténèbres. Nous voyons avancer l'ombre, progresser la nuit, s'étendre l'obscurité. Il y a passage, alors que la lumière est instantanément là ou elle doit être. C'est pourquoi un envoyé céleste ne montera dans un véhicule que s'il doit accompagner et sauvegarder par sa présence l'être qu'il a reçu mission de protéger (Cary Grant dans la voiture d'Alicia au début de *Notorious*. Grace Kelly conduisant Robbie the Cat à ses étranges rendez-vous dans *To Catch a Thief*, etc.). Et si nous voyons dans *North by Northwest*, le chef du contre-espionnage – ou Dieu – aller avec Thornhill jusqu'à l'avion qui doit les mener ensemble de Chicago aux monts Rushmore nous ne le verrons pas monter et encore moins à l'intérieur de l'appareil pendant le trajet alors qu'aucun des voyages de Thornhill ne nous fut auparavant épargné. Si donc un envoyé céleste nous est montré seul dans un véhicule comme c'est le cas de Madge (Barbara Bel Geddés) dans *Vertigo* qui arrête sa voiture dans une forte *pente descendante*, nous devions en déduire que nous assistons à la chute d'un ange.

Il semble inopportun de passer en revue tous les modes de transport qui apparaissent dans les films de notre auteur tels que ski *(Spellbound)*, bicyclette *(I Confess)*, bateaux (paquebots : *Lifeboat, I Confess, Marnie* ; barque à rame : *Lifeboat, Strangers on a Train* ; canots à moteur : *To Catch a Thief, The Birds*, etc.) ou avions *(The Man Who Knew Too Much, North by Northwest)*, fauteuil roulant *(Rear Window)* ou cheval *(Notorious, Under Capricorn, Marnie)*, etc. Nous préférons examiner trains et voitures qui constituent les deux pièces maîtresses dans l'arsenal véhiculaire d'Hitchcock en mettant l'accent sur le fait que notre cinéaste joue à la fois sur l'impression spécifique que procure chaque moyen de transport et sur le rôle, actif ou passif, du passager dans la conduite du véhicule.

Le train possède dans les films d'Hitchcock un pouvoir de fascination qui le rend d'emblée maléfique. Si son symbolisme sexuel, tant l'image d'un train en marche est suggestive, ne mérite pas qu'on s'y attarde, il n'en va pas de même des rêveries auxquelles il prête. D'abord, le luxueux confort dont se pare ce moyen de locomotion chez Hitchcock souligne la jouissance éprouvée par les personnages à se livrer passivement à la pure sensation d'être emporté voluptueusement et de s'abandonner au bercement d'un rythme singulier. Ensuite, et comme pour contrecarrer cette vision subjective trop charmeuse, le train est vu pour ce qu'il est : une carcasse de matière, un long boyau de ferraille qui enserre complètement ses passagers et semble les digérer. On ne peut imaginer plus sûre emprise des Ténèbres. Ce n'est donc pas gratuitement si le train est un moyen de circuler qu'affectionnent les criminels : si les personnages, comme absorbés par lui, aiment à y manger, boire, fumer *(Shadow of a Doubt, Strangers on a Train, North by Northwest*, etc.) : si l'idée de train s'accorde si souvent avec celle des Ténèbres (Oncle Charlie caché par un rideau noir au début de *Shadow of a Doubt* et la scène de l'assassinat en pleine nuit à la fin du même film : Guy rentrant à Washington en pleine nuit avec pour seul compagnon le savant ivre pendant que sa femme se fait assassiner par Bruno dans *Strangers on a Train*; la tombée de la nuit dans les trains de *Strangers on a Train* et de *North by Northwest* ou l'entrée du tunnel à la dernière image de ce film). Peut-être n'est-ce pas non plus gratuitement si l'architecture de l'appartement de *The Rope* ressemble à s'y méprendre à celle d'un wagon : l'étrange voyage criminel ne s'effectue pas ici à travers l'espace mais le temps, c'est-à-dire à la tombée du jour pendant que les invités mangent, boivent et fument. Que penser dès lors, du métro, ce train souterrain, corps matériel enfermé et roulant à l'intérieur de la masse terrestre, dans lequel Balastrero, *The Wrong Man*, commettra l'imprudence de livrer ses aspirations secrètes (le journal, la publicité pour les assurances, les courses) ? Son omniprésence démoniaque scandera le film comme pour mieux mettre en valeur la toute-puissance occulte des Ténèbres. Signe de l'excitation virile entièrement tournée vers la jouissance le train comble les désirs pour ne mener qu'à la mort.

Si le train est du genre masculin, la voiture, en revanche, est signe de féminité. Ce que tend à prouver la prédilection de notre cinéaste pour les jolies conductrices au volant. Très sensible à la mentalité collective, Hitchcock ne pouvait ignorer le subconscient des hommes contemporains qui aiment à parler, donc à rêver, d'une auto comme d'une femme. L'élégance de la carrosserie, la souplesse de la conduite, la puissance du moteur, le fait, enfin, que le chauffeur mène activement son engin au gré de son caprice et du rythme qu'il désire lui imposer prédisposent à jouir intensément de la voluptueuse griserie de la vitesse. Inutile, donc, d'insister sur la merveilleuse alliée que la voiture, comme la femme depuis Ève, constitue pour les Ténèbres. Hitchcock établit, toutefois, une distinction dans le degré maléfique des voitures selon qu'elles sont décapotables ou non. Fermées, elles constituent un nouveau corps pour les passagers, d'où l'impression de contraintes, de malaise, d'être « mal dans sa peau » que les voyageurs semblent toujours éprouver dès qu'ils sont en voiture. Comme si ce corps solide et matériel dont ils sont prisonniers leur donnait l'avant-goût du cercueil, ce qu'il devient effectivement pour Marion et Arbogast dans *Psycho*. Décapotables, elles procurent, au contraire, une forte impression de liberté. Elles prolongent le corps de la conductrice et amplifient ses sensations les plus fortes. On ne peut mieux manifester le goût du risque et du danger, le désir insensé de flirter avec la mort, de jouer avec les Ténèbres.

Que la femme soit au volant d'une *décapotable* et l'homme son passager, voilà qui se passe de commentaire d'autant que dans ce cas la conductrice ne lésine pas sur l'accélérateur. La course folle d'Alicia dans *Notorious* la condamne aux yeux de Cary Grant, puisqu'elle fait si peu de cas et de sa vie et de sa dignité, à l'envoyer au cœur des Ténèbres. Celle de Grace Kelly *(To Catch a Thief)*, qui se doit de concurrencer et d'effacer le souvenir de la course en canot à moteur conduit par Brigitte Aubert, est, en revanche, nécessaire : cette envoyée céleste qui a reçu pour mission de sauver le séduisant aventurier qu'est Robbie the Cat, ne peut y parvenir qu'en se mettant au diapason sensationnel de son protégé, qu'en prenant les mêmes risques que lui, qu'en plongeant avec lui au cœur des Ténèbres. Mais que la femme prenne un plaisir solitaire au volant de sa décapotable telle Mélanie au début de *The Birds* voilà qui manifeste un goût du péril, un défi aux Ténèbres, dont on connaît la conséquence.

Que maintenant l'homme soit au volant d'une voiture *fermée* et la femme sa passagère, celle-ci ressent cette prise de possession – puisque la voiture est féminine – comme une emprise insupportable. Elle se sait prisonnière du désir du mâle, désir d'autant plus redoutable que le caractère de vase clos de l'automobile introduit la notion pour celui qui la conduit de l'*idée fixe*. Un tel voyage la mène toujours aux portes de la mort *(Notorious, Vertigo, Marnie, etc.)*. Si la femme est seule au volant, l'aspect pénible et douloureux de l'idée fixe l'emporte sur le plaisir solitaire (le trajet de Marion dans *Psycho*) et sa mort est quasi certaine au bout de la route. Si c'est l'homme, sa délectation morose qui se contente du désir fictif de la femme, l'entraîne à frôler de près la mort (Thornhill ivre dans *North by Northwest*, Arbogast dans *Psycho*, Mitch dans *The Birds*, etc. C'est la même idée qui préside par exemple au ski de Gregory Peck dans *Spellbound* ou au fauteuil roulant de James Stewart dans *Rear Window*, etc.). Est-il besoin d'insister sur l'exemple de *Vertigo* où Madeleine, seule dans sa voiture est prise en filature par la voiture de Scottie ? Être forcé, par ailleurs, de monter en voiture devient pour l'homme l'obligation qu'on lui fait – puisqu'on introduit l'idée de sa passivité – d'aller vers la femme, faute d'être attiré véritablement par elle ; Guy mené en voiture par le policier ou en taxi (il y est placé par les femmes) dans *Strangers on a Train* ; Balastrero – *The Wrong Man* – conduit par les policiers ou mis dans le « panier à salade » ; Thornhill enlevé par les espions dans *North by Northwest*, etc. Inutile de continuer à examiner toutes les combinaisons possibles. Le lecteur-spectateur en sait désormais assez pour y suppléer par lui-même. Ce qui nous épargne, entre autres, d'aborder les bus *(Strangers on a Train, To Catch a Thief, The Man Who Knew Too Much, North by Northwest*, etc.), compromis entre le train et la voiture.

Mais puisque le véhicule est toujours considéré par Hitchcock comme un corps étranger venant s'emparer du corps des personnages pour les entraîner vers la pente fatale, le plus dangereux des véhicules sera, en dernier ressort, le corps lui-même lorsqu'il se laisse entièrement guidé par ses seules sensations. Que l'on se souvienne du trajet de Grace Kelly dans *Rear Window* qui passe du monde quotidien de l'appartement à celui ténébreux de l'appartement du criminel : son corps sert ici concrètement de véhicule à la pensée du reporter-photographe. Notons que ce passage n'est possible que parce que Grace Kelly est l'envoyée céleste, ou, si l'on préfère l'explication esthétique, la déléguée de l'auteur par rapport au spectateur qui ne peut matériellement pénétrer dans l'écran (Parenthèse : il est intéressant de constater qu'Hitchcock a utilisé par trois fois Grace Kelly à l'inverse d'Ingrid Bergman. Les deux fois où Bergman est héroïne *(Notorious* et *Under Capricorn)* elle est la femme coupable, faible de chair, profondément vulnérable alors que Kelly, en héroïne *(Dial M. for Murder)* apparaît comme une femme relativement coupable, et victime qui saura supporter dignement le complot ténébreux. Et Bergman en envoyée céleste *(Spellbound)* se révélera forte et capable de rédempter le héros (Gregory Peck) tandis que Kelly *(To Catch a Thief, Rear Window)* précédera ses héros (Cary Grant, James Stewart) dans les Ténèbres – ou dans leur vice – pour les amener au salut, c'est-à-dire à elle).

Toutefois, c'est par la danse que se manifestera le caractère pernicieux du corps considéré uniquement comme un véhicule. Que ce soient les veuves joyeuses de *Shadow of a Doubt*; les deux réceptions dansantes de *Notorious*; la soirée chez le gouverneur d'*Under Capricorn*; la danse qu'évoque dans son flash-back Anne Baxter *(I Confess)*; la jeune danseuse aux multiples hommages masculins de *Rear Window*; la longue danse de Grace Kelly avec le double travesti en ombre de Robbie the Cat qui achève l'idée de sa folle course en voiture dans *To Catch a Thief*; Balastrero qui met son talent de musicien au service des danses trop sensuelles des hôtes du Storck-Club dans *The Wrong Man*; la danse de Judy avec Scottie dans *Vertigo*, etc. Nous sommes en pleine morale rigoriste. On sait où commence la danse mais on ne sait jusqu'où elle mène. Hitchcock lui, le sait, et les Ténèbres aussi. Elle est l'étape la plus dangereuse du voyage au bout de la nuit.

Enfin, nous ne serions pas complet si nous n'abordions le plus démoniaque des véhicules hitchcockiens : la caméra elle-même. La fascination qu'elle exerce sur nous comme sur les personnages est la raison fondamentale de ses moindres mouvements comme de ses multiples emplacements. Tous ses glissements – et on se souvient que dans le mécanisme cinématographique du suspense hitchcockien (glissement, attente, heurt) le glissement introduit, tel un serpent menaçant, les ténèbres de l'angoisse dont se nourrit le suspense – n'ont pour but que de soumettre au spectacle l'âme du spectateur, en assumant ses vœux de désir et de crainte ainsi que son esprit, en lui ôtant tout sens critique, c'est-à-dire de s'approprier par la magie et l'hypnose son être. Et nous avons vu que tout le génie d'Hitchcock consiste à nous mener jusqu'au point de rupture où il faut nous ressaisir et soumettre la caméra à notre réalité et non nous à la sienne. (Cf. les fabuleux travellings et panoramiques d'Hitchcock qui ne cherchent qu'à susciter les sensations les plus viscérales.)

Si les véhicules nous aident à passer effectivement d'un univers à un autre, les appareils d'optique marquent l'intention de supprimer la distance qui sépare le quotidien du fantastique, le naturel du surnaturel, le réel de la fiction. Ils indiquent la visée de l'esprit qui veut pénétrer dans le monde interdit. L'exemple le plus flagrant étant celui du reporter-photographe de *Rear Window* qui se sert du téléobjectif comme de jumelles. Au pouvoir propre de fascination de ces appareils s'ajoute le fait que si du bon côté les lentilles de verre permettent d'approcher la chose ou l'être lointain, de l'autre côté elles *reflètent* ces choses comme un miroir déformant. Ils sont donc toujours d'essence maléfique.

Il n'en va pas de même des lunettes. Elles sont, en effet, ambivalentes. Elles signifient que celui ou celle qui en sont dotés appartiennent à l'au-delà, soit comme envoyés célestes, soit comme agents démoniaques. Le pouvoir de séduction, voire d'attraction érotique, des lunettes convient aussi bien à la Lumière qu'aux Ténèbres, au bien comme au mal, à l'amour comme à la seule sensualité. Par ailleurs, le verre dont la transparence permet de voir également de chaque côté établit une distanciation, constitue une sorte de frontière, crée une légère déformation qui exige du regard derrière les lunettes un accommodement d'étrangeté. D'où la raison profonde pour laquelle le héros ou l'héroïne qui sont notre projection sur l'écran n'en portent jamais – et ce sans exception jusqu'à Marnie incluse. Entre eux et nous ne peut exister ce qu'impliquent les lunettes : l'ajustement (optique, moral, esthétique, métaphysique, etc.) et l'attirance, c'est-à-dire la différenciation puisque héros et public sont parfaitement identiques.

Ceci nous amène à quelques constatations. D'abord qu'Hitchcock ne tombe jamais dans le système. Si les lunettes marquent pour son détenteur une origine divine ou démoniaque, tous les agents ténébreux ou lumineux n'en sont pas nécessairement dotés : ainsi Cary Grant dans *Notorious*, Kim Novak dans *Vertigo*, James Mason dans *North by Northwest*, etc. Ce qui autorise notre cinéaste à échafauder des jeux subtils tel celui de *Vertigo*, Madge, envoyée céleste qui porte lunettes, cherche à lutter contre ses rivales ténébreuses, Madeleine et Carlotta qui, elles, n'en ont pas. Sans succès, toutefois, car les lunettes constituent, ici, pour la pauvre fille, un terrible handicap dans le tournoi de séduction qui s'est engagé (se rappeler le tableau où Madge peint son visage sur le portrait de Carlotta. Or, ce qui choque Scottie et nous-même ce sont justement les lunettes reproduites sur la toile qui introduisent d'emblée une distanciation humoristique insupportable au héros). On trouvait déjà cette idée, mais inversée, dans *To Catch a Thief* : l'envoyée céleste, Grace Kelly, avait un plus grand pouvoir d'attraction avec ses lunettes de soleil que l'agent démoniaque Brigitte Aubert, privée de lunettes. Mais lorsque les lunettes forment miroir plus ou moins déformant comme celles de la femme de Guy au moment de son assassinat dans *Strangers on a Train* elles perdent leur caractère d'ambivalence. Elles se changent en appareil d'optique à effet purement maléfique : on se souvient, en effet, que c'est parce qu'elle possède des lunettes similaires que la future belle-sœur de Guy (Barbara Hitchcock) est assassinée mentalement et par procuration au cours de la party par Bruno. Notons encore que les lunettes noires – Grace Kelly dans *To Catch a Thief*, le motard dans *Psycho* – indiquent que l'envoyé lumineux est descendu au plus bas niveau possible pour accomplir sa mission. La surface noire que nous voyons est, en effet, celle qui se trouve de notre côté. Elle réfléchit le monde ténébreux dans lequel se complaît le héros (Robbie the Cat dans *To Catch a Thief*) ou dans lequel pénètre à ses risques et périls l'héroïne (Marion dans *Psycho*). Le regard de l'envoyé céleste peut percer cette surface noire mais celle-ci nous cache son regard. Enfin, et par extension, toute vitre comme toute vitrine chez Hitchcock révèle que ce que l'on voit de l'autre côté appartient à l'autre univers : quotidien si on se trouve dans le monde fantastique, fantastique si l'on est dans le quotidien. Exemple : *Rear Window* dont le titre est à ce point de vue très significatif.

Ce que l'on voit de l'autre côté de la fenêtre appartient à l'univers de l'au-delà, et si les fenêtres, dans ce film, sont plus souvent ouvertes que fermées c'est que le héros désire justement rapprocher le plus possible ces deux univers, les faire interpénétrer l'un l'autre, ce qui arrivera effectivement. Mais les exemples abondent dans l'œuvre d'Hitchcock : entre autres, dans *To Catch a Thief*, celui de Robbie the Cat lorsqu'il aperçoit à travers les vitres de la cuisine les âmes damnées qui furent ses anciens compagnons de geôle dont l'un lui envoie un œuf qui vient s'écraser sur la vitre. Ou encore, le tout premier plan de ce film : dans une vitrine est placardée une affiche touristique vantant les beautés de la Côte d'Azur alors que les plans suivants la révèlent sous la splendeur apparente du soleil comme un haut lieu maléfique, etc.

Bien que différent des appareils d'optique, le téléphone hitchcockien participe de la même imagination. Instrument par excellence de l'appel, il est doté par notre cinéaste d'un pouvoir quasi magique. Il transmet d'un monde à l'autre les vœux les plus secrets comme les ordres les plus impératifs. Son action sera particulièrement redoutable car il est conçu comme un moyen d'amplification : il force l'inconscient à sortir de son obscure retraite pour se manifester ouvertement à l'esprit. Si, comme dans *Strangers on a Train*, le héros appelle sa fiancée (Ruth Roman) qui appartient au monde lumineux c'est pour lui avouer sa velléité criminelle que les forces ténébreuses, comme sur une table d'écoute, interceptent et enregistrent : d'où le bruit infernal du train – ou, si l'on préfère, le grondement du train infernal – qui pousse Guy à hurler à l'appareil son désir d'étrangler sa femme. Maintenant que ce vœu est perçu par son esprit il lui sera impossible non seulement de l'ignorer mais d'y échapper. À peine, en effet, a-t-il émis ce souhait que nous enchaînons sur les mains de Bruno faisant le geste d'étrangler, comme si ce dernier, en ayant par cet appel téléphonique reçu l'ordre, devait achever par l'acte cette intention ouvertement exprimée. Bruno, désormais, harcèlera notre héros et le relancera par téléphone jusque dans la famille du sénateur. C'est que le téléphone sert non seulement de liaison entre le monde humain du héros et l'univers surnaturel soit de la Lumière soit des Ténèbres mais permet à ces puissances supérieures de communiquer entre elles : ainsi de l'appel du shérif, dans *Psycho*, à Norman.

Le téléphone se présente ainsi comme l'ultime étape qui boucle le troisième mode de l'emprise de la matière. Les véhicules, en effet, révèlent le mouvement irrésistible du corps, de ses instincts, de ses tendances et de ses sensations ; les appareils d'optique manifestent les mouvements intentionnels de la conscience et de l'âme et leur visée secrète ; le téléphone, quant à lui, met en branle le mouvement même de l'esprit qui commande directement à la matière et agit sur elle soit en bien, soit en mal. Cette mise en branle est particulièrement explicite dans *Dial M. for Murder*, film dédié au pouvoir du téléphone. Celui-ci nous met d'autant plus en contact direct avec le mystère qu'il déclenche l'intervention immédiate des forces spirituelles. Il concrétise matériellement l'action occulte de tous les vœux, messages (message télégraphique de Charlie à Oncle Charlie dans *Shadow of a Doubt*), prières (celle de Balastrero dans *The Wrong Man* devant l'iconographie saint-sulpicienne du Christ) qui sont le fondement même du suspense hitchcockien.

Tels sont les principaux éléments symboliques qui permettent de mieux pénétrer les arcanes de l'œuvre de notre cinéaste. Conçus d'une manière vivante, constamment adaptés au contexte, ils exigent un perpétuel effort d'imagination pour saisir la direction exacte que l'auteur

279

entend donner à leur sens. Privilège de l'humour que de varier à l'infini la permanence des significations et interprétations. Hitchcock ne serait pas le maître du suspense s'il n'inventait mille ruses pour échapper à lui-même comme aux limiers qui prétendraient saisir l'œuvre dans sa totalité et en prévoir la démarche. La modestie finalement s'impose. Au jeu subtil de la création, Hitchcock reste le plus fin.

Mieux vaut nous en tenir à l'avertissement que chacune de ses brèves et fameuses apparitions dans ses films adresse au héros ou à l'héroïne, et, à travers eux, à nous : « n'entrez pas ici *(Vertigo)* », « ne descendez pas du train *(Strangers on a Train)* », « je préfère tourner le dos plutôt que d'assister à ce qui va se passer *(Psycho)* », « ne pénétrez pas dans cette oisellerie, mais sortez-en avec un chien *(The Birds)* », « prenez la direction opposée *(I Confess)* », etc. Aussi orgueilleusement qu'un personnage hitchcockien nous avons voulu transgresser le sage conseil du créateur : n'allez pas plus avant dans l'œuvre. Que cette distanciation humoristique finale nous renvoie humblement au centre de gravité du suspense sans laquelle il n'est pas.

1. Nous renvoyons le lecteur par ailleurs, à l'interprétation psychanalytique de ces objets qu'Hitchcock respecte évidemment.
2 Plus exactement, Dieu (le père de Mark) n'est pas mort dans *Marnie*. Il continue à vivre sous le même toit que son fils, mais mène une vie de parfait oisif puisque dépossédé par son fils des affaires que seul celui-ci gère, Dieu est devenu un parfait inutile, un parasite.
3 Le double trahit aussi le trouble sexuel du héros selon qu'il est du même sexe ou du sexe opposé.
4. C'est à table que Charlie (Theresa Wright) dans *Shadow of a Doubt* commence à soupçonner Oncle Charlie (Joseph Cotten) d'être l'assassin des veuves joyeuses : à table qu'Alicia (Ingrid Bergman) pressent au trouble de l'un de ses hôtes nazis le secret qu'elle a mission de découvrir *(Notorious)* ; à table que Charles Adare (Michael Wilding), dans *Under Capricorn* entre dans le secret qui sépare sa cousine Lady Harietta (Ingrid Bergman) de son mari Sam Flusky (Joseph Cotten) : à table que la psychanalyste (Ingrid Bergman) se met à douter, dans *Spellbound* du nouveau directeur de la clinique (Gregory Peck) ; c'est pendant le copieux « five o'clock » que le professeur (James Stewart) entrevoit la vérité *(The Rope)* ; à table, dans le train, que Bruno (Robert Walker) propose à Guy (Farley Granger) d'échanger leur crime *(Strangers on a Train)* ;

à table, où se trouve le père Logan dans *I Confess,* que Keller, par l'intermédiaire de sa femme qui est dans le secret, cherche à faire partager matériellement le secret du confessionnal au prêtre ; à table que Robbie the Cat (Cary Grant) fait pénétrer l'agent d'assurance dans son secret *(To Catch a Thief)* ; au moment où la gouvernante (Thelma Ritter), dans *Rear Window,* apporte le déjeuner au reporter-photographe qu'elle commence à se laisser intriguer par le meurtre (rappelons que ses propos sur la cuisine macabre qu'a dû effectuer l'assassin, reliant bien par là l'idée de la nourriture à la mort, dégoûtent notre héros de l'œuf qu'elle vient de lui servir) ; à table que dans le même film le héros et sa fiancée, dînant en tête à tête, tous stores pour une fois baissés, seront tirés de leur intimité par les cris de la voisine au petit chien dont la mort confirme leur soupçon ; à table que les héros amoraux de *Trouble with Harry* s'avouent leurs petits secrets ; à table que, dans *The Man Who Knew Too Much,* Jo Conway (Doris Day) et son mari livrent le secret qui les unit à l'espion français (Daniel Gélin) au couple qui bientôt enlèvera leur enfant ; etc. dans l'impossibilité où nous sommes de relever tous les exemples.

À partir de *The Wrong Man,* comme nous l'avons déjà signalé, le héros n'entre plus dans le secret ténébreux, mais se heurte à lui, lequel conserve à ses yeux tout son mystère. Pour visualiser ce nouvel état de fait par le manger, Hitchcock va à la fois inverser les données et les amplifier. Il quitte le particulier (la table) pour le général, c'est-à-dire usera des lieux qui servent à la restauration. Dans *The Wrong Man,* par exemple, Balastrero, impliqué par erreur dans une affaire judiciaire qui lui échappe, sera par trois fois confronté avec les témoins dans des magasins d'alimentation. Son sosie sera pris dans une épicerie. Notons que dans ce film le seul plan consacré directement au manger est celui où l'on voit le plus jeune enfant du couple goûter dans la cuisine. Or, ce plan est celui qui scinde exactement le film en deux parties. Avec lui s'achève l'aventure du père et commencent les malheurs de la mère. Pour en comprendre la raison, reportons-nous à ce qu'écrivait Philippe Demonsablon sur les enfants hitchcockiens dans son lexique mythologique de l'œuvre d'Hitchcock (cf. *Cahiers du Cinéma,* n° 62). « Ce qui leur manque est la conscience du mal, mais ils l'auront tôt ou tard. Ils n'ont qu'un sursis dont use mal leur innocence ambiguë. Instruments souvent plus qu'à demi-consentants, leur demi-raison et leur demi-conscience les incitent à participer au monde des adultes en conservant pour eux leur candeur. » Si donc, le monde des Ténèbres n'a pas encore pris sur cet enfant, il n'empêche que son acte de manger se répercutera sur la fausse innocence des parents. Il y aura comme une scission à l'intérieur de cet acte : l'enfant ne recevra du manger que les ferments de vie mais les ferments de mort, ainsi inemployés, s'introduiront par transfert avec plus de force en la mère que nous apercevons à l'extérieur de la cuisine tandis que s'amplifie le grondement sourd du métro (cf. plus loin le paragraphe consacré aux véhicules).

C'est au restaurant, chez Ernie's (ce restaurant qui existe réellement à San Francisco est réputé comme le meilleur des U.S.A. Hitchcock l'affectionne tellement qu'il n'a pas hésité, cas rarissime dans son œuvre, à lui faire une merveilleuse publicité gratuite) que dans *Vertigo* Scottie entrevoit pour la première fois Madeleine, cet être mystérieux au faux secret ; qu'il revient, après son cauchemar, entièrement absorbé par son idée fixe, à la recherche du fantôme de la disparue ; qu'il y conduit à souper Judy, laquelle perce à jour son obsession. Enfin, c'est au moment où, la redoutable épreuve de la métamorphose passée, Judy avouant une grande faim manifeste le désir de dîner chez Ernie's qu'elle se trahira en mettant le collier de Carlotta et révèle ainsi à Scottie le secret du mystère.

De même, dans *North by Northwest,* c'est dans un bar, s'apprêtant à dîner avant de se rendre au théâtre, que Thornhill pénètre en plein mystère ; dans le wagon-restaurant qu'Eve avoue tout connaître de lui ; dans le snack-bar, au pied des monts Rushmore, que le couple mystifie Vandamm (James Mason), l'induisant en erreur grâce à un secret qui n'en est pas un. Passons sur *Psycho* et relevons que dans *The Birds* c'est au moment du goûter d'anniversaire qu'a lieu la première attaque concertée des oiseaux et rappelons la scène dans le snack-bar de Bodega Bay où chacun discute du mystère alors que celui-ci plane sur la ville et prépare son fantastique

EN GUISE
DE CONCLUSION

ou À propos du premier plan
du dernier film d'Alfred Hitchcock

Trois films auront marqué l'évolution de la conception
cinématographique d'Hitchcock.

Rear Window, d'abord. Avec ce film, Hitchcock renonce
à peindre une société victorienne, au suspense moral fondé
sur la peur du scandale selon le schéma *secret-chantage-aveu*
(période qui curieusement couvrira davantage la première
époque américaine de *Rebecca* à *Dial M. for Murder* que
l'époque anglaise, comme si à ses débuts hollywoodiens
Hitchcock avait voulu imposer son originalité en proclamant
son anglicité). Désormais il s'accepte comme Américain
et assume la société de consommation. L'excitation d'avoir
toujours plus l'emporte sur la crainte de perdre le confort.
Son cinéma rejoint celui de Ford, Hawks, Walsh, etc., et
s'ouvre à l'esprit de conquête. Avec une nuance, toutefois
et non des moindres : il ne s'agit pas de brandir la bannière
étoilée pour ouvrir de nouveaux marchés mais de profiter
immédiatement de ceux déjà conquis. Le cinéaste ne se
conçoit pas comme un prophète ou un général mais

s'accepte comme un pourvoyeur qui satisfait son client, lequel selon la loi du marché est roi. Et puisque celui-ci est dopé par le culte de l'entreprise et le goût du risque, le cinéaste lui fourgue le flambeau et cède (où feint de lui céder) une partie de ses prérogatives.

Rear Window se présente comme une passation de pouvoir, Hitchcock métamorphose le fauteuil du spectateur passif en celui prestigieux du « Director » hollywoodien. Mais le fait qu'il y ait fauteuil oblige ce spectateur à rester à sa place (Jeff ne peut quitter son appartement) et en tant que metteur en scène à respecter le sujet qui lui est soumis. Certes, entre plusieurs histoires proposées, il peut choisir celle qui l'intrigue le plus (se fixer sur tel appartement plutôt que sur tel autre) et le modifier légèrement par des détails de mise en scène. Il n'empêche que semblable au tueur de *The Man Who Knew Too Much* au Royal Albert Hall, il lui faut suivre la partition. Si le cinéaste a concédé la mise en scène, l'auteur garde la conception du plan. L'histoire préexiste et se déroule parallèlement. Elle « double » le spectateur et devient maîtresse du jeu jusqu'au mot « fin », comme l'illustre superbement le dernier film de cette période, *Vertigo*. Elle se laisse appeler du fond de l'écran par le public pour mieux l'entraîner à sa suite.

Ce que visualise *Rear Window*. Le film se présente comme une leçon de cinéma. Hitchcock y figure le dispositif du spectacle cinématographique. Deux univers parallèles, la cabine de projection et l'écran (l'appartement de Jeff et l'immeuble qui lui fait face) sont séparés par une distance (la cour) indispensable au phénomène de projection et que franchit le faisceau lumineux. Ce dernier relie perpendiculairement les deux univers parallèles. Hitchcock a tôt fait de concevoir ce dispositif ternaire comme source d'un suspense nouveau. Le spectateur quitte la position passive qu'il occupait jusque-là dans la salle, tiraillé par les forces qui combattaient au-dessus de sa tête. Désormais, il accède au poste envié de voyeur privilégié qu'est le projectionniste. Dans la cabine, il se sent protégé par la vitre derrière laquelle il a licence de se faire son cinéma. Il se change alors en caméra-projecteur (Jeff n'est plus, par moment, qu'un appareil photo) comme il convient à un metteur en scène, fût-il néophyte, qui lors d'un tournage pense la caméra en vue de l'effet final de la projection. Son esprit s'active d'autant plus que le corps est immobilisé (double fonction du fauteuil roulant). Il véhicule ses aspirations par le système projectif du faisceau lumineux qui lui-même véhicule les images et n'a de cesse que de nier la distance qui le sépare de l'écran.

Cinématographiquement, le moyen d'escamoter les distances – ou au contraire de les accentuer – s'appelle : l'optique. Dans sa leçon de cinéma. *Rear Window* ne pouvait ignorer un procédé qui est à la base même du spectacle hitchcockien. Et si le film n'est pas réellement un traité d'optique, il est en revanche une « réflexion » sur la conception que notre cinéaste a de l'optique. Optique des objectifs, d'abord par le jeu des focales qui rapproche, élimine (le couteau dans la cuisine) ou au contraire augmente les distances (Hitchcock, à l'opposé de Welles, travaille souvent les longues focales et Jeff use princi-palement du téléobjectif). Optique du point de vue, ensuite, qui situe la place de la caméra selon une logique subjective et jamais réaliste. Optique sonore, enfin – et à revoir aujourd'hui. *Rear Window* étonne par la richesse de sa recherche auditive – qui amplifie ou élimine le relief, rend présente ou absente la cour (la distance aux autres). Sans compter l'interprétation personnelle que le cinéaste fait des phénomènes d'optique tels qu'accommodation, image virtuelle, aberration, etc. Étant bien entendu que pour lui l'optique n'est qu'intentionnelle, que l'intention fait le réel, que le réel est filmé par l'optique. Système clos, quasi autophagique et hautement masturbatoire. À la limite, nous obtenons le reflet de l'appartement du tueur sur la lentille du téléobjectif que tient Jeff. Toute distance est abolie. Caméra-projecteur et spectacle, vitre de la cabine de projection et écran sont conjoints.

Écran et distance sont désormais les deux forces que joue et qui jouent le public. Le voyeur a besoin de savoir la distance réelle qui le sépare de l'image-objet épiée et convoitée (et d'autant plus convoitée qu'intensément épiée) pour mieux l'oublier, s'oublier. S'approprier l'image-objet en secret et entretenir avec elle un contact purement imaginaire, telle est la tension désirante. Le spectateur de *Rear Window* savoure le même suspense. Il veut faire se rencontrer les deux univers parallèles, que la surface horizontale de l'écran glisse le long de la perpendiculaire du faisceau projectif et tels les fantômes du *Nosferatu* vienne à sa rencontre, qu'elle s'accole à la vitre, que le spectacle déboule dans la cabine de projection pour sa plus grande joie-frayeur et le jette dans la cour, le rejette dans la salle, haut lieu collectif de son plaisir solitaire.

C'est ce qui sera représenté de *Rear Window* à *Vertigo*. Au plan des sujets, d'abord. En exemple, dans *To Catch a Thief*, Robie le Chat fait revenir les forces obscures de son passé puis les contraint à venir à lui, à apparaître à la surface pour les démasquer. De même dans *The Man Who Knew Too Much*, la chanson de Doris Day fait venir l'enfant jusqu'à elle. Mais cette idée se traduit surtout visuellement pour reprendre l'expression d'Éric Rohmer par une « figure-mère ». Celle d'un mouvement qui va du loin vers le près, du plan général au gros plan, et qui est pour la caméra celui du travelling arrière, tel celui qui découvre Jeff assoupi dans son fauteuil à l'ouverture de *Rear Window* ou celui qui s'éloigne de la famille dans l'autobus au début de *The Man*

Who Knew Too Much. C'est aussi l'arrivée de l'enfant au début du *Trouble with Harry*, les lettres et les spirales du générique du *Vertigo* ou le travelling arrière qui démarre la poursuite sur les toits dans la séquence suivante. Mais cette figure trouve son illustration parfaite dans *The Wrong Man* au moment où le vrai coupable s'avance du fond de l'écran pour « prendre » le visage en gros plan du faux coupable, ou encore dans *Vertigo* lorsque Judy-Madeleine sort de la salle de bains pour venir à Scottie. Plastiquement dans cette figure, l'horizontalité des surfaces planes l'emporte sur la perpendicularité des perspectives.

North by Northwest, en revanche, privilégie la perpendicularité comme le montre le trajet qui s'effectue entre le premier plan du générique (une surface plane verdâtre que morcelle le mouvement de lignes obliques et verticales) et le dernier (le train pénètre dans un tunnel). Écran dans l'écran, les surfaces planes sont filmées de biais, en oblique, comme dans le plan du générique précité : La composition abstraite et graphique se métamorphose, par fondu enchaîné, en un building de verre qui sera filmé en enfilade comme l'est la façade toute aussi vitrée de la maison des monts Rushmore. L'horizontalité est ici travaillée pour renforcer la perspective. Elle met en évidence la ligne de fuite.

La scène de l'avion est exemplaire à cet égard. Elle commence par l'horizontalité du gros plan d'Eve Kendall. Il se fond sur la perspective de la route qui se perd dans l'immensité d'un champ vide. Jusqu'à l'avion inclus, la figure-mère reste celle de *Rear Window*. Les choses surgissent du fond de l'écran jusqu'à la surface. Mais, en revanche, la composition plastique (ciel et terre, ligne d'horizon basse ou horizon bouché se disputent l'espace) et le jeu optique (contre-plongée et courtes focales) accentuent la perspective. La figure-mère s'annihile dans son contraire : voiture, camion, bus grossissent jusqu'à nous avant de s'évanouir à l'intérieur de l'écran. La fin de la scène où Thornhill, à bord d'un camion volé, prend la ligne de fuite et s'enfonce dans l'écran, achève l'inversion de la figure-mère. Désormais, celle-ci privilégie l'avancée d'un personnage ou d'un véhicule à l'intérieur de l'écran et, pour la caméra, le travelling avant. Elle signe tous les films suivants : la caméra s'avance et pénètre dans une chambre d'hôtel au début de *Psycho* : Mélanie entre dans l'oisellerie *(The Birds)* ; le début de *Marnie* exagère d'une manière quasi expressionniste (éclairage, décor, angle) la perpendicularité de l'entrée de l'héroïne sur le quai de la gare et le dernier plan joue la même exagération de la vue perpendiculaire sur la voiture qui s'enfonce et l'horizontalité excessive de la toile peinte du paquebot dans le port : de même pour les débuts de *Torn Curtain* et de *Toppaz*, jusqu'au travelling avant, pris d'hélicoptère, qui s'enfonce sous le pont de la Tamise par lequel s'ouvre *Frenzy*.

La raison d'un tel renversement à 180 degrés est justement donnée par la scène de l'avion. Thornhill abusé par la duplicité d'Eve Kendall qui le livre (le fondu enchaîné) comme une magicienne aux sortilèges de la scène, doit s'en délivrer en s'emparant de l'action. *North by Northwest* rend compte, par chef de contre-espionnage interposé, d'une nouvelle passation de pouvoir d'Hitchcock. *Rear Window* concédait la tendance artiste de la mise en scène. *North by Northwest* confie la volonté créatrice de la construction de l'histoire. Au spectateur de prendre en main et maîtriser l'action. *Vertigo* venait, en effet, de prouver les limites, voire l'échec, du « director » fétichiste et voyeur à partir du moment où il est assujetti à un plan qui lui échappe, dont il n'a pas le contrôle. Ce qui est aussi le cas de Thornhill jusqu'à l'avion. À l'instar de *Rear Window, North by Northwest* se présente comme une leçon de cinéma, non plus de la mise en scène mais de ce qui la précède et la sous-tend : la fabrication du scénario.

Cette nouvelle donne déplace tous les éléments du dispositif antérieur. Le faisceau lumineux projette toujours l'univers mental des fantasmes mais inverse le sens de la force intentionnelle. Le *aller vers* succède au *venir à*. Il ne s'agit plus d'amener l'écran à soi mais de se diriger vers lui, ni de réduire la distance perpendiculaire entre deux univers parallèles mais d'affronter la perpendicularité de cette distance, de la franchir *(parcours)*, d'entrer dans le spectacle *(étape)* et de s'y enfoncer de plus en plus *(relais)* par une succession de traversée d'écran. Le faisceau lumineux véhicule – et dans *North by Northwest* les véhicules abondent – le monde intellectuel d'un public qui conduit désormais le récit et qui doit *(North by Northwest)* ou qui veut (de *Psycho* à *Frenzy*) pénétrer au cœur de l'écran pour saisir, dérober, posséder le secret de l'histoire et cette démarche devient le sujet même de l'action de *Psycho, The Birds, Marnie, Torn Curtain, Toppaz* et *Frenzy*.

Mais le secret, pièce maîtresse sur l'échiquier hitchcockien s'intervertit à son tour. À bien considérer il n'intéresse plus le spectateur. L'explication du psychiatre dans *Psycho* l'ennuie ; l'énigme des oiseaux n'est pas résolue ; le secret de *Marnie* se réduit au cliché d'un méchant mélo XIXe siècle ; ceux de *Torn Curtain* et de *Toppaz* sont de polichinelle et celui de *Frenzy* est éventé dès le début. Le secret est devenu « gimmick » (leurre qui appâte et captive l'attention du public). Il sert d'alibi, de prétexte à un surcroît d'excitation. Dans *Marnie*, par exemple, fascine le fait qu'une belle fille « comme ça » ne couche pas. L'unique raison qui pousse à arracher son pauvre secret, son secret de pauvre, à soi-disant guérir son cas, est qu'enfin elle couche. En réalité, le secret est transporté ailleurs. L'écran n'en renvoie que la grimace. Sa vérité réside dans l'intime relation qui se noue entre spectateurs et spectacle, entre bonne et mauvaise conscience. Elle actionne le scénario (*North by Northwest, Psycho, The Birds*, etc.).

Il y a escalade du voyeurisme. On ne le cache plus. Désormais on l'exhibe. Ce passage d'une attitude passive et protégée à un comportement exposé provoque un nouveau déplacement. De la salle on avait transporté le spectateur dans la cabine de projection qu'il lui faut maintenant quitter (*North by Northwest* narre ce délogement incessant, cette expulsion permanente). Il doit redescendre dans la salle et surtout la traverser pour entrer dans l'écran. Depuis toujours Hitchcock aime à filmer la traversée des salles de spectacle – cinéma, théâtre, music-hall, foire, bals, restaurants, réceptions, etc. – et on se souvient, entre autres des célèbres mouvements de caméra qui traversent le salon de thé dansant jusqu'à l'œil clignotant du jazzman dans *Young and Innocent* ou la réception de *Notorious* jusqu'à la clé dans la main d'Alicia. Mais ce qui restait anecdotique, de l'ordre des idées sur le cinéma devient avec *North by Northwest* qui abonde en traversées de salles : hall, bar, tribunal, ascenseur. O.N.U., wagon-restaurant, etc., puis salle de vente, snack, chambre à coucher, etc. – le produit d'une pensée structurée sur le déroulement d'un film à partir de la construction d'un scénario. D'où l'importance des parcours – ceux de Marion dans *Psycho*, de Mélanie dans *The Birds*, ceux qu'impose Mark à une Marnie récalcitrante sans compter ceux incessants de *Torn Curtain*, *Toppaz* et *Frenzy* – pour pénétrer l'écran et participer activement à la fabrication de l'œuvre, à la réalisation du désir voyeuriste. À la différence des parcours circulaires, en spirale de *Vertigo*, qui ramènent toujours à la cabine de projection, à l'appartement de Scottie, à ses rêveries obsessionnelles et masturbatoires et au nœud du problème : son clocher.

La fantaisie curieuse du public déplace du même coup le suspense. Il abandonne le dispositif ternaire de la mise en scène et son schéma : *cabine* de projection-*distance-écran*. Ce dispositif impliquait la notion d'aller et retour. Dans *Rear Window*, Grace Kelly traverse la cour, grimpe à l'appartement du meurtrier présumé et s'empare de l'anneau nuptial de l'épouse, preuve du crime. Cet aller déclenche aussitôt le retour – le choc en retour – du criminel lequel abolissant toute distance fond directement de l'écran dans le studio-cabine où se tient le voyeur. Ce trajet était figuré à la fois d'une manière effective sur l'écran (les allers et retours incessants de *Trouble with Harry*, ceux de *The Wrong Man* ou de *Vertigo*) et d'une manière métaphorique par l'intention d'approcher ou d'éloigner l'écran de nous. Il impliquait aussi que l'écran soit une surface lisse, sans profondeur ni consistance. Certes, on subodorait qu'il était peuplé d'éléments occultes préexistants qui remontaient à sa surface et constituaient le récit (*To Catch a Thief, The Man Who Knew Too Much*, le coupable de *The Wrong Man*, etc.) mais seule importait cette surface limite où s'animent des formes malléables que notre imagination travaille. Tel était le dispositif offert à nos désirs secrets de mise en scène.

Il en va différemment dès lors que c'est la fabrication même du scénario qui maintenant fait suspense et qui obéit au nouveau schéma : *parcours-étape-relais*. Un regard sur le glissement d'un schéma à l'autre éclaire la raison de cette évolution. La *distance*, vite franchie, est changée en un *parcours* auquel on octroie un traitement de faveur. (Le suspense ne réside pas dans la traversée de la cour par Grace Kelly mais dans le fait qu'elle entre dans l'appartement. En revanche, le périple en voiture de Marion dans *Psycho* constitue un suspense en soi.) L'*écran* qui était terminus devient *étape* et il y aura autant d'étapes que de passages d'écrans dans l'écran. (Marion fait étape au motel – l'étape marque aussi un arrêt, une suspension dans l'action – qui dure de son arrivée jusqu'à la douche ; Mélanie fait étape à Bodega Bay, puis chez Mitch, puis chez Annie, etc. ; Marnie, matelot sans attache, est contraint, d'escale en escale, de remonter au port original, etc.) Et si l'écran devient étape, c'est que nous lui accordons maintenant une épaisseur, une consistance et surtout la réalité d'un au-delà fictionnel, et nous le lui accordons d'autant plus que le récit est le produit du secret de notre réel.

Mais le changement radical vient de ce que la position I (la cabine de projection) passe en position III (les relais). Car finalement tous ces déplacements sont liés à un problème d'optique. Il y a mauvaise accommodation quand l'écran doit s'approcher de la vitre de la cabine : manque de point et de fixité. Or, le voyeur ne se contente plus de rêver sur du flou artistique, (*Vertigo*, partie Madeleine). Son audace vindicative exige la netteté, voire la crudité du détail (Scottie dans la partie Judy obtient (cf. Hitchcock dans le Truffaut) que la femme ôte enfin sa petite culotte). C'est donc à la vitre à aller se coller à l'écran (parcours) et au spectateur d'installer (étape) son fauteuil directement sur l'écran. Position qui sera imagée au dernier plan de *Torn Curtain*. Les Armstrong assis dans leur fauteuil au milieu d'une cabine (… de paquebot) cherchent à échapper au flash d'un photographe voyeur qui les surprend par une lucarne. Ils tournent ostensiblement le dos. Et le film s'achève sur eux, devant nous, en plein centre de l'écran, totalement enfermé dans le/leur spectacle.

Une fois installés sur/dans l'écran, nous nous trouvons dans la même situation que Jeff immobilisé dans sa *cabine* : nous avons besoin du *relais* Grace Kelly pour contacter l'écran criminel. À une nuance près : notre avancée élimine maintenant toute possibilité de retour. Ne serait-ce qu'en raison de notre position à l'intérieur de l'écran qui verrouille toute sortie. Nous n'avons qu'une issue : la ligne de fuite qui s'enfonce perpendiculairement et sans fin dans l'écran. Notre curiosité nous entraîne toujours plus loin et au dernier plan de *North by Northwest*, *The Birds*, *Marnie* nous progressons inexorablement à l'intérieur du spectacle (le dernier plan de *Psycho* est l'exception qui confirme la règle : nous nous sommes tellement engloutis dans l'écran qu'il faut pour nous récupérer et sauver le récit, extraire la voiture du marais).

D'où l'importance des relais qui caractérisent la construction des films de la dernière période. Hitchcock avait déjà testé leur emploi dans les deux derniers films de la période précédente. L'histoire de la femme de Balestrero relaie au milieu de *The Wrong Man* celle de son mari et dans *Vertigo* l'histoire de Judy relaie celle de Madeleine qui relaie celle de Carlotta. Mais le processus s'accélère avec *Torn Curtain, Toppaz* et *Frenzy* et déclenche une véritable course de relais avec « passage », donc suppression, de témoins comme il convient à une dramaturgie efficace qui « exit » un personnage dès qu'il est inutile à l'action.

À la place que nous occupons, l'action ne se déroule plus parallèlement à nous mais perpendiculairement. Elle ne « double » plus le spectateur. Elle fonctionne à coup de « dédoublement ». L'écran ne vient plus coller à nous, puisqu'on est dessus, c'est nous qui décollons de lui : Thornhill va habiter et animer l'ectoplasme Kaplan. Les relais servent de support aux décollements-dédoublements. Car nous avons pris la place du scénariste. Au moment de l'écriture, celui-ci est à la fois sur (« Qu'est-ce qu'on va voir, qu'est-ce qui va se passer, maintenant, sur l'écran ») et dans l'écran pour supputer les combinaisons entre situations, caractères, motivations. Bien entendu, voulant mener l'action à notre guise, nous ne visons qu'à manipuler les situations. Chose impossible, si nous avons des personnages entiers, des mobiles puissants qui affrontent sans répit les situations adverses. Heureusement, le suspense hitchcockien implique, dans sa structure même, des caractères faibles, immatures, à naître. Les personnages paralysés sont pris en tenaille entre une situation bloquante et des motivations violemment intériorisées et contradictoires. Et lorsque, par hasard, comme dans *Marnie*, Hitchcock peint un caractère, c'est un caractère produit par une attitude négative et l'action consistera justement à décharger cette négativité, à réduire à rien le caractère. Il y a de la *Mégère Apprivoisée* dans *Marnie*.

Le rapport d'Hitchcock à la dramaturgie fut source de malentendus et même de mépris. Les critères qu'on appliquait ne convenaient pas. Ils étaient ceux du XIXᵉ siècle (ceux de la quasi-totalité des cinéastes de son époque) eux-mêmes issus de la pensée humaniste renaissante : le portrait est le centre et la perspective, sa visée. Peindre des types éternels pour les classiques ou des caractères héroïques à l'époque romantique est le but et la jauge. Force et faiblesse (des situations, personnages, mobiles, traits, factures, etc.), grandeur ou insignifiance (des conceptions, sujets, traitement, etc.) sont les mots clés critiques. Tout repose sur l'idée que le réel doit laisser son empreinte dans la représentation. Plus l'empreinte est puissante, mieux le réel est saisi.

Hitchcock sera affecté de ne pouvoir respecter ces canons. On le sent particulièrement dans sa première période hollywoodienne. S'il considère longtemps *Shadow of a Doubt* comme son meilleur film, c'est que ce film se conformait le mieux aux critères précités : justesse de la peinture du milieu, personnages bien typés. Mais son XIXᵉ siècle ne sera jamais celui de Dickens. Il passe par le dandysme et Lewis Caroll. Car avant tout Hitchcock est cinéaste du XXᵉ siècle comme le prouve une œuvre entièrement contemporaine à l'exception de deux films d'époque reniés par lui pour cette raison même. Il en épouse la pensée : le réel se donne en image et sa représentation sera l'image que nous avons de l'image du réel. L'introduction de l'observateur-expérimentateur dans le processus de la connaissance induit celle du spectateur dans le spectacle. La logique voulait que l'on cédât l'observation d'abord puis l'expérimentation à celui qui alimente la représentation en amenant avec lui « son réel ».

La construction dramatique peut se faire, dès lors, selon l'axe perpendiculaire. On part du spectateur qui détient les motivations. On pratique sur elles une partition dramatique, un suspense entre les mobiles apparents du conscient et ceux inverses de l'inconscient qui sont leur réalité. On les projette sur des figures, des supports, des relais que l'on baptise personnages, formes plastiques qui se conforment au profil que l'on exige d'eux (comme on attend de Thornhill qu'il ait en Kaplan le profil du parfait espion). Ces personnages sont des produits de la mentalité collective. Ils ont été fabriqués par les médias et travaillés comme des images de marque. Ce sont des personnages de publicité lisses et sans expression à l'exception des regards qui reflètent désirs ou anxiété. Et on les conduit de situations périlleuses en situations désespérées. La progression dramatique avance par à-coups au rythme de l'agressivité croissante des motivations du spectateur, montée spasmodique prise en charge par et mise en scénario dans *The Birds*. Le salut souhaité par le conscient ne peut venir que de la fuite qui, elle-même, sous la poussée sadique de l'inconscient, doit emprunter la ligne de fuite qui enferme de plus en plus irrévocablement dans l'écran. Le point suprême de la jouissance au spectacle est atteint quand le sans issue est l'issue.

Ce qui ne va pas sans risque. On le voit bien dans la

dernière partie de *Torn Curtain*, où, une fois le secret gimmick dérobé, le récit verse dans le simplisme d'une bande dessinée qui balaye toute vraisemblance et crédibilité. Mais ce risque est affiché, revendiqué dès *North by Northwest* lors de la pirouette finale qui raccorde le mont Rushmore au wagon-lit. Le réel du cinéma l'emporte sur le réel de la vie. Jamais jusqu'à ce film Hitchcock ne s'était autorisé une telle désinvolture au niveau du scénario, lui dont la rigueur en ce domaine était légendaire. Mais il faut être conséquent. En abandonnant l'écriture au public, celui-ci, une fois sa curiosité repue, n'a qu'une envie : se débarrasser du labeur que s'impose tout scénariste professionnel pour imaginer comment sortir les personnages d'une situation impossible et sauter directement au happy-end. Cette position d'un humour hautement hitchcockien sera mal perçue et ternira la réussite des derniers films. Elle participe d'un pari insensé : délaisser la nécessité interne de l'histoire au profit du besoin externe de jouissance du public et s'imposer que ce besoin externe soit, in fine, la nécessité interne du film. Le renoncement au rôle de démiurge – à partir de *North by Northwest*. Dieu est mort – masque un projet encore plus démiurgique : comment n'être qu'une silhouette, un support, une forme vide (ultime apparition d'Hitchcock en profil et ombre chinoise dans *Family Plot*) que chaque spectateur peut investir, animer à sa guise. Un conteur disparaît, relayé par des milliers, des millions de petits Hitchcock, *Family Plot* en montre deux parfaits exemplaires. Ce film, qui semblait ouvrir une nouvelle période, apparaît après *Rear Window* et *North by Northwest* comme l'ultime volet d'un triptyque. L'examen du premier plan, celui du générique, nous en dévoile le propos.

Que voyons-nous ? Un rideau cramoisi, une boule de verre, une pâte constamment malaxée qui se meut à l'intérieur de la boule.

Le *rideau* évoque celui du théâtre à l'italienne. Il rappelle que nous sommes au spectacle, à un spectacle hitchcockien, et que c'est de ce spectacle dont il va être question. L'horizontalité qu'il accuse par ailleurs renvoie à celle de l'écran. Spectacle, certes, mais de cinéma d'abord.

La *boule*, imposante, sise au centre du cadre et dont la rondeur se découpe harmonieusement sur le rectangle de l'écran (le fond rouge du rideau) procure cette impression de perfection propre à la sphère.

Elle annonce la séance de spiritisme à laquelle nous allons assister. Boule de cristal, elle est le réceptacle de l'espérance, le point de convergence des désirs et des craintes. Elle est l'instrument à lire l'avenir du film à venir. Elle se transforme en matrice, en ventre maternel du spectacle, c'est-à-dire du suspense qui, une fois encore, reproduit le processus de la naissance : la fin du plan verra, fera naître, en surimpression, la tête de Madame Blanche à l'intérieur de la boule. Elle devient donc la sphère de création où l'idée est générée, se met en gestation avant de se matérialiser, de donner existence.

Relevons encore sa consistance. On sait qu'Hitchcock a toujours rêvé le verre dans sa double propriété : tantôt transparent, tantôt opaque : double fonction qu'il accorde à l'écran, tantôt, vitre, tantôt miroir. Mais le verre est aussi, et surtout, par le jeu de l'optique, ce qui permet au cinéma d'exister. Et cette boule, telle qu'elle apparaît, a tout d'une lentille. Dédoublement de la rêverie sur le verre qui s'enferme dans une perfection sphérique puisque, pour notre cinéaste, l'optique de l'objectif n'a pour objectif que l'écran.

La *pâte* maintenant. Contenue dans la boule, elle s'oppose immédiatement à elle. Matière informe et visqueuse, elle contrarie la pure idée, la pure forme de la sphère. Son côté à la fois répugnant et attirant fait que c'est elle qu'on regarde, elle qui fascine. Matière de préhistoire, elle précède et contient potentiellement l'histoire du film, telle qu'on l'imagine à l'origine du monde. Matière première fondamentale à la fois solide, liquide et gazeuse (troisième état qu'Hitchcock indique par la variance du jeu des couleurs), matière fluidique comme il convient à une séance de spiritisme.

Frappent encore sa plasticité et son incessante mouvance. C'est une pâte à modeler, en attente – en suspens – de son modèle. Matière en devenir qui souhaite une forme. Matière gélatineuse de la pellicule dans son déroulement cinématographique.

Tels sont les trois éléments – l'écran qui est le lieu de la fiction, l'optique qui en oriente la vision, la pellicule qui en constitue le support – posés simultanément mais à plat devant nous. Encore faut-il les rendre opérants, et qu'une amorce d'imaginaire donne à leur juxtaposition assez d'étrangeté pour enclencher l'idée de cérémonial et de mystère. Ce relais est pris aussitôt en charge par une voix venue d'ailleurs. L'esprit d'Henry est là. Voilà le mystère « gimmick » qui émeut la fiction et l'esprit d'Henry ressemble à s'y méprendre à celui farceur d'Hitchcock. À travers sa plaisanterie, le conteur livre le secret du procédé qui introduit le public dans l'œuvre.

Pendant la conception et l'écriture du scénario Hitchcock imagine les discours, questions, réflexions que le public tiendra pendant le déroulement du film. Il a besoin de les entendre et de se dire : « Ici le spectateur va penser cela mais il risque aussi de penser ceci ; ici, il va s'ennuyer et le mari va se pencher vers sa femme et il lui réclamera une cacahuète. » Aucun détail, élément, signe qui paraîtront sur l'écran n'échappent à l'investigation. D'une certaine façon, la voix même de la pensée du public suscite la naissance de l'image. Un secret en cache un autre : chez Hitchcock, cinéaste formé à l'école du muet, l'utilisation du son suit le même processus. L'oreille ouvre l'œil et agace

297

sa curiosité. Ce n'est donc pas gratuitement si, dans le premier plan, la voix contrefaite, masculine de Madame Blanche précède et évoque sa venue sur l'écran. Car le film ne peut commencer, la forme ne peut apparaître, sans l'intervention directe de notre regard. C'est lui qui à travers la boule-lentille vient impressionner la pâte-pellicule pour débuter le spectacle.

Ce relais occupe d'emblée le centre de l'écran. On assiste à un nouveau déplacement à l'intérieur du suspense où ce qui était en troisième position passe à la première. On obtient le schéma suivant *relais-parcours-étape* qui peut se calquer sur le schéma *Rear Window : cabine-distance-écran*. Cette modification du schéma *North by Northwest* implique que non content d'avoir posé la vitre de la cabine *sur*, installé notre fauteuil *au milieu de*, nous voulons que la cabine de projection soit elle-même transportée *dans* l'écran. Hitchcock en tire les conséquences.

La première concerne la distance et le parcours. Nous désirions supprimer cette distance en la période *Rear Window*. Nous devions effectuer le parcours dans la période. *North by Northwest*. Si maintenant cabine et écran, relais et étape sont immédiatement conjoints, le vœu est réalisé. Mais par la même il n'y a plus de suspense. Le dispositif cinématographique de *Rear Window* est représenté à plat (écran-optique-pellicule ou le sens inverse puisqu'il n'y a pas de conflit). Il est inefficient si une distance ne réintroduit pas la dramaturgie. Elle sera insufflée artificiellement. Et son parcours factice sera abyssal comme le prouve le tremblé de la voix d'Henry qui vient de l'au-delà. Car si nous nous trouvons simultanément dans la cabine et dans l'écran pourquoi se gêner : que peut imaginer de mieux un voyeur que de se travestir en voyante ?

Et surtout, quel meilleur poste d'observation pouvait-il espérer ? Devant lui l'étendue sans limite de la fiction qu'il manipule pour créer les sensations fortes nécessaires à son excitation et derrière lui, en pivotant à 180°, la salle dont il épie de la cabine les réactions pour aviver encore son plaisir. Le voyeurisme est à son comble qui couvre les 360 degrés et le libère de la sensation d'enfermement qu'entraînaient précédemment distance et parcours (enfermement dans la cabine : période *Rear Window* ; dans l'écran : période *North by Northwest*). Au dernier plan de *Family Plot*, Madame Blanche regarde la caméra et nous adresse un clin d'œil complice. Où est la salle ? Où est l'écran ? Il convenait qu'au terme d'une réflexion appliquée au dispositif cinématographique, Hitchcock ne joue plus le conflit public – spectacle (l'agressivité de *The Birds*, par exemple) mais le renchérissement de l'un par l'autre. Salle-écran, même face dédoublée du phénomène cinéma, lui-même témoin du réel produit par la société-spectacle.

Autre conséquence : l'effacement complet d'Hitchcock. D'où son apparition en effigie. Avec cette œuvre il nous abandonne, et la mise en scène (fonction de la cabine dans la période *Rear Window*) et le scénario (fonction de l'écran-relais dans la période *North by Northwest*), et nous invite à faire le film, mais seuls.

La sphère de création n'a plus qu'à s'évanouir sur le visage de Madame Blanche qui fait « son cinéma ». Et de se prendre aussitôt pour Hitchcock. Elle parodie le maître. Elle aussi veut construire son suspense à partir du public. Mais elle reste entachée d'une idée stéréotypée de ce dernier. Elle le voit sous les traits de Mrs. Rainbird, cette bonne spectatrice d'antan, si délicieusement crédule, prête à frissonner au moindre effet grand-guignolesque. Elle plonge la pauvre très riche Lady dans un suspense d'avant *Rear Window*, celui qui s'opérait selon le schéma *secret-chantage-aveu* et reposait sur la peur du scandale. D'où l'histoire que nous prêtons à Mrs. Rainbird dans le cadre ô combien victorien de son opulente demeure. Madame Blanche jouit alors, en spectatrice moderne et cynique de l'effet produit par sa mise en scène. D'où son regard amusé derrière sa main. Et puisque Madame Blanche occupe la place d'Hitchcock et que la caméra par un retournement sur elle-même à 150 degrés passe de l'écran-cabine à la salle, ce à quoi nous assistons dans cette première scène est la façon dont notre cinéaste construit son suspense.

Et dans le même temps l'auteur révèle le regard qu'il porte sur l'ensemble et l'évolution de son œuvre, par la mise face à face du rôle premier et du rôle dernier qu'il a accordé au public. Et ainsi donne l'explication de cette évolution. Elle n'est pas simplement le fait d'un auteur qui peaufine sa création. Elle obéit plus profondément à l'évolution de la société. Le passage de l'ère victorienne à la société de consommation change radicalement les mentalités et l'opposition entre les deux spectateurs hitchcockiens se fonde sur les conceptions différentes de la morale et de la manière de vivre. Elle oppose une génération de la pilule, de la contraception et de l'avortement.

Pour que l'idée soit bien comprise, Hitchcock l'illustre par plusieurs détails dont le plus important se situe à la fin de la scène quand Mrs. Rainbird raccompagne Madame Blanche. Il s'agit de la façon dont cette dernière laisse traîner son écharpe derrière elle. On est choqué par le côté désinvolte, négligé, impoli du comportement de Blanche d'autant plus accentué que Mrs. Rainbird, elle, tient son châle serré sur la poitrine, comme il convient à une lady. La divergence entre les deux éducations (l'ancienne et la moderne), entre deux classes sociales (la riche et la pauvre), entre deux conceptions de la vie se manifeste ainsi à l'évidence.

Et cette idée, perçue par le public, en déclenche aussitôt

d'autres moins conscientes. Celle d'un meurtre, par exemple. Cette blanche écharpe qui semble nous aguicher et nous narguer ne peut-elle être perçue comme un signe, une invite à étrangler la vieille dame. Il n'en est pas question, bien sûr. Simplement parce que si nous la tuons maintenant, nous, c'est-à-dire Madame Blanche, ne pourrions toucher la fortune dont le moindre objet de la demeure nous a fait sentir l'immensité. Et pourtant...

Nous venons de constater l'immense crédulité de Mrs. Rainbird, combien elle était vulnérable et facile à escroquer et aussitôt un scénario s'échafaude dans notre esprit : Madame Blanche va, évidemment, se trouver un complice qui se fera passer pour l'enfant du péché jadis abandonné par Mrs. Rainbird et qu'elle recherche aujourd'hui. Ainsi pourra-t-elle sans risque hériter de la fabuleuse fortune. Mais hériter signifie qu'il y ait mort. Si donc nous voulons aller au bout de cette esquisse de scénario nous sommes contraints de réaccepter le meurtre. Cette idée qui est la conclusion logique de notre première pensée ne nous effleure même pas. Il n'empêche qu'elle a été inconsciemment émise et qu'elle ne va pas s'évanouir. Elle se focalise à travers la boule, pénètre et travaille la pâte de l'imaginaire, impressionne la pellicule et se concrétise plus tard dans le personnage d'Adamson, brillant escroc, inquiétant meurtrier et de surcroît l'enfant du péché, objet même de la mise en route de la fiction. Et cette idée, il la mènera à son terme non pas sur Mrs. Rainbird mais directement sur Madame Blanche qui a enclenché le processus et déclenché le mécanisme du suspense. (On notera que c'est le même principe que dans *Rear Window* : ce que nous avons voulu voir naître dès qu'il a pris corps et existence se retourne contre nous et cherche à nous détruire.)

Plus liée au subconscient, une autre idée surgit à la vision de cette écharpe. Comme si Madame Blanche traînait derrière elle le cordon ombilical qu'elle vient de couper. Au niveau premier, disons que Madame Blanche appâtée par le gain se sent complètement libre par rapport à la morale puritaine et intransigeante de l'ancien temps (attitude prise en charge et complètement assumée par le jeune loup Adamson). Mais au niveau qui nous préoccupe disons que Madame Blanche – spectateur ayant pris dès le début de la scène la place d'Hitchcock – quitte la maison, cette demeure hitchcockienne par excellence, cette maison père-mère du suspense, persuadée qu'elle possède désormais le secret qu'elle est venue voler et qu'elle est maintenant assez forte pour mener l'intrigue et la mise en scène à sa guise. Dans ce dernier film, l'enfant spectateur pense avoir tué le père créateur (désir encore assouvi par Adamson qui a assassiné ses parents adoptifs).

Troisième conséquence : une fois que le relais lance l'action, il entraîne une cascade de dédoublements. Jamais comme dans *Family Plot,* Hitchcock n'a poussé aussi loin le jeu de la démultiplication. À commencer par le double sens du titre : complot et caveau de famille. Au départ, donc, nous n'avons d'autres choix que de nous projeter, nous dédoubler en Madame Blanche. Mais son apparition était précédée par le dédoublement de sa voix, à la fois masculine et féminine qui souligne qu'elle représente bien la totalité du public. Mais en même temps ce n'est plus sa voix mais celle dédoublée d'un médium (notre relais qui intervient pour nous dans le spectacle) et celle d'Henry-Hitchcock.

Double dédoublement qui engendre deux autres dédoublements. En premier, celui de la spectatrice moderne des derniers films d'Hitchcock en la spectatrice ancienne des premières œuvres. Et puisque Mrs. Rainbird aurait pu faire une héroïne digne de *Rebecca* ou d'*Under Capricorn,* bref d'avant *Rear Window,* elle aura droit à l'ancien régime :

son double (sa sœur Harryett qu'interprète Madame Blanche) apparaît avant elle sur l'écran. D'autre part, il faut bien que le côté homme qui est appelé (la voix masculine) se matérialise sous la forme de George, l'ami de Madame Blanche.

Celui-ci apparaît dès la deuxième scène, hors de la maison-mère du suspense. Plus raisonnable ou résigné que sa compagne, il accepte la partition de son existence entre un quotidien nécessaire (chauffeur de taxi) et un imaginaire frustré (comédien en chômage). Au plan du quotidien, il est sous un masque de cynisme amoral la projection de la naïveté et de la crédulité de Mrs. Rainbird. Au plan de l'imaginaire, il est la projection d'Henry qu'à son tour il matérialise (voix masculine). Son besoin d'évasion le pousse à entrer dans une vie fictionnelle. Mais son sens du réel ou de ses limites le cantonne au simple rang de comédien à la disposition de la mise en scène (Madame Blanche-Hitchcock). Concrètement et prosaïquement son rôle consiste à enquêter sur le réel pour alimenter la fiction.

Dans la voiture, le couple ainsi formé est déjà dédoublé (lui sur la banquette avant, elle sur la banquette arrière; lui qui conduit, elle qui dirige). Il se lance à la conquête du film qu'il leur faut fabriquer et s'apprête à la traversée du miroir (d'où l'aspect Alice de Blanche et celui de lapin de George. (Cf. la façon dont Hitchcock joue sur la dentition de son acteur à laquelle répond celle carnivore d'Adamson.) *Family Plot* est la fable moderne de deux gentils lapins qui succombent à l'idéologie ambiante et se prennent pour de jeunes loups capitalistes). Dans leur désarmant amateurisme – auquel s'oppose constamment l'hyperprofessionnalisme du couple Adamson-Fran – il produit aussitôt le stéréotype le plus éculé de la mythologie hollywoodienne : la starissime qui surgit devant eux sur l'écran. Elle-même aussitôt dédoublée : à la fois Greta

Garbo, la grande amoureuse pour l'ancienne génération du style Mrs. Rainbird, et Ursula Andress, la grande aventurière pour la génération moderne. Notons au passage que Fran, au bout de son parcours se révélera être la grande amoureuse du film, Blanche ne manifestant au plan de l'amour qu'une solide apparence charnelle propre à la gent lapine.

À partir de l'apparition de Fran, c'est le récit – et cela pour la première fois d'une manière aussi systématique chez Hitchcock – qui se dédouble. Il est loisible d'y voir l'ultime conséquence du nouveau suspense. Il permet d'associer les deux suspenses en les combinant. Truffaut note que cette construction inédite excitait beaucoup Hitchcock. Celui-ci a-t-il eu la prescience que *Family Plot* serait sa dernière œuvre? Il l'a traitée, en effet, comme si elle devait condenser son activité cinématographique. Pas un seul des 52 films précédents qui n'aient sa citation, sa référence ou sa réminiscence. Mais le récit qui fut de toutes ses activités celle qui le préoccupa le plus trouve ici son accomplissement. Il nous en dresse l'histoire de son évolution.

Nous retrouvons la manière anglaise, ce ton de comédie « british », léger, distancié, « qui ne concerne pas », bref, ce type de divertissement qui classa si longtemps Hitchcock parmi les auteurs doués, superficiels et peu sérieux. Nous avons ensuite le suspense victorien de la première époque hollywoodienne qui sert de base à l'intrigue et lance l'action. Celle-ci est prise en charge par le spectateur moderne qui consomme du spectacle et se développe selon les deux modes de récit qui découlent de cette attitude; celui du voyeurisme honteux à la *Rear-Window* qui se cache pour mieux jouir en solitaire, et celui exhibitionniste de *North by Northwest* qui satisfait sa soif de curiosité par le plaisir collectif.

La combinaison de ces deux récits dans *Family Plot* donne un ajout au voyeurisme. Il est tous azimuts. Les ébats avivent la jouissance solitaire et inversement (dans un sens, par exemple, la façon dont Madame Blanche s'excite aux frayeurs qu'elle provoque chez Mrs. Rainbird ; dans un autre, la scène effrénée de la voiture où Blanche et George s'offrent (nous offrent) une allègre partie de pattes en l'air). Hitchcock n'a jamais eu un récit aussi décoincé. La crudité (déjà amorcée dans *Frenzy*) des paroles et des attitudes est patente. Dans ce film libératoire et défoulé, le voyeurisme, donc le récit, couvre tous les champs possibles que propose une partie carrée. On peut raconter *Family Plot* ainsi : la double histoire de deux couples dont l'un à la sexualité simpliste, primaire et néophyte veut s'immiscer dans les ébats d'un autre à l'érotisme savant, raffiné, pervers qui refuse qu'on le dérange. (Il est dit à plusieurs reprises que les exploits criminels d'Adamson et Fran ont pour eux vertu aphrodisiaque et apéritive à l'exercice amoureux.)

Nous avons donc un récit *North by Northwest* mené par Madame Blanche et son ami George. D'emblée est mise en évidence leur volonté d'en fabriquer l'intrigue. Dès la scène en taxi qui suit celle de l'exposition, leur conversation tient de la discussion entre scénaristes. Il y a celle « qui voit » et celui qui enquête sur le réel et fournit les renseignements. Nous retrouvons ici la leçon de cinéma sur la fabrication du scénario, telle la scène exemplaire du cimetière. George se trouve devant la tombe du neveu de Mrs. Rainbird qu'ils recherchent. Le scénario qu'ils échafaudent s'écroule. À ce moment, d'une tombe ouverte, rectangulaire comme un écran posé à même le sol, surgit un fossoyeur. Il n'a rien à dire, ne sait rien, ne sert à rien. Il est traité exactement comme le paysan de la scène de l'avion. Encore ce dernier livrait-il un indice oral à Thornhill. Alors qu'ici le renseignement qui va débloquer l'histoire et relancer l'action ressort d'une idée purement visuelle : d'une tombe peut s'échapper un vivant. Du vide naît le plein. On le savait déjà avec le scénario de *North by Northwest* conçu à partir de l'idée visuelle d'une scène d'ouverture (la fabrication d'une voiture sur une chaîne automobile avec un cadavre dans le coffre au bout de la chaîne) qui se détacha d'elle-même une fois le film construit. On le sait davantage encore en suivant Madame Blanche et George. Ils s'enfoncent allègrement – et perpendiculairement – au cœur de la fiction, en piétinent les règles les plus élémentaires et triomphent facilement, protégés par l'innocence de leur amateurisme, de toutes les embûches.

Celles que leur tend, bien sûr, le récit *Rear Window* concocte par Adamson et Fran. Ce récit est similaire à celui de l'assassin de *Rear Window*, c'est-à-dire que l'activité criminelle des uns ou de l'autre suit une trajectoire parallèle au spectateur et est conduite jusqu'à son terme sans s'occuper de lui. C'est l'avancée perpendiculaire de Grace Kelly ou de Blanche qui vient perturber ce récit et finalement l'anéantir. Dans *Family Plot* cette idée est filmée littéralement : pendant que le récit Blanche-George triomphe, celui d'Adamson-Fran passe aux oubliettes. Et avec eux la valorisation de la mise en scène. Il y a, en effet, de la part de ce couple comme une gourmandise à savourer le cérémonial dont ils enrobent la moindre de leurs entreprises. Le plaisir de la mise en scène semble même être l'unique motivation de leur action, le pur joyau qu'ils envient. En d'autres termes, Hitchcock traite dans *Family Plot* la dégénérescence du cinéma. Ce récit *Rear Window* appartient à l'univers de l'écran pensé comme l'espace de représentation, le lieu du mythe. Et il est vrai que l'histoire du couple Adamson-Fran contient tous les grands thèmes dramaturgiques : aventure, sexe, amour, mort, religion, argent, etc. Et tout se passe comme si, malgré la réduction de ces grands sujets à celui de l'efficience et de la réussite à n'importe quel prix, l'histoire était encore trop astreignante pour un public infantilisé. Celui-ci en est au niveau de la B.D. ou plus justement quand on examine le récit Blanche-George au niveau de l'émission télévisuelle du genre « vous êtes formidables » ou « la course au trésor ». Et la T.V. l'emporte sur le cinéma. Une mise en scène fouillée au service d'un sujet riche et profond n'est même plus comprise et ennuie. Hitchcock dont Truffaut relate les angoisses à ce propos à partir de *Marnie* traite ici la fin d'un cinéma, de son cinéma désormais soumis aux lois-caprices d'un public de teenagers.

De ce cinéma, il nous donnera en dehors du premier plan une figuration parfaite. Lorsque les deux récits s'entrecroisent pour la première fois, que Fran coupe la route et le récit à Blanche-George, la construction dramaturgique du récit se visualise. À l'horizontalité du récit *Rear Window* succède l'avancée perpendiculaire du récit *North by Northwest*. Et dans cette épure graphique chaque moment des suspenses de ces deux récits – *a)* cabine, distance, écran ; *b)* parcours, étape, relais – sont représentés quasiment en soi. Souvenons-nous. Il y a eu le premier plan et sa scène d'exposition qui a mis en place le relais. Puis à la sortie de chez Mrs. Rainbird nous retrouvons l'ordre connu. Blanche est dans le taxi de George. Nous assistons à leur *parcours*, mais la façon dont est filmé l'intérieur du taxi procure la sensation d'être dans une *cabine*. Pour être plus précis professionnellement, disons qu'on a l'impression de voir un metteur en scène (Madame Blanche) parler au deuxième rang à son scénariste ou son comédien (ce qu'est doublement George) assis au premier rang dans une salle de projection privée.

Et soudain le taxi freine à mort. Sur le rectangle du pare-brise surgit, lunettes noires et grand chapeau, la starissime qui traverse, impériale et hautaine, l'écran de part en part. La *distance* est supprimée, la vitre est sur l'écran, cette vitre sur laquelle tout enfant est venu coller son front, écraser le nez, écarquiller les yeux face au merveilleux qu'il regarde ou imagine, cette vitre sans laquelle il n'est pas de spectacle. *L'étape*, le passage de la salle à l'écran, est réduite, ici, à sa plus simple expression – l'apparition de Fran derrière le pare-brise – puisque la distance est supprimée.

La caméra passe brutalement de l'intérieur du taxi à l'extérieur dans la position en plongée qu'elle occupait au premier plan de la scène de l'avion dans *North by Northwest* pour observer cette étrange et mystérieuse apparition. On ne peut manifester plus ostensiblement le passage sur et bientôt dans (le mouvement de la caméra) *l'écran*, dans le même temps qu'on filme l'idée de la chose en soi, du *relais*. Le récit Blanche-George est stoppé net. Celui de Fran-Adamson commence.

Puis toujours dans le même plan, la caméra suit la déambulation horizontale de Fran qui soudain pivote à 90 degrés et se laisse entraîner par elle dans sa pénétration à l'intérieur de l'écran. Elle filme alors le pur parcours – puisque nous n'en connaissons ni la cause, ni le but – et l'organise en un parfait suspense en soi. Elle-même fait fonction de cabine tant l'évidence de son mouvement la rend présente.

La passation de pouvoir d'un récit à l'autre s'organise bien selon le mouvement propre à chacun. Nous sommes venus, d'abord, heurter perpendiculairement le pare-brise sur l'écran. Dans le même temps, l'univers parallèle est venu s'accoler parallèlement sur la vitre. Puis la caméra s'est enfoncée dans l'écran (mouvement de la période *North by Northwest*), mais en même temps elle se laisse entraîner (puisqu'elle se met derrière le dos de Fran) par le spectacle (mouvement de la période *Rear Window*). Tout se passe comme si le récit *Rear Window* exagérait, caricaturait le

308

suspense *North by Northwest* qui l'a appelé et l'a mis en mouvement en le reflétant par réfraction à travers le miroir. Il se donne comme son inverse et son contraire. Son récit à lui n'est pas l'intrigue (inexistante au moment de l'apparition de Fran). Il réside dans la puissance souveraine et en soi de la mise en scène qui dispense émerveillement et fascination, sensation que nous ressentons à cette scène.

Le jeu incessant du miroir est ce qui rend l'œuvre d'Hitchcock non pas difficile à comprendre mais complexe à expliquer. Elle est bâtie sur des signes mais comme ils sont des reflets, aucun n'est fiable. Ils sont tous soumis au système d'interprétation.

Comme si un film d'Hitchcock n'était qu'une suite d'interrogations auxquelles chacun apporte sa propre réponse. Ce que l'analyse de ses œuvres confirme. L'action est faite des interprétations que les personnages portent les uns sur les autres (*Suspicion* en étant l'exemple le plus patent). Dans notre première scène la dramaturgie s'élabore sur l'interprétation par Mrs. Rainbird des divagations de Madame Blanche tandis que celle-ci épie et interprète les réactions de Mrs Rainbird. Le travail d'Hitchcock consiste, comme nous l'avons dit, à imaginer l'interprétation en cours de film que nous aurons de tous les éléments vus et entendus. Il s'agit pour lui d'orienter les interprétations puis de les combler. Jeu scout inversé : chercher la piste des signes.

L'écran est miroir et le miroir est roi. On connaît l'horreur d'Hitchcock pour le documentaire. À ses yeux, l'imposture suprême consiste à faire payer des spectateurs pour venir regarder ce qu'ils peuvent voir gratuitement dans la rue. Pour lui, le cinéaste ne doit commencer à opérer que lorsque le spectateur est déjà dans la salle. Seule compte la réalité de son vécu, sa mentalité, bref ses croyances et ce qu'elles occultent. Ce qui l'oblige à prendre en considération les états de société, à saisir les idéologies qui fabriquent les croyances, à mettre à jour les médias qui façonnent les mentalités. Son spectateur moyen n'est qu'un produit et il le traite comme tel. Il devine et interprète les désirs-craintes issus de son aliénation, les projette et les dédouble de sorte qu'à la fin de ses films soit démonté le mécanisme qui a fabriqué ce produit.

Hitchcock ne filme pas comme la plupart des cinéastes. Ceux-ci suivent le processus classique : braquer la caméra sur le réel pour le retrouver sur l'écran par le biais du projecteur. C'est dire qu'ils accordent une importance majeure au travail de la caméra. Pour eux, le film se fait au tournage. Pour Hitchcock, l'écran prime tout. On sait qu'une fois son script achevé, il considère son film comme fini. Dans cette optique, l'opération de la caméra et du tournage devient superfétatoire. Attitude paradoxale, évidemment. Mais puisque l'écran est la finalité de tout film, Hitchcock en fait l'alpha et l'oméga de son processus cinématographique. Si le rôle de l'écran est de recevoir, donc de capter la réalité du spectateur, la caméra d'une certaine façon ne peut être placée que sur l'écran. Quant au projecteur, il introduit l'espace dans lequel se défoule librement l'imaginaire du public. C'est ce que symbolise ou plus exactement schématise notre premier plan. La caméra-boule de cristal, à la fois objectif et pellicule, enregistre directement sur l'écran. Mais la fonction de celui-ci l'emporte à la fin du plan sur la caméra. Elle s'efface pour laisser place à l'opacité de l'écran qui se fait miroir. La caméra pivote alors sur elle-même pour découvrir le spectateur dans la salle. Il vient à son tour de pénétrer dans l'écran.

De ce point de vue, *Family Plot* est le film d'Hitchcock où fourmillent le plus les entrées dans l'écran. Relevons simplement le mouvement de la caméra qui quitte la voiture pour suivre Fran à sa première apparition : ou encore le jeu de la porte du garage et celui du mur pivotant de la cave mais aussi l'apparition du fossoyeur au cimetière, etc. C'est qu'Hitchcock conçoit finalement l'écran pour ce qu'il est : une surface sur laquelle des forces ne demandent qu'à être animées par la force de nos désirs ; un drap que maculent nos fantasmes, un linceul où se promènent les spectres.

Si donc *Family Plot* qui parle essentiellement du cinéma nous parle tellement de la mort, nous mène dans les cimetières, nous engloutit autant à l'intérieur de l'écran, c'est qu'il concrétise la pensée finale du cinéma hitchcockien. Plus que Murnau, Hitchcock conçoit l'écran comme le haut lieu d'aspiration, de vampirisation de la réalité du spectateur. Il la lui capte pour lui donner à vivre fictivement, et lui restituer ensuite dans une communion ludique qui fait de ce dernier film l'œuvre la plus plaisante, divertissante et joyeuse de son auteur, dans le même temps qu'elle est la plus désenchantée.

Liste des films d'Alfred Hitchcock

1922 (inachevé) NUMBER THIRTEEN
Images : Rosenthal, *Interprétation* : Clara Greet, Ernest Thesiger

1925 (Gainsborough-Emelka) THE PLEASURE GARDEN
Scénario : Eliot Stannard, *Images* : Baron Ventigmilia, *Interprétation* : Virginia Valli,
Carmelita Geraghty, Miles Mander.

1926 (Gainsborough-Emelka) THE MOUNTAIN EAGLE
Scénario : Eliot Stannard, *Images* : Baron Ventigmilia,
Interprétation : Bernard Goetzke, Nita Naldi, Malcolm Keen.

1926 (Gainsborough) THE LODGER *(L'Eventreur ou Les Cheveux d'or)*
Scénario : Alfred Hitchcock et Eliot Stannard, *Images* : Hal Young,
Interprétation : Ivor Novello, June, Malcolm Keen.

1927 (Gainsborough) DOWNHILL
Scénario : Eliot Stannard, *Images* : Claude Mac Donell,
Interprétation : Ivor Novello, Ben Webster, Robin Irvine.

1927 (Gainsborough) EASY VIRTUE
Scénario : Eliot Stannard, *Images* : Claud Mac Donell,
Interprétation : Isabel Jeans, Franklyn Dyall.

1927 (British International Pictures) THE RING *(Le Ring)*
Scénario : Alfred Hitchcock, *Adaptation* : Alma Reville, *Images* : Jack Cox, *Interprétation* :
Carl Brisson, Lillian Hall-Davies, Ian Hunter.

1928 (British International Pictures) THE FARMER'S WIFE
(La Fermière ou Laquelle des trois ?)
Scénario : Alfred Hitchcock, *Images* : Jack Cox,
Interprétation : Jameson Thomas, Lillian Hall-Davies, Gordon Harker.

1928 (British International Pictures) CHAMPAGNE *(A l'américaine)*
Scénario : Eliot Stannard, *Images* : Jack Cox,
Interprétation : Betty Balfour, Gordon Harker, Jack Trevor.

1929 (British International Pictures) THE MANXMAN
Scénario : Eliot Stannard, *Images* : Jack Cox,
Interprétation : Carl Brisson, Malcolm Keen, Anny Ondra.

FILMS PARLANTS

1929 (British International Pictures) BLACKMAIL *(Chantage)*
Deux versions : muette et parlante
Scénario : Alfred Hitchcock, Benn W. Levy et Charles Bennett,
Images : Jack Cox, *Interprétation* : Anny Ondra, John Longden, Sara Allgood.

1930 (British International Pictures) JUNO AND THE PAYCOCK *(Junon et le Paon)*
Scénario : Alma Reville, *Images* : Jack Cox,
Interprétation : Sara Allgood, Edward Chapman, Maire O'Neill.

1930 (British International Pictures) MURDER
Scénario : Alma Reville, *Images* : Jack Cox,
Interprétation : Herbert Marshall, Norah Baring, Phyllis Konstam.

1931 (British International Pictures) THE SKIN GAME
Scénario : Alfred Hitchcock, *Images* : Jack Cox,
Interprétation : Edmund Gwen, Jill Edmond, John Longden.

1932 (British International Pictures) RICH AND STRANGE *(A l'Est de Shanghai)*
Scénario : Alma Reville et Val Valentine, *Images* : Jack Cox, Charles Martin,
Interprétation : Henry Kendall, Joan Barry, Bety Amann.

1932 (British International Pictures) NUMBER SEVENTEEN *(Numéro dix-sept)*
Scénario : Alfred Hitchcock, *Images* : Jack Cox,
Interprétation : Léon M. Lion, Anne Grey, John Stuart.

1933 WALTZES FROM VIENNA *(Le Chant du Danube)*
Scénario : Alma Reville et Guy Bolton,
Interprétation : Jessie Matthews, Edmond Knight, Frank Vosper.

1934 (Gaumont British) THE MAN WHO KNEW TOO MUCH
(L'Homme qui en savait trop)
Scénario : A.-R. Rawlinson et Edwin Greenwood, *Images* : Kurt Courant,
Interprétation : Leslie Banks, Peter Lorre, Edna Best.

1935 (Gaumont British) THE THIRTY-NINE STEPS *(Les 39 Marches)*
Scénario : Charles Bennett et Alma Reville, *Images* : Bernard Knowles,
Interprétation : Robert Donat, Madeleine Carroll, Lucy Mannheim.

1936 (Gaumont British) THE SECRET AGENT *(Quatre de l'espionnage)*
Scénario : Charles Bennett et Alma Reville, *Images* : Bernard Knowles
Interprétation : Madeleine Carroll, John Gielgud, Peter Lorre.

1936 (Gaumont British) SABOTAGE *(Agent secret)*
Scénario : Charles Bennett et Alma Reville, *Images* : Bernard Knowles
Interprétation : Sylvia Sidney, Oscar Homolka, Desmond Tester.

1937 (Gainsborough-Gaumont British) YOUNG AND INNOCENT *(Jeune et innocent)*
Scénario : Charles Bennett et Alma Reville, *Images* : Bernard Knowles
Interprétation : Derrick de Marney, Nova Pilbeam, Percy Marmont.

1938 (Gainsborough) THE LADY VANISHES *(Une femme disparaît)*
Scénario : Sidney Gilliatt, Frank Launder et Alma Reville, *Images* : Jack Cox
Interprétation : Margaret Lockwood, Michael Redgrave, Paul Lukas.

1939 (Mayflowers Studios) JAMAICA INN *(L'Auberge de la Jamaïque)*
Scénario : Sidney Gilliatt et Joan Harrison, *Images* : Harry Stradling, Bernard Knowles,
Interprétation : Maureen O'Hara, Charles Laughton, Robert Newton.

FILMS AMÉRICAINS

1940 (David O. Selznick) REBECCA *(Rebecca)*
Scénario : Robert-E. Sherwood et Joan Harrison, *Images* : George Barnes,
Interprétation : Laurence Olivier, Joan Fontaine, George Sanders.

1940 (Walter Wanger) FOREIGN CORRESPONDANT *(Correspondant 17)*
Scénario : Charles Bennett et Joan Harrison, *Images* : Rudolph Maté,
Interprétation : Joel McCrea, Laraine Day, Herbert Marshall.

1941 (R.K.O.) MR. AND MRS. SMITH *(M. et Mme Smith)*
Producteur : Harry Edington, *Scénario* : Norman Krasna, *Images* : Harry Stradling,
Interprétation : Carole Lombard, Robert Montgomery, Gene Raymond.

1942 (R.K.O.) SUSPICION *(Soupçons)*
Scénario : Samson Raphaelson, Joan Harrison et Alma Reville, *Images* : Harry Stradling,
Interprétation : Cary Grant, Joan Fontaine, Sir Cedric Hardwicke.

1942 (Universal) SABOTEUR *(Cinquième colonne)*
Scénario : Peter Viertel, Joan Harrison et Dorothy Parker, *Images* : Joseph Valentine,
Interprétation : Robert Cummings, Priscilla Lane, Otto Kruger.

1943 (Universal) SHADOW OF A DOUBT *(L'Ombre d'un doute)*
Scénario : Thornton Wilder, Alma Reville et Sally Benson, *Images* : Joseph Valentine
Interprétation : Joseph Cotten, Teresa Wright, MacDonald Carey.

1943 (Twentieth Century-Fox) LIFEBOAT *(Lifeboat)*
Scénario : Jo Swerling, *Images* : Glen Mac Williams, *Interprétation* : Tallulah Bankhead,
William Bendix, Walter Slezak.

1944 (M.O.I.) AVENTURE MALGACHE *(court métrage)*
(Court métrage parlant français produit par le British Ministry of Information)
Images : Gunther Krampf, *Interprétation* : The Molière Players
(Groupe d'acteurs français réfugiés en Angleterre)

1944 (M.O.I.) BON VOYAGE *(court métrage)*
(Court métrage parlant français produit par le British Ministry of Information)
Scénario : J.O.C. Orton, Angus McPhail, *Images* : Gunther Krampf,
Interprétation : John Blythe et The Molière Players

1945 (Selznick International) SPELLBOUND *(La Maison du docteur Edwardes)*
Scénario : Ben Hecht, *Images* : George Barnes,
Interprétation : Ingrid Bergman, Gregory Peck, Rhonda Fleming.

1946 (R.K.O. Radio) NOTORIOUS *(Les Enchaînés)*
Scénario : Ben Hecht, *Images* : Ted Tetzlaff, *Interprétation* : Ingrid Bergman,
Cary Grant, Claude Rains, *Production* : Alfred Hitchcock

1947 (Selznick International) THE PARADINE CASE *(Le Procès Paradine)*
Scénario : David-O. Selznick et Alma Reville, Images : Lee Garmes,
Interprétation : Gregory Peck, Ann Todd, Charles Laughton, etc.

1948 (Transatlantique Pictures) ROPE *(La Corde)*
Scénario : Arthur Laurens, *Images* : Joseph Valentine, William V. Skall,
Interprétation : James Stewart, John Dall, Farley Granger.
Production : Sidney Bernstein et Alfred Hitchcock

1949 (Transatlantique Pictures) UNDER CAPRICORN *(Les Amants du Capricorne)*
Scénario : James Bridie, *Images* : Jack Cardiff
Interprétation : Ingrid Bergman, Joseh Cotten, Michael Wilding.
Production : Sidney Bernstein et Alfred Hitchcock

1950 (Warner Bros.) STAGE FRIGHT *(Le Grand Alibi)*
Scénario : Whitfield Cook, *Images* : Wilkie Cooper,
Interprétation : Jane Wyman, Marlene Dietrich, Michael Wilding.

1951 (Warner Bros.) STRANGERS ON A TRAIN *(L'Inconnu du Nord-Express)*
Scénario : Raymond Chandler, Czenzi Ormonde, *Images* : Robert Burks
Interprétation : Farley Granger, Ruth Roman, Robert Walker
Production : Alfred Hitchcock

1952 (Warner Bros.) I CONFESS *(La Loi du silence)*
Scénario : George Tabori, William Archibald, *Images* : Robert Burks, *Interprétation* :
Montgomery Clift, Anne Baxter, Karl Malden, *Production* : Alfred Hitchcock

1953 (Warner Bros.) DIAL M. FOR A MURDER *(Le Crime était presque parfait)*
Scénario : Frederick Knott, *Images* : Robert Burks, *Interprétation* : Ray Milland,
Grace Kelly, Robert Cummings, *Production* : Alfred Hitchcock

1954 (Paramount) REAR WINDOW *(Fenêtre sur cour)*
Scénario : John Michael Hayes, *Images* : Robert Burks, *Interprétation* : James Stewart,
Grace Kelly, Wendell Corey, *Production* : Alfred Hitchcock

1955 (Paramount) TO CATCH A THIEF *(La Main au collet)*
Scénario : John Michael Hayes, *Images* : Robert Burks, *Interprétation* : Cary Grant,
Grace Kelly, Brigitte Auber, *Production* : Alfred Hitchcock

1955 (Paramount) THE TROUBLE WITH HARRY *(Mais qui a tué Harry ?)*
Scénario : John Michael Hayes, *Images* : Robert Burks, *Interprétation* : Edmond Gwenn,
John Forsythe, Shirley McLaine, *Production* : Alfred Hitchcock

1956 (Paramount) THE MAN WHO KNEW TOO MUCH *(L'Homme qui en savait trop)*
Scénario : John Michael Hayes et Angus McPhail, *Images* : Robert Burks, *Interprétation* :
James Stewart, Doris Day, Daniel Gélin, *Production* : Alfred Hitchcock

1956 (Warner Bros.) THE WRONG MAN *(Le Faux coupable)*
Scénario : Maxwell Anderson et Angus McPhail, *Images* : Robert Burks, *Interprétation* :
Henry Fonda, Vera Miles, Anthony Quayle, *Production* : Alfred Hitchcock

1957 VERTIGO *(Sueurs froides)*
Scénario : Alec Coppel et Samuel Taylor, *Images* : Robert Burks,
Interprétation : James Stewart, Kim Novak, Barbara Bel Geddes,
Production : Alfred Hitchcock, *Distribution* : Paramount

1958 NORTH BY NORTHWEST *(La Mort aux trousses)*
Scénario : Ernest Lehman, *Images* : Robert Burks, *Interprétation* : Cary Grant,
Eva-Marie Saint, James Mason, *Production* : Alfred Hitchcock

1960 PSYCHO *(Psychose)*
Scénario : Joseph Stefano, *Images* : John L. Russel, *Interprétation* : Anthony Perkins, Janet
Leigh, Vera Miles, *Production* : Alfred Hitchcock

1962 THE BIRDS *(Les Oiseaux)*
Scénario : Eva Hunter, *Images* : Robert Burks, *Interprétation* : Tippi Hedren,
Rod Taylor, Jessica Tandy, *Production* : Alfred Hitchcock

1964 MARNIE *(Pas de printemps pour Marnie)*
Scénario : Jay Presson Allen, *Images* : Robert Burks, Interprétation : Tippi Hedren, Sean
Connery, Diane Baker, *Production* : Alfred Hitchcock

1966 TORN CURTAIN *(Le Rideau déchiré)*
Scénario : Brian Moore, *Images* : John F. Warren, *Interprétation* : Paul Newman,
Julie Andrews, Lila Kedrova, *Production* : Alfred Hitchcock

1969 (Universal) TOPAZ *(L'Etau)*
Scénario : Samuel Taylor, *Images* : Jack Hildyard, *Interprétation* : Frederick Stafford,
Dany Robin, John Vernon, *Producteur* : Alfred Hitchcock,
Producteur associé : Herbert Coleman

1972 (Universal) FRENZY *(Frenzy)*
Scénario : Anthony Shaffer, *Images* : Gil Taylor, *Interprétation* : Jon Finch, Alex McCowen,
Barry Foster, *Producteur* : Alfred Hitchcock, *Producteur associé* : Bill Hill

1976 (Universal) FAMILY PLOT *(Complot de famille)*
Scénario : Ernest Lehman, *Images* : Leonard South, *Interprétation* : Karen Black, Bruce
Dern, Barbara Harris, *Producteur* : Alfred Hitchcock

Index des films d'Alfred Hitchcock cités

Table

Composé par InfoPrint/EdiTec
4ᵉ tirage

Achevé d'imprimer : février 2006
Imprimerie Darantiere à Quetigny, France
Numéro d'impression : 26-0308
Dépôt légal : février 2006.